A
LA RECHERCHE
DE MARCEL
PROUST

ŒUVRES D'ANDRÉ MAUROIS

ROMANS

Les Silences du colonel Bramble (Grasset, 1918).
Ni Ange, ni Bête (Grasset, 1919).
Les Discours du docteur O'Grady (Grasset, 1922).
Bernard Quesnay (Gallimard, 1926).
Climats (Grasset, 1928).
Voyage au pays des Articoles (Gallimard, 1928).
Le Peseur d'âmes (Gallimard, 1931).
Le Cercle de famille (Grasset, 1932).
L'Instinct du bonheur (Grasset, 1934).
La Machine à lire les pensées (Gallimard, 1937).
Terre promise (Flammarion, 1946).

CONTES
ET NOUVELLES

Meïpe ou la délivrance (Grasset, 1926).
Premiers contes (Henri Defontaine, Rouen, 1935).
Toujours l'inattendu arrive (Editions des Deux Rives, 1946).
Les Mondes impossibles (Gallimard, 1947).

BIOGRAPHIES

Ariel ou la vie de Shelley (Grasset, 1923).
La vie de Disraeli (Gallimard, 1927).
Byron, 2 volumes (Grasset, 1930).
Lyautey (Plon, 1931).
Tourguéniev (Grasset, 1931).
Voltaire (Gallimard, 1932).

Edouard VII et son temps (Editions de France, 1933).
Chateaubriand (Grasset, 1938).
Mémoires (Flammarion, 1947).

HISTOIRE

Histoire d'Angleterre (Fayard, 1937).
Histoire des Etats-Unis (Albin Michel, 1947).
Histoire de la France (Dominique Wapler, 1947).

ESSAIS

Dialogues sur le commandement (Grasset, 1924).
La Conversation (Hachette, 1927).
Etudes anglaises (Grasset, 1927).
Rouen (Emile-Paul, 1927 ; Gallimard, 1929).
Aspects de la biographie (Au Sans Pareil, 1928).
Le Côté de Chelsea (Editions du Trianon, 1929).
Mes songes que voici (Grasset, 1933).
Sentiments et Coutumes (Grasset, 1934).
Magiciens et Logiciens (Grasset, 1935).
Un Art de vivre (Plon, 1939).
Etats-Unis 1939 (Editions de France, 1939).
Etudes littéraires, 2 volumes (Sfelt, 1947).
Sept visages de l'amour (La Jeune Parque, 1946).
Journal. — Etats-Unis 1946 (Editions du Bateau Ivre, 1946).
Conseils à un jeune Français partant pour les Etats--Unis (La Jeune Parque, 1947).

ANDRÉ MAUROIS
de l'Académie Française

À
LA RECHERCHE
DE MARCEL
PROUST

*AVEC DE NOMBREUX
INÉDITS*

LE CERCLE DU LIVRE DE FRANCE

HACHETTE

À MADAME GÉRARD MANTE-PROUST,

*En témoignage de reconnaissance
et de respectueuse amitié.*

NOTE LIMINAIRE

L E lecteur trouvera, à la fin de cet ouvrage, une liste des livres que j'ai consultés, mais je veux ici reconnaître quelques dettes qui m'imposent une particulière reconnaissance. Madame Gérard Mante-Proust, qui veille avec tant d'intelligence et de piété sur les papiers de son oncle, a bien voulu me permettre de consulter et de citer les carnets, les cahiers inédits et la correspondance de Marcel Proust avec ses parents. Sans son appui et sa générosité, ce livre n'aurait pu être aussi neuf, ni aussi complet. Parmi les études sur l'œuvre, je dois beaucoup à celle de Léon Pierre-Quint, qui demeure la source première de toute exégèse proustienne ; à celles de Ramon Fernandez, Pierre Abraham, Henri Massis, Georges Cattaüi, Anne-Marie Cochet, et à deux livres récents, ceux de Messieurs Henri Bonnet et Noël Martin-Deslias. Sur le style de Proust, l'essentiel a été dit par Jean Pommier et Jean Mouton. Pour la partie biographique, les souvenirs de ceux ou de celles qui ont connu Marcel Proust m'ont été précieux. J'ai pu parler de lui avec Jacques-Emile Blanche, Daniel Halévy, Georges de Lauris, Jean-Louis Vaudoyer, Edmond Jaloux, Henri Bardac, Jean de Gaigneron. Je me suis entretenu avec Céleste Albaret. Monsieur P.-L. Larcher m'a fait visiter, à Illiers, les lieux qui ont servi de modèles pour les paysages de Combray. Je dois à mon confrère le Professeur Henri Mondor une dissertation de Proust, rhétoricien ; et à

Monsieur Alfred Dupont plusieurs lettres inédites. J'ai lu avec soin Elisabeth de Gramont, la Princesse Bibesco, Marie Scheikévitch, Robert Dreyfus, Fernand Gregh, et les nombreux volumes de la Correspondance. Monsieur Gaston Gallimard m'a généreusement autorisé à citer les passages de « A la Recherche du Temps Perdu » qui étaient nécessaires pour éclairer et illustrer mon texte. Monsieur Jacques Suffel, avec son obligeance accoutumée, m'a facilité les recherches à la Bibliothèque Nationale, et ma femme a été, une fois de plus, la collaboratrice la mieux informée.

A. M.

A LA RECHERCHE
DE MARCEL PROUST

CHAPITRE PREMIER

L'ENFANCE ET LA VOCATION

> Tel il est à douze ans, tel il sera : pas un
> pli des cheveux n'en sera changé. La manière
> de s'asseoir, de prendre, de tourner la tête,
> de s'incliner est dans cette forme pour la
> vie.
>
> ALAIN.

L'HISTOIRE de Marcel Proust est, comme le décrit son livre, celle d'un homme qui a tendrement aimé le monde magique de son enfance ; qui très tôt a éprouvé le besoin de fixer ce monde et la beauté de certains instants ; qui, se sentant faible, a gardé longtemps l'espoir de ne pas quitter le paradis familial, de ne pas avoir à lutter contre les hommes, de les fléchir par la gentillesse ; qui, ayant éprouvé la dureté de la vie, et la force amère des passions, est lui-même devenu sévère, parfois cruel ; qui a été, au moment de la mort de sa mère, privé de son refuge, mais s'est pourtant donné, grâce à la maladie, une vie protégée ; qui, à l'abri d'une demi-claustration, a consacré les années qui lui restaient à recréer cette enfance perdue et les désillusions qui l'avaient suivie ; qui enfin a fait, du temps ainsi retrouvé, la matière d'une des plus grandes œuvres romanesques de tous les temps.

I

CROISEMENTS

Au commencement était Illiers, petite ville voisine de Chartres, aux confins de la Beauce et du Perche, siège provisoire et personnel du Paradis Terrestre. Là vivait depuis des siècles une bonne et ancienne famille du pays, les Proust, solidement enracinée dans ce terroir. Un enfant qui passait ses vacances à Illiers y trouvait l'antique bourgade française, la vieille église encapuchonnée sous son clocher, le riche parler des provinces, un code mystérieux de manières, et les vertus des « Français de Saint-André-des-Champs » dont les faces, sculptées au Moyen Age sur les porches et chapiteaux, apparaissent encore, toutes semblables, sur le pas des boutiques, sur les marchés et dans les champs.

Les Proust d'Illiers avaient, au cours des âges, connu des fortunes diverses. L'un d'eux, en 1633, était devenu receveur de la Seigneurie, moyennant la somme de dix mille cinq cents livres tournois, qu'il devait payer chaque année au Marquis d'Illiers, et la servitude de « fournir un cierge par chaque an en l'église Notre-Dame de Chartres, aux jours et fêtes de Notre-Dame de la Chandeleur ». Ses descendants avaient été les uns marchands, les autres cultivateurs, mais toujours la famille avait gardé un lien avec l'Eglise et, au début du dix-neuvième siècle, un Proust, grand-père du nôtre, était fabricant de chandelles et cierges à Illiers. On y voit encore, dans l'ancienne Rue du Cheval-Blanc, la porte de la maison où est né le père de Marcel Proust, demeure rustique et rude, dont les marches de grès sous voûte semblent « comme un défilé pratiqué par un tailleur d'images gothiques à même la pierre où il eût sculpté une crèche ou un calvaire ».

Là naquirent deux enfants, un fils, Adrien, et une fille qui épousa Jules Amiot, commerçant le plus important d'Illiers. Monsieur Amiot possédait sur la place un magasin de nouveautés « où l'on entrait avant la messe, dans une bonne odeur de toile écrue ». La Tante Amiot devait, après de longues incantations, se transformer plus tard, pour son neveu et pour le monde entier, en Tante Léonie. Sa demeure, très simple, située dans la Rue du Saint-Esprit, a comme dans le roman deux entrées : la porte de devant, par où Françoise allait à l'épicerie de Camus et en face de laquelle était la maison de Madame Goupil qui, avec sa robe de soie, « se faisait saucer » en allant à vêpres ; et la porte de derrière, celle du minuscule jardin où le soir, assis devant la maison sous le grand marronnier, les Proust et les Amiot entendaient, soit le grelot profond, ferrugineux et criard, des familiers qui « entraient sans sonner », soit le double tintement timide, ovale et doré, de la clochette pour les étrangers.

Adrien Proust, père de notre Proust, fut le premier de son sang à quitter la Beauce. Son père, le fabricant de cierges, le destinait à la prêtrise. Il fut boursier au collège de Chartres, mais renonça vite au séminaire et, sans perdre la foi, choisit de faire des études médicales. Il les poursuivit à Paris, devint interne des hôpitaux, puis chef de clinique. C'était un homme beau, majestueux et bon. En 1870, il rencontra une jeune fille aux traits fins, aux yeux de velours, Jeanne Weil, l'aima et l'épousa.

Jeanne Weil appartenait à une famille juive, d'origine lorraine et de solide fortune. Son père, Nathée Weil, était agent de change ; son oncle, Louis Weil, vieux célibataire, possédait à Auteuil, Rue La Fontaine, une grande maison avec jardin, en ce temps-là villa de banlieue, où la nièce se réfugia pour accoucher, le 10 juillet 1871, de son fils aîné : Marcel. La grossesse de

Madame Proust avait été, pendant le siège de Paris et
la Commune, difficile. C'est la raison pour laquelle elle
s'était installée chez son oncle, « au village d'Auteuil ».
Marcel Proust garda toute sa vie des liens étroits avec
la famille de sa mère. Aussi longtemps que sa santé le
lui permit, il alla, chaque année, sur la tombe de son
aïeul Weil : « Il n'y a plus personne », écrivit-il mélancoliquement vers la fin de sa vie, « pas même moi
puisque je ne puis me lever, qui aille visiter, le long de
la Rue du Repos, le petit cimetière juif où mon grand-
père, suivant le rite qu'il n'avait jamais compris, allait
tous les ans poser un caillou sur la tombe de ses
parents... »

Par sa famille maternelle, Marcel Proust apprit à
connaître les traits de mœurs et de caractère d'une
bourgeoisie française de race juive. Il la peignit plus
tard, de manière tantôt implacable et tantôt affectueuse.
De ces traits, physiques et moraux, avait-il lui-même
hérité ? Beaucoup de ceux qui le connurent ont, pour
le décrire, évoqué l'Orient. Paul Desjardins voyait en lui
« un jeune prince persan aux grands yeux de gazelle » ;
Madame de Gramont parle de son visage « franchement assyrien quand il laissa croître sa barbe » ; Barrès
disait : « Proust ! un conteur arabe dans la loge de la
portière. Peu importe le canevas sur lequel il brode ses
arabesques, tout ressemble aux fleurs et aux fruits des
boîtes de rahat-loukoum. » Denis Saurat retrouve en
son style celui du Talmud, « phrases longues, compliquées, chargées d'incidentes », cependant que le critique
américain Edmund Wilson décèle chez Proust « la
capacité d'indignation morale, apocalyptique, des pro-
phètes juifs ».

De telles vues seront encouragées par Proust lui-
même, qui attachera grande importance aux questions
d'hérédité ; nous montrera, chez ses héros juifs les plus
mondains et les plus délicats, l'entrée en scène, à une

heure donnée de leur vie, d'un prophète, et nous peindra Bloch pénétrant dans le salon de Madame de Villeparisis « comme s'il sortait du désert, la nuque obliquement inclinée, aussi étrange et savoureux à regarder, malgré son costume européen, qu'un Juif de Decamps ». Mais c'est toujours une opération arbitraire que de reconstruire, sur quelques données trop simples, un tempérament d'écrivain. Tout artiste est si multiple que le critique ne peut manquer d'y trouver ce que, de parti pris, il y cherche. Si Barrès n'avait connu les origines à demi juives de Proust, la seule lecture de ses livres eût-elle suffi à les lui révéler ? S'il y avait en Proust du conteur arabe (ce qui est contestable), n'était-ce pas tout simplement parce qu'il avait beaucoup lu et admiré les *Mille et une Nuits* ? Et Gide n'a-t-il pas reproché à Barrès lui-même, prince lorrain, un excès d'orientalisme ?

Que Proust ait sa place dans la plus belle lignée occidentale et française, cela ne peut être nié. Nourri des classiques français, il écrivait et parlait leur langue, rajeunie et renforcée par l'usage des paysans beaucerons. Madame de Sévigné et Françoise avaient plus fait, pour former son style, que le Talmud, qu'il ne lut jamais. Mais il est raisonnable de rapprocher, comme le fit Thibaudet, Proust de Montaigne, fils, lui aussi, d'une mère juive. Ils ont en commun « une curiosité universelle, le goût de la réflexion errante et celui des images de mouvement. La plastique, l'écorce des choses ne représentent pour eux que des apparences, qu'il s'agit de traverser pour aller chercher le mouvement intérieur, qui s'est arrêté ou qui s'est exprimé par elles... Un Montaigne, un Proust, un Bergson installent dans notre riche et complexe univers littéraire ce qu'on pourrait appeler le *doublet* franco-sémitique... »

Ce qui importe, ce n'est pas que le doublet soit franco-sémitique, c'est qu'il soit un doublet. En littérature comme en génétique, le croisement est sain. Il aide l'esprit à juger en lui offrant des points de comparaison. Avoir une famille juive et une famille catholique, cela donne au romancier la chance de les mieux connaître l'une et l'autre. A Proust, homme du monde, il fut permis, « grâce aux données héritées de son ascendance, de voir une vérité encore cachée aux gens du monde ». Gide a noté que c'est parmi « les produits de croisement, en qui coexistent et grandissent, en se neutralisant, des exigences opposées... que se recrutent les arbitres et les artistes ». Ceux qui sont poussés dans le même sens par tous les élans de leur nature deviennent les hommes de la certitude. Ceux qui abritent en eux, dès leur naissance, un conflit interne, mènent une vie intellectuelle singulièrement riche et ondoyante.

Une telle dualité d'origine engendre souvent, au départ, un naturel agnosticisme. Bien que Marcel Proust ait été élevé dans la religion catholique, et que l'on puisse définir toute son œuvre comme un long effort pour atteindre à une forme particulière de mysticisme, il ne semble pas qu'il ait jamais eu la foi. L'un des rares textes où il ait accordé quelque crédit à l'idée de l'immortalité de l'âme, c'est la mort de Bergotte, qui se termine par une interrogation et non par une affirmation. Il eût souhaité croire : « Tous ceux qu'on a quittés, qu'on quittera, ne serait-il pas doux de les retrouver sous un autre ciel, dans les vallées vainement promises et inutilement attendues ? Et se réaliser enfin !... » Mais « de ce qu'une chose soit souhaitable, cela ne fait pas qu'on y croie, au contraire, hélas !... » Dans ses *Carnets,* on lit :

« J'ai le regret d'être ici en contradiction avec un admirable philosophe, le grand Bergson. Et, parmi mes contradictions, ajouter ceci : « Il est vrai que M. Bergson prétend que la conscience déborde le corps et s'étend au delà ; et certes, dans le sens où l'on se souvient, où l'on pense aux philosophes, etc., cela est évident. Mais M. Bergson ne l'entend pas ainsi. Selon lui, l'âme, s'étendant hors du cerveau, peut et doit lui survivre. Or cette conscience, chaque ébranlement cérébral l'altère ; un simple évanouissement l'annihile. Comment croire qu'après la mort elle subsistera ?... » [1].

Mais si Proust n'a pas été de ceux qui, comme dit Mauriac, savent que c'est vrai, il a montré dès l'enfance un sens très vif de la beauté des églises et de la poésie des cérémonies religieuses. Avec son frère Robert, il allait, dans l'église d'Illiers, placer des aubépines sur l'autel de la Vierge, et ce fut là le début de son grand amour pour « l'arbuste catholique et délicieux ». Il ne put jamais, plus tard, voir des buissons de ces fleurs coquettes et pieuses sans sentir flotter autour de lui « une atmosphère d'ancien mois de Marie, d'après-midi du dimanche, de croyances, d'erreurs oubliées... » Sa mère avait refusé de se convertir et demeura toute sa vie attachée, avec obstination et fierté, sinon à la religion, du moins à la tradition juive, mais son père était un catholique pratiquant et Marcel fut, toute sa vie, conscient des vertus du christianisme. S'il blâmait l'antisémitisme de certains prêtres lecteurs de la *Libre Parole,* il ne détestait pas moins l'anticléricalisme ; il fut indigné quand, à l'école laïque d'Illiers, on cessa d'inviter le curé à la distribution des prix :

« On habitue les élèves à considérer ceux qui le fréquentent comme des gens à ne pas voir et, de ce côté-là tout autant que de l'autre, on travaille à faire deux Frances, et moi qui me rappelle ce petit village tout penché vers la terre avare et mère d'avarice, où le seul élan vers le ciel souvent pommelé de nuages, mais souvent aussi d'un bleu

1. Texte inédit. Appartient à Madame Mante-Proust.

divin, et chaque soir transfiguré au couchant de la Beauce, où le seul élan vers le ciel est encore celui du joli clocher de l'église, moi qui me rappelle le curé qui m'a appris le latin et le nom des fleurs de son jardin, moi surtout qui connais la mentalité du beau-frère de mon père, adjoint anticlérical de là-bas, qui ne salue plus le curé depuis les décrets et lit *L'Intransigeant,* mais qui, depuis l'Affaire, y a ajouté la *Libre Parole,* il me semble que ce n'est pas bien que le vieux curé ne soit plus invité à la distribution des prix comme représentant dans le village quelque chose de plus difficile à définir que l'Ordre Social symbolisé par le pharmacien, l'ingénieur des tabacs retiré et l'opticien, mais qui est tout de même assez respectable, ne fût-ce que pour l'intelligence du joli clocher spiritualisé qui pointe vers le couchant et se fond dans ses nuées roses avec tant d'amour et qui tout de même, à la première vue d'un étranger débarquant dans le village, a meilleur air, plus de noblesse, plus de désintéressement, plus d'intelligence et, ce que nous voulons, plus d'amour, que les autres constructions si votées soient-elles par les lois les plus récentes... »

En 1904, au moment de la Séparation, il écrivit plusieurs beaux articles pour défendre « les églises assassinées », et sa mère l'approuva.

Il ne fut donc témoin, dans sa famille, d'aucun conflit religieux. Bien plutôt y observa-t-il des exemples de parfaite union et de bonté tels qu'il s'en trouvera, toute sa vie, désarmé. Peut-être est-il malsain, pour un enfant, de vivre dans un climat sentimental trop doux ; le cœur ne s'y aguerrit pas. Marcel Proust a souffert de l'impossibilité de retrouver ailleurs l'abri si tiède et si tendre de l'amour que lui avaient porté sa mère et sa grand-mère. Formé par un groupe où les moindres nuances étaient senties, il y acquit de la politesse, de la grâce, une exquise sensibilité, mais aussi une singulière aptitude à souffrir dès qu'il n'était plus traité avec cette affection vigilante ; et une crainte de blesser, de faire de la peine qui, dans les batailles de la vie, allait être une faiblesse.

Sa grand-mère et sa mère étaient des femmes cultivées, constantes lectrices des classiques. Des citations de Racine, de Madame de Sévigné, ornaient et enrichissaient leur conversation. Il existe un cahier où Madame Adrien Proust notait, au cours de ses lectures, d'une écriture fine et penchée, les phrases qu'elle avait aimées et que, modeste, elle collectionnait en secret. « Maman cache ses citations aux autres par égoïsme pour les siens », dira Proust, et aussi, dans une lettre à Montesquiou : « Vous ne connaissez pas Maman. Son extrême modestie cache à presque tout le monde son extrême supériorité... Devant les gens qu'elle admire — et elle vous admire infiniment — cette modestie excessive devient une entière dissimulation de mérites qu'avec quelques amis je suis presque seul à savoir incomparables. Quant au sacrifice ininterrompu qu'a été sa vie, ce serait la chose la plus émouvante du monde... »

Les citations choisies par Madame Proust montrent le goût de la formule, celui de la subtilité et une certaine résignation mélancolique. Les textes sur les douleurs de l'absence et de la séparation sont nombreux. Ses lettres prouvent qu'elle écrivait avec grâce. On devine chez elle, en puissance, beaucoup de traits de Marcel et presque tous ceux de la mère du Narrateur. Lucien Daudet a noté les ressemblances entre mère et fils : « Le même visage long et plein, le même rire silencieux quand elle jugeait une chose amusante, la même attention prêtée à toute parole qu'on lui disait, cette attention qu'on aurait pu prendre chez Marcel Proust pour de la distraction à cause de l'air *ailleurs* — et qui était au contraire une concentration. »

— « Que veux-tu pour le Jour de l'An ? » demandait sa mère à Marcel.

— « Donne-moi ton affection », répondait-il.

— « Mais, petit imbécile, tu auras tout de même mon affection. Je te demande quel objet tu veux... »

Ah ! qu'il aimait à s'entendre appeler par elle :
« Mon petit jaunet, mon petit serin », et dans les
lettres : « Mon pauvre loup. »

Quant à la grand-mère maternelle, qui devint la
compagne habituelle de son petit-fils et qui se chargeait
de l'emmener au bord de la mer, nous la connaissons
très bien par le roman, charmante et passionnée, offrant
avec délices son visage à la pluie, marchant à grands
pas autour du jardin ; aimant la nature, le clocher de
Saint-Hilaire et les œuvres de génie, parce qu'ils ont
en commun cette absence de vulgarité, de prétention
et de mesquinerie qu'elle mettait au-dessus de tout. A
Illiers, on se moquait un peu d'elle, encore qu'avec une
affection infinie, et on la trouvait un peu « piquée »
parce qu'elle était si différente, mais que lui importait ?
« Elle était humble de cœur et si douce que sa tendresse
pour les autres et le peu de cas qu'elle faisait de sa
propre personne et de ses souffrances se conciliaient
dans son regard avec un sourire où il n'y avait d'ironie
que pour elle-même, et pour les siens comme un baiser
de ses yeux qui ne pouvaient voir ceux qu'elle chéris-
sait sans les caresser passionnément du regard... »

Le milieu où vécut Proust enfant fut donc essentiellement « un milieu civilisé ». Non pas seulement petite
bourgeoisie par Illiers et grande bourgeoisie par la
réussite de ses parents, ce qui ne signifie rien et s'allie,
en d'autres familles, à une redoutable vulgarité, mais
« sorte d'aristocratie spontanée, sans titres... où toutes
les ambitions sociales sont légitimes grâce à toutes les
habitudes de la meilleure tradition ». Le Docteur
Adrien Proust apportait le sérieux, l'esprit scientifique
dont Marcel allait hériter ; la mère ajoutait l'amour
des lettres, un humour délicat, et c'est elle qui a formé,
la première, l'esprit et le goût de son fils.

« Sur la manière de faire certains plats, de jouer les sonates de Beethoven et de recevoir avec amabilité, elle était certaine d'avoir une idée juste de la perfection et de discerner si les autres s'en rapprochaient plus ou moins. Pour les trois choses, d'ailleurs, la perfection était presque la même : c'était une sorte de simplicité dans les moyens, de sobriété et de charme. Elle repoussait avec horreur qu'on mît des épices dans les plats qui n'en exigeaient pas absolument, qu'on jouât avec affectation et abus de pédales, qu'en « recevant » on sortît d'un naturel parfait et parlât de soi avec exagération. Dès la première bouchée, aux premières notes, sur un simple billet, elle avait la prétention de savoir si elle avait affaire à une bonne cuisinière, à un vrai musicien, à une femme bien élevée. « Elle peut avoir beaucoup plus de doigts que moi, mais elle manque de goût en jouant avec tant d'emphase cet *andante* si simple. » — « Ce peut être une femme très brillante et remplie de qualités, mais c'est un manque de tact de parler de soi en cette circonstance. » — « Ce peut être une cuisinière très savante, mais elle ne sait pas faire le bifteck aux pommes. »

Telles seront aussi les idées de Proust sur le style. Il est important de souligner avec insistance que cette famille était tendrement unie et que la morale traditionnelle n'y était jamais mise en question. La tragédie que sera pour Marcel la découverte du monde et de lui-même s'explique par le contraste brutal entre le réel, dur, parfois ignoble, et ce qu'avait été pour lui la vie familiale, abritée par la bonté de sa mère et de sa grand-mère, par leur noblesse spirituelle et par leurs principes moraux. Ces deux femmes durent adorer et gâter un enfant fragile, dont l'esprit ressemblait tant au leur. Quant à lui, les réponses qu'il fit, à treize ans, aux questions posées dans l'album d'Antoinette Félix-Faure (plus tard Madame Berge) montrent assez bien ce qu'il pensait et sentait alors. Je les citerai d'après le texte original, parce qu'elles ont toujours été curieusement tronquées et déformées :

« *Quel est, pour vous, le comble de la misère ?* — Etre séparé de Maman.

— *Où aimeriez-vous vivre ?* — Au pays de l'Idéal ou plutôt de mon idéal.

— *Votre idéal de bonheur terrestre ?* — Vivre près de tous ceux que j'aime, avec les charmes de la nature, une quantité de livres et de partitions et, pas loin, un théâtre français.

— *Pour quelles fautes avez-vous le plus d'indulgence ?*
— Pour la vie privée des génies.

— *Quels sont les héros de roman que vous préférez ?* — Les héros romanesques, poétiques, ceux qui sont un idéal plutôt qu'un modèle.

— *Quel est votre personnage historique favori ?* — Un milieu entre Socrate, Périclès, Mahomet, Musset, Pline le Jeune, Augustin Thierry.

— *Vos héroïnes favorites dans la vie réelle ?* — Une femme de génie ayant l'existence d'une femme ordinaire.

— *Vos héroïnes dans la fiction ?* — Celles qui sont plus que des femmes, sans sortir de leur sexe ; tout ce qui est tendre, poétique, pur, beau, dans tous les genres.

— *Votre peintre favori ?* — Meissonier.

— *Votre musicien favori ?* — Mozart.

— *Votre qualité préférée chez l'homme ?* — L'intelligence, le sens moral.

— *Votre qualité préférée chez la femme ?* — La douceur, le naturel, l'intelligence.

— *Votre vertu préférée ?* — Toutes celles qui ne sont pas particulières à une secte, les universelles.

— *Votre occupation préférée ?* — La lecture, la rêverie, les vers.

— *Qui auriez-vous aimé être ?* — N'ayant pas à me poser la question, je préfère ne pas la résoudre. J'aurais cependant bien aimé être Pline le Jeune. »

Le Docteur (plus tard le Professeur) Adrien Proust avait, comme sa femme, le respect des devoirs familiaux, mais vivait dans le siècle plus qu'elle. Pendant les dernières années du dix-neuvième siècle, il gravit avec une allègre dignité les échelons des honneurs, devint l'Inspecteur des Services d'Hygiène Français, le grand maître du « cordon sanitaire » en temps d'épidémie, représenta la France dans de nombreuses conférences internationales et fut candidat à l'Institut, ce qui devait nous valoir les merveilleuses conversations avec Monsieur de Norpois. Il aurait souhaité que l'on fût plus sévère avec Marcel, afin de le mieux préparer à la vie, mais il allait vite découvrir que si son second fils, Robert, était un garçon vigoureux et joyeux, son fils aîné souffrait d'une telle angoisse nerveuse que toute punition, tout reproche déclenchaient en lui une crise dangereuse.

Nous trouvons, dans *Swann*, le récit d'une scène qui se passa certainement dans l'enfance de Marcel, un soir où sa mère, recevant des amis à dîner, ne put venir l'embrasser dans sa chambre. Eperdu « comme un amant qui sent celle qu'il aime retenue dans un lieu de plaisir où il ne peut la rejoindre », il ne résista pas au désir d'embrasser sa mère coûte que coûte, au moment où elle monterait se coucher. Acte de désobéissance qui provoqua la colère de ses parents, mais le petit parut avoir tant de chagrin et sanglota si fort que son père, le premier, eut pitié de lui et dit : « Quand tu l'auras rendu malade, tu seras bien avancée. Puisqu'il y a deux lits dans sa chambre, couche cette nuit auprès de lui... » Cet incident fut, Proust l'a lui-même indiqué, un tournant de sa vie parce que, dès ce jour, il a connu les angoisses de l'amour, et aussi parce que c'est ce soir-là que sa mère dut renoncer à fortifier sa volonté. L'abdication du nerveux, qui le conduira peu à peu à se retrancher de la vie sociale et fera de lui à la fois un grand malade et un grand artiste, commence en cette nuit de Combray.

II

LES DÉCORS DE L'ENFANCE

L'enfance de Proust se passe dans quatre décors qui, transposés et transfigurés par son art, nous sont devenus familiers. Le premier, c'est Paris, où il vivait chez ses parents, dans une maison bourgeoise et cossue, 9, boulevard Malesherbes. L'après-midi, on le conduisait aux Champs-Elysées où, à côté des chevaux de bois et des massifs de lauriers, au delà « de la frontière que gardent à intervalles égaux les bastions des marchandes de sucre d'orge », il jouait avec une bande de petites filles qui allaient, ensemble, devenir Gilberte. C'étaient Marie et Nelly de Benardaky, Gabrielle Schwartz et Jeanne Pouquet (plus tard, bien plus tard, Princesse Radziwill, Comtesse de Contades, Madame L.-L. Klotz et Madame Gaston de Caillavet).

Le second décor, c'est Illiers, où la famille passait ses vacances chez la Tante Amiot, au numéro 4 de la Rue du Saint-Esprit. Quelle joie, dès la descente du train, que de courir jusqu'au Loir, de revoir, suivant la saison, les aubépines ou les boutons d'or de Pâques, les coquelicots et les blés de l'été, et toujours la vieille église, avec son capuchon d'ardoises ponctué de corbeaux, bergère qui gardait un troupeau de maisons. Qu'il se plaisait dans sa chambre, où de hautes courtines blanches dérobaient aux regards le lit, la courtepointe à fleurs, les couvre-lits brodés. Il aimait à retrouver, à côté du lit, la trinité du verre à dessins bleus, du sucrier et de la carafe ; sur la cheminée, la cloche de verre sous laquelle bavardait la pendule ; au mur, une image du Sauveur, un buis bénit. Surtout il goûtait les longues journées de lecture qu'il passait au « Pré Catelan », petit parc ainsi baptisé par l'Oncle Amiot auquel il appartenait, jardin situé sur l'autre rive du Loir, bordé par la plus belle haie d'aubépines et au fond duquel, dans une charmille qui existe encore, Marcel jouissait d'un silence profond, coupé seulement par le son d'or des cloches. Là il lisait George Sand, Victor Hugo, Charles Dickens, George Eliot et Balzac. « Il n'y a peut-être pas de jours de notre enfance que nous ayons si pleinement vécus que ceux que nous avons cru laisser sans les vivre, ceux que nous avons passés avec un livre préféré... »

Les deux derniers décors étaient accessoires. Il y avait la maison de l'Oncle Weil, à Auteuil, où « les Parisiens » se réfugiaient par les jours de chaleur, et qui a fourni, elle aussi, des éléments pour le jardin de Combray. Louis Weil était un vieux célibataire, dont le libertinage impénitent choquait la famille conformiste de Marcel et chez lequel celui-ci rencontrait parfois de jolies femmes qui caressaient l'enfant, Laure Hayman par exemple, demi-mondaine élégante qui descendait d'un peintre anglais, maître de Gainsborough, et contenait quelques-unes des cellules initiales d'Odette de Crécy. Enfin, pendant une partie de l'été, Marcel Proust était envoyé avec sa grand-mère sur une des plages de la Manche, Trouville ou Dieppe, plus tard Cabourg. Ainsi naquit Balbec. Dans l'album de Madame Adrien Proust, on lit : « *Lettre de mon petit Marcel. Cabourg, 9 septembre 1891* : « Quelle différence avec ces années de mer où Grand-Mère et moi, fondus ensemble, nous allions contre le vent, en causant !... » Fondus ensemble... Jamais garçon ne fut plus *fondu* avec une famille dévotieusement aimée.

« Par un miracle de la tendresse, qui, dans chacune de ses idées, de ses intentions, de ses propos, de ses sourires, de ses regards, avait enfermé ma pensée, entre ma grand-mère et moi il semblait y avoir une conformité particulière, préétablie, qui faisait tellement de

le rhume des foins sont souvent des maux provoqués par des émotions et liés à un morbide besoin de tendresse. Beaucoup d'asthmatiques ont souffert dans leur enfance soit d'un excès, soit d'un défaut d'amour maternel, ce qui les a amenés tantôt à dépendre entièrement de leur mère, tantôt à se raccrocher avec force à un autre appui : mari, ou femme, parent, ami, médecin. La suffocation serait en réalité un appel. Marcel Proust paraît être, de cette théorie, la vivante démonstration. Nous savons ce qu'était son angoisse si sa mère s'éloignait. Il restera toute sa vie un être qui aura le sentiment qu'il dépend des autres. Il aura besoin d'être aimé, loué, désiré. Il ne se sentira en sécurité que si une marge considérable d'affection lui est offerte.

De là certains traits de caractère. Il cherche à plaire, pense aux besoins et désirs des autres, les accable de présents. Il veut répondre à l'idée qu'ils se font de lui et il a des remords s'il n'y réussit pas. Jusqu'à la mort de ses parents, Proust souffrira de désappointer ceux-ci et, après leur mort, travaillera jusqu'à se tuer. Il n'aura jamais cette totale indifférence aux souffrances et aux jugements d'autrui qui fait le cynique. Il sera un peu trop poli, un peu trop complimenteur, et comme ses flatteries seront, en fait, une réaction de défense ou de protection, il réagira, dans le secret de ses *Carnets* et *Cahiers*, par une critique impitoyable, de sorte qu'un excès de tendresse pourra, par une curieuse transmutation, chez lui se changer en cruauté. Pour se concilier ces terribles animaux que sont les êtres humains autres que la Mère, il sera modeste, trop modeste, jusqu'à déprécier tout ce qu'il écrit. Il croira de bonne foi qu'il ne peut agir sans aide. Il se plaindra, se dira malade, ruiné, cultivera ses souffrances, jouira de ses propres jérémiades parce que l'excès du malheur semblera lui ouvrir un crédit de sympathie. Il demandera conseil à des amis pour les actes les plus simples de la vie :

donner un dîner, vendre un meuble, envoyer des fleurs. Son attitude habituelle sera : « Aidez-moi parce que je suis faible et maladroit... » Enfin l'amour, l'amitié resteront toujours pour lui les sujets les plus importants parce que, pendant la première partie de son existence, il n'a pu vivre que s'il se sentait aimé. Il deviendra soupçonneux, avec des raffinements d'analyse, dès qu'il craindra de n'être pas préféré.

Ainsi sa névrose (mot qu'il faut bien employer pour désigner un état qui passe les limites de la santé) va contribuer à faire de lui un minutieux et subtil analyste des passions. Il enregistre des variations plus petites que Constant même, ou que Stendhal, parce qu'il est un être plus sensible. De la force que lui donne cette faiblesse, il est conscient : « Le mal seul fait remarquer et apprendre et permet de décomposer les mécanismes que, sans cela, on ne connaîtrait pas. Un homme qui, chaque soir, tombe comme une masse dans son lit et ne vit plus jusqu'au moment de s'éveiller et de se lever, cet homme-là songera-t-il jamais à faire, sinon de grandes découvertes, au moins de petites remarques sur le sommeil ? A peine sait-il s'il dort. Un peu d'insomnie n'est pas inutile pour apprécier le sommeil, projeter quelque lumière dans cette nuit. Une mémoire sans défaillance n'est pas un très puissant excitant à étudier les phénomènes de la mémoire... » Un amoureux tout à fait normal aime et ne disserte pas sur l'amour. « La famille magnifique et lamentable des nerveux est le sel de la terre. Ce sont eux et non pas d'autres qui ont fondé les religions et composé les chefs-d'œuvre. Jamais le monde ne saura tout ce qu'il leur doit, ni surtout ce qu'ils ont souffert pour le lui donner... » Et aussi : « Il y a en la maladie une grâce qui nous rapproche des réalités d'au delà de la mort. »

Non qu'il suffise d'être un malade pour devenir un analyste de génie, mais la maladie est l'un des rouages d'un mécanisme mental qui accroît la puissance d'analyse. « On peut presque dire que les œuvres, comme les puits artésiens, montent d'autant plus haut que la souffrance a plus profondément creusé le cœur... » La maladie, en contraignant Proust à s'enfermer pendant une grande part de sa vie, plus tard à ne voir ses amis que la nuit, ou même point du tout, en ne lui permettant de contempler les pommiers en fleurs qu'à travers les vitres closes d'une chambre ou d'une voiture, l'a, d'une part, libéré des servitudes de la vie sociale et rendu disponible pour la méditation, la lecture et la patiente recherche des mots, et, d'autre part, a donné pour lui plus de prix aux beautés de la nature, telles qu'il les avait connues au temps de son enfance heureuse quand, sur les rives de la Vivonne, il regardait avec exaltation les panaches aux fleurs mauves et blanches des lilas de Swann, le reflet du soleil sur un vieux pont ou les boutons d'or de Combray.

Dès l'enfance, il y eut certainement chez lui le désir d'écrire et surtout celui de saisir une beauté captive qui lui paraissait cachée sous les choses. Il lui semblait confusément qu'il aurait dû délivrer, en l'exprimant, quelque vérité prisonnière. « Le toit de tuiles faisait dans la mare... une marbrure rose à laquelle je n'avais encore jamais fait attention. En voyant sur l'eau et à la face du mur un pâle sourire répondre au sourire du ciel, je m'écriai dans mon enthousiasme, en brandissant mon parapluie refermé : « Zut ! zut ! zut ! zut ! » Mais, en même temps, je sentis que mon devoir eût été de ne pas m'en tenir à ces mots opaques et de tâcher de voir plus clairement dans mon ravissement... » Souvenons-nous bien de ces mots : *devoir... tâcher de voir plus clair... délivrer la beauté captive...* Tout Proust est déjà dans cet enfant.

Ecrire. Telle était sa secrète ambition. Mais il croyait n'avoir aucun talent, parce que, s'il essayait de trouver

un sujet de roman analogue à ceux qui lui donnaient
de si merveilleux plaisirs, il éprouvait aussitôt un sentiment d'impuissance. Les formes, les couleurs et les
parfums qu'il rapportait de ses promenades, protégés
par un revêtement d'images comme les poissons que
le pêcheur rapporte dans son panier, couverts par une
couche d'herbes qui préserve leur fraîcheur, ces impressions ne lui semblaient pas être les matériaux d'une
œuvre. Elles étaient trop simples, trop particulières.
Pourtant, un jour où le Docteur Percepied l'avait
ramené en voiture et où il avait trouvé un bonheur
en apparence inexplicable à contempler dans la plaine
trois clochers qui, par les mouvements de la voiture
et les lacets du chemin, paraissaient changer de place
entre eux, il avait senti une fois de plus qu'il eût aimé
à formuler en mots et en phrases cette joie obscure. Il
demanda un crayon au docteur et composa un petit
morceau qu'il allait, plus tard, insérer dans *Swann* en
le retouchant à peine. « Je ne repensai jamais à cette
page, mais à ce moment-là, quand, au coin du siège
où le cocher du docteur plaçait habituellement dans
un panier les volailles qu'il avait achetées au marché
de Martinville, j'eus fini de l'écrire, je me trouvai si
heureux, je sentais qu'elle m'avait si parfaitement
débarrassé de ces clochers et de ce qu'ils cachaient
derrière eux, que, comme si j'avais été moi-même une
poule et si je venais de pondre un œuf, je me mis à
chanter à tue-tête... »

Ce jour-là était né notre Marcel Proust, c'est-à-dire
un écrivain capable de comprendre que le devoir du
poète est d'aller jusqu'au bout de ses impressions et
que le plus humble des objets lui peut livrer les secrets
du monde s'il arrive « à le charger de spiritualité ».
Marcel enfant ne pouvait encore atteindre les vérités
cachées sous les buissons, les vergers et les lumières de
la Beauce, mais déjà il les pressentait.

CHAPITRE II

LE LYCEE, LE MONDE ET LE REGIMENT

> Les plaisirs sont les signes des puissances.
> ARISTOTE.

I

LE LYCÉE CONDORCET

M ALGRÉ sa mauvaise santé et ses crises d'asthme, Marcel Proust fit des études normales, et même excellentes, au Lycée Condorcet, où les lettres étaient en honneur, non point à la manière érudite et classique de Louis-le-Grand ou de Henri IV, mais de manière moderne, précieuse et décadente. Alors se forma, étalée sur deux ou trois classes, une coterie de Condorcet, garçons de bonne bourgeoisie, tous férus de littérature : Daniel Halévy, Fernand Gregh, Marcel Proust, Jacques Bizet, Robert de Flers, Jacques Baignières, Robert Dreyfus, Louis de La Salle, Marcel Boulenger, Gabriel Trarieux. Condorcet, vers 1888, devint une sorte de cercle dont l'attrait était si puissant que certains élèves, et parmi eux Proust, arrivaient en avance pour se retrouver et discourir « sous les maigres ombrages des arbres ornant la Cour du Havre », en attendant le roulement de tambour « qui leur conseillait, plutôt qu'il ne leur imposait, d'entrer en classe ».

Que lisaient-ils ? Ce qui était alors la littérature « moderne » : Barrès, France, Lemaître, Maeterlinck.

Ils tenaient Léon Dierx et Leconte de Lisle pour des poètes difficiles, fermés aux générations plus anciennes. Marcel Proust partageait ces goûts et leur restera long-temps fidèle ; ne pas admirer Maeterlinck sera l'un des ridicules de la Duchesse de Guermantes. Mais depuis longtemps, grâce à sa mère, il connaissait les classiques, avec une particulière prédilection pour Saint-Simon, Baudelaire, La Bruyère, Madame de Sévigné, Musset, George Sand. Il était grand lecteur des *Mille et une Nuits* et, en traductions, de Dickens, de Thomas Hardy, de Stevenson, de George Eliot. « Deux pages du *Moulin sur la Floss* me font pleurer... » On est surpris qu'aucun commentateur n'ait signalé, bien que la res-semblance soit criante, l'analogie entre le début de *Swann* et celui du *Moulin sur la Floss* : « Je m'éveille, pressant de mes coudes les bras de mon fauteuil : je m'étais endormi et je croyais être sur le pont, devant le moulin de Dorlcote, le voyant tel que je l'avais vu dans une après-midi de février, il y a bien longtemps de cela... » Sur quoi le lecteur est transporté dans le passé. Remplacez la Floss par la Vivonne : les deux paysages mentaux sont superposables.

Né de l'influence de Leconte de Lisle, et aussi des études classiques, il y avait en Marcel Proust, vers le temps de la classe de seconde, en 1886, un peu du pédantisme grandiloquent qu'il prêtera au personnage de Bloch. Dans une lettre à sa grand-mère, écrite à ce moment de Salies-de-Béarn, on trouve des phrases tout à fait dignes de Bloch. Une jeune femme, amie de sa mère, avait promis à Marcel de lui chanter du Gounod et du Massenet s'il écrivait un portrait d'elle. *Marcel Proust à sa grand-mère :* « Je suis fort embarrassé. Madame Catusse doit voir ce portrait et, bien que je le fasse, je le jure par Artémis la blanche déesse et par Pluton aux yeux ardents, comme si jamais elle ne devait le voir, j'éprouve une certaine pudeur à lui dire que je la trouve charmante... Je bénis les dieux immortels qui ont fait venir ici une femme aussi intelligente, aussi étonnamment instruite, qui apprend tant de choses et répand un charme aussi étonnant. *Mens pulcher in corpore pulchro.* Mais je maudis les génies, ennemis du repos des humains, qui m'ont forcé de dire ces fadeurs devant quelqu'un que j'aime autant, de si bon pour moi et de si charmant [1]... » Pluton... Artémis. Les dieux immortels... Les génies ennemis du repos des humains... C'est de ce *moi* défunt que se moquera, un jour, en lui donnant le masque de Bloch, l'auteur de *Swann.*

Déjà, par la précocité de son esprit, il étonnait ses camarades. Les plus intelligents d'entre eux éprouvaient le sentiment confus de se trouver en présence d'un bizarre, mais indiscutable génie. S'ils fondaient une *Revue Verte,* tirée à un exemplaire manuscrit que se passaient les souscripteurs, ou une *Revue Lilas,* polycopiée, ils demandaient aussitôt à Proust sa collaboration. Mais son affection inquiète, excessive et nerveuse, les étonnait. « Ses affections juvéniles », dit Jacques-Emile Blanche, « lui infligèrent bien des mécomptes. Quelqu'un qui, petit garçon, jouait avec lui nous dit qu'il était saisi d'effroi quand il sentait Marcel s'approcher, lui prendre la main, lui déclarer ses besoins d'une affection tyrannique et totale. Il feignait déjà d'attribuer aux uns et aux autres des vertus sublimes, bien qu'au fond de lui-même il jugeât les individus à leur prix. Un Proust ne peut être qu'un isolé [2]... »

Sa curieuse humilité (réaction d'apaisement) choquait ses amis. « Je n'ai nullement la prétention de me comparer à toi », écrivait-il à Robert Dreyfus, son cadet d'un an. « Ce ton agaçait », dit celui-ci, « et

---

1. Collection Alfred Dupont.
2. JACQUES-EMILE BLANCHE : *Souvenirs sur Marcel Proust.* Revue hebdomadaire, 21 Juillet 1928.

ahurissait ses meilleurs amis, qu'étonnait aussi son ombrageuse susceptibilité »... « Pourquoi, demandait Marcel, Daniel Halévy, après avoir été en somme très gentil pour moi, me lâche-t-il entièrement et en me le faisant très clairement sentir, et puis, un mois après, vient-il me dire bonjour quand il ne m'adressait plus la parole ? Et son cousin Bizet ? Pourquoi me dit-il qu'il a de l'amitié pour moi, me lâche-t-il encore plus ? Qu'est-ce qu'ils me veulent ? Se débarrasser de moi, m'embêter, me mystifier, ou quoi ? Je les trouvais si gentils... »

Le thème de la gentillesse irritait les jeunes critiques qui le jugeaient. Plus agressifs que lui, sa délicatesse leur semblait affectation. Quand il employait des mots comme *tendresse,* qui si authentiquement évoquaient pour lui la douce et noble atmosphère de son enfance, il éveillait de grandes méfiances et mettait ses condisciples « hors de leurs gonds ». Il déroutait, par les manifestations verbales d'un cœur prêt à tous ces sacrifices que personne ne demande, sauf en amour. « Le commun des mortels est choqué par ces monstres qu'on nomme les artistes », ajoute Blanche. « ... Peu de lycéens de Condorcet ont dû prendre plaisir au bien-parler, aux sujets de conversation de l'élève Proust. »

Ceux de ses amis qui, comme les Halévy, goûtaient la langue si pure qu'il parlait et « les ressources d'une mémoire jamais en défaut, nourrie de lectures que l'on ne faisait plus », étaient déconcertés par ses manières pompeuses, par son baise-main à leurs mères, par les fleurs et bonbons qu'offrait ce jouvenceau à « de braves dames inaccoutumées ». Ennemis de la frivolité, ils étaient surpris de le voir attiré par les gens du monde, curieux de tel membre du Jockey Club qu'il avait vu chez Laure Hayman, maîtresse de son grand-oncle, avec laquelle il sortait parfois. Déjà, « devant la société aristocratique, il se posait, avec fièvre et trépidation,

le problème de l'entrée et de la conquête ». Plus tard,
les critiques l'accuseront de snobisme et ce sera injuste,
parce que le Proust de la *Recherche du temps perdu*
aura dépassé ce stade et ne considérera plus le monde
que comme un admirable musée historique et zoologi-
que, mais Proust adolescent déconcertait les esthètes de
Condorcet par « sa complaisance pour les gens titrés ».

Pourtant les études de l'élève Proust ne souffraient
pas de ces dissipations. En rhétorique, il eut deux professeurs qui se complétaient. Monsieur Cucheval était
un « maître d'école » fruste, rude, vert, disert et savoureux. « Ne te dis pas que c'est un imbécile parce qu'il
fait de l'esprit idiot et n'est nullement affecté par
d'exquises combinaisons de syllabes ou de contours.
Dans tout le reste, il est excellent et repose des imbéciles qui arrondissent leurs phrases. Il ne peut pas, ne
sait pas en faire : c'est un pur délice. » (Bon jugement
de Combray.) L'autre professeur, Maxime Gaucher,
critique littéraire de la *Revue Bleue,* était un esprit
infiniment libre et charmant qui, tout de suite, raffola
de Proust, accepta de lui des devoirs qui n'étaient pas
des devoirs, et même les lui fit lire à haute voix devant
la classe qui huait ou applaudissait. « La conséquence,
ç'a été qu'au bout de deux mois une douzaine d'imbéciles écrivaient en style décadent, que Cucheval m'a
considéré comme un empoisonneur, que j'ai mis la
guerre dans les classes, que je me suis fait passer auprès
de quelques-uns pour un poseur. Heureusement, au
bout de deux mois, c'était fini, mais il y a un mois
encore Cucheval disait : « Lui sera reçu parce que ce
« n'était qu'un fumiste, mais il en fera refuser
« quinze... »

Un jour d'inspection générale, Gaucher pria Proust
de lire une copie en présence d'Eugène Manuel. Ce
médiocre poète, indigné, demanda :

— « N'avez-vous point, parmi les derniers de votre

classe, un élève écrivant plus clairement et correcte-
ment en français ?

— Monsieur l'Inspecteur Général, répondit Gaucher,
aucun de mes élèves n'écrit en français de manuel [1]. »

A la vérité, Marcel Proust était déjà un critique de
talent. Voici l'une de ses dissertations de rhétorique.
Gaucher avait donné pour sujet à ses élèves une phrase
de Sainte-Beuve : *Celui qui aime passionnément Corneille peut n'être pas ennemi d'un peu de jactance.
Aimer passionnément Racine, c'est risquer d'avoir trop
ce qu'on appelle en France le goût, et qui rend parfois
si dégoûté :*

« Les créations de la poésie et de la littérature ne sont
pas les œuvres de la pensée pure, elles expriment aussi un
tempérament différent chez chaque poète, qui les indivi-
dualise. Tant que ce tempérament anime l'artiste sans
l'emporter, que, soumis aux plus hautes nécessités de l'art,
appelées parfois règles, il leur prête pourtant un peu de sa
force et de sa nouveauté, l'artiste est dans sa période de
grandeur. Il écrit le *Cid*, il écrit *Andromaque*, et l'expression la plus haute de son âme semble l'expression même de
l'âme de l'humanité. Mais soit au début, soit à la fin de
sa carrière, ne sachant pas encore maîtriser ses penchants,
ou ne le sachant plus, il ne traduit plus qu'eux dans son
œuvre. De la tendresse, il tombe dans la préciosité galante ;
excédant la grandeur, il va jusqu'à l'extravagance. Avant
d'écrire *Andromaque*, il ne peut écrire que les *Frères
ennemis*. Désormais incapable d'un nouveau *Cid*, il va
d'*Agésilas* à *Attila*. De l'excès du principe qui avait fait sa
nouveauté, son charme et la vie de son œuvre naissent les
erreurs de son génie et les causes de sa décadence. Mais à
ce moment où, moins parfait, il ne fond pas harmonieusement dans une œuvre son originalité propre avec les beautés de son art, n'est-il pas encore plus lui-même ? Et ceux
qui l'aimaient plus passionnément encore qu'ils ne l'admi-

1. Cité par ROBERT DREYFUS : *Souvenirs sur Marcel Proust*
(Grasset, Paris, 1926).

raient impartialement, qui louaient moins Corneille et
Racine d'être de grands écrivains que d'avoir découvert,
l'un une nouvelle nuance de l'exquis, l'autre un nouveau
rayon du sublime, ceux-là ne trouvent-ils pas une joie plus
vive encore dans les œuvres où le poète laisse apparaître
plus manifestement ses qualités et ses défauts, où il ne les
tempère plus, ne les (modère) plus, ne les subordonne plus
et ne les fond plus ? Et ne se grave-t-il pas ainsi dans
l'esprit charmé des disciples une image à la fois plus exacte
et plus fausse, plus étroite et plus personnelle des écrivains
qu'ils aiment ? Ne verront-ils pas un Corneille trop or-
gueilleux, un Racine trop délicat ? C'est sans doute dans
ce sens respectueux qu'il faut interpréter le jugement de
Sainte-Beuve. Sans doute n'a-t-il pas voulu dire que les
tragédies de Corneille font voir trop de jactance, et celles
de Racine « trop de délicatesse ». A peine dirait-il qu'elles
sont les défauts caractéristiques de leurs mauvaises pièces.
On peut croire que la critique s'applique seulement à ces
fervents des deux grands poètes, qui sont plus cornéliens
que Corneille, plus épris de Quinault encore que de
Racine, chérissant leurs défauts et sur eux renchérissant.
Mais si les œuvres excessives et personnelles jusqu'au
paradoxe de l'élégance ou de la grandeur, de Corneille et
de Racine, si tout au moins les conséquences extrêmes que
des amateurs passionnés ont tirées de leur esthétique pré-
sentent cette image de jactance ou de préciosité, n'est-ce
pas que dans leurs chefs-d'œuvre mêmes il y en avait
comme le germe, au moins la promesse et vers elles comme
une naturelle inclination ? Les combats que Chimène
impose à Rodrigue, malgré la douloureuse réalité morale
sur laquelle son scrupule repose et qui dans la suite de
l'œuvre de Corneille fera souvent défaut, ne les multiplie-
t-elle pas un peu trop et, comme on dit à l'armée, « pour
la parade » ? Pour quoi de plus sérieux que pour une
coquetterie de renoncement de sa part, et pour un plus
pompeux étalage d'héroïsme et de constance chez Rodrigue, recule-t-elle si loin le moment qui les verra réunis ?
Quelles belles et énergiques âmes ! mais comme elles le
savent et quelle sublime habileté à donner tout son cadre

à leur beauté, à diversifier et sans cesse élargir le champ de leur énergie ! Certes, c'est bien au drame le plus haut de la moralité que Corneille nous fait assister, mais avec quels intermèdes glorieux, pour la magnificence des *cœurs* et du *style,* comme s'il déroulait devant nous, avec pompe et complaisance, « *Les Jeux de l'Amour et du Devoir* ». Et si de Racine on peut dire que, même dans les sujets les plus hardis, il a gardé, par la science inimitable du langage, « l'étroite bienséance », ne peut-on en revanche l'accuser d'y avoir pris trop de plaisir, d'y avoir mis trop d'adresse, d'avoir fait consister l'art parfois dans quelque chose de trop formel et de trop subtil ? Si de nos jours la critique a prétendu découvrir le réalisme farouche qui ferait le fond des tragédies de Racine, peut-elle nous l'objecter ? Et n'est-ce pas plutôt reconnaître avec quel amour il en avait fondu et adouci la forme, pour qu'il y ait eu là matière à découverte et qu'on s'en soit si tard avisé ? Ne pas dire tout à fait ce qu'on veut dire, ou plutôt le dire de certaine manière raffinée qui en voile l'horreur d'élégance (*et de volupté*), répugner à un art plus direct et exempt de ces *gentillesses* compliquées, si ce ne sont pas là toujours les habitudes de Racine, ou si du moins ce ne sont que ses défauts habituels, chez d'autres ce sont des grâces qu'on appelle, avec un peu de raison, raciniennes. — Mais il y a une manière d'aimer les grands hommes qui, pour ne pas excuser, ou pour mieux dire préférer leurs défauts, est pourtant une bonne manière d'aimer et assez haute. Elle consiste à ne pas aimer un grand écrivain en pur dilettante, comme on se complaît aux défauts d'un enfant ou d'un acteur :

> *Et ce n'est pas, ma sœur, imiter notre mère*
> *Que de tousser et de cracher comme elle* [1].

1. La citation des *Femmes Savantes* (Acte I, Scène I) devrait être :

> *Et ce n'est point du tout la prendre pour modèle,*
> *Ma sœur, que de tousser et de cracher comme elle.*

mais Marcel, parce qu'il cite de mémoire, cite inexactement. C'est une habitude qu'il conservera toute sa vie. Voir, par exemple, dans *Chroniques,* les vers de Hugo (pages 212 et 213), de Vigny (page 215), de Baudelaire (page 217) et de Sully Prudhomme (page 231).

à faire plutôt moins de ses défauts l'essence de son originalité que de ses qualités l'axe de son génie et la loi de son développement. On peut ainsi aimer pourtant passionnément — et, dans ce sens, aimer passionnément Racine ce sera simplement aimer la plus profonde, la plus tendre, la plus douloureuse, la plus sincère intuition de tant de vies charmantes et martyrisées, comme, aimer passionnément Corneille, ce serait aimer dans toute son intègre beauté, dans sa fierté inaltérable, la plus haute réalisation d'un idéal héroïque [1]. »

L'écrivain Proust est ici préfiguré : en ces quatre pages du grand format papier écolier, il ne met pas une seule fois à la ligne, ce qui n'est pas chez lui affectation, mais expression du mouvement continu d'une pensée qui se refuse aux découpages, utiles mais artificiels, de la tradition scolaire. Ce morceau de critique, et Maxime Gaucher ne s'y trompait pas, prouvait une étonnante maturité d'esprit. Cette impression est confirmée par les esquisses que Proust donnait alors à la *Revue Lilas* de Condorcet : « Voici l'horreur des choses usuelles et l'insomnie des premières heures du soir, pendant qu'au-dessus de moi on joue des valses et que j'entends le bruit crispant des vaisselles remuées dans la pièce voisine... Aux murs bleuissent de minces filets de lune entrés par l'imperceptible écartement des tentures rouges... J'entr'ouvre la fenêtre pour revoir une dernière fois la douce face fauve, bien ronde, de la lune amie... J'ai refermé la fenêtre. Je suis couché. Ma lampe posée près de mon lit, sur une tablette, au milieu de verres, de flacons, de boissons fraîches, de petits livres précieusement reliés, de lettres d'amitié ou d'amour, éclaire vaguement dans le fond ma bibliothèque. L'heure divine ! Les choses usuelles, comme la nature, je les ai sacrées, ne pouvant les vaincre. Je les

1. Texte inédit. Collection du Professeur Henri Mondor, auquel ce précieux autographe fut offert par Madame Mante-Proust.

ai vêtues de mon âme et d'images intimes ou splen-
dides... » Assez rare, chez un lycéen de quinze ans, ce
mysticisme impressionniste. Et non moins remarquable
cette lettre à Robert Dreyfus, écrite pendant les grandes
vacances de 1888 :

« Je crois que ce que nous croyons deviner d'un caractère
n'est qu'un effet des associations d'idées... Ainsi je suppose
que dans la vie, ou dans une œuvre littéraire, tu vois un
monsieur qui pleure sur le malheur d'un autre. Comme
chaque fois que tu as vu un être éprouver de la pitié,
c'était un être bon, doux et sensible, tu en déduiras que ce
monsieur est sensible, doux et bon. Car nous ne construi-
sons dans notre esprit un caractère que d'après quelques
lignes, par nous vues, qui en supposent d'autres. Mais cette
construction est très hypothétique. *Quare* si Alceste fuit
les hommes, Coquelin prétend que c'est par mauvaise humeur ridicule, Worms par noble mépris des viles passions.
Item dans la vie. Ainsi Halévy me lâche, en s'arrangeant
à ce que je sache que c'est bien exprès, puis après un mois
vient me dire bonjour. Or, parmi les différents messieurs
dont je me compose, le Monsieur romanesque, dont j'écoute peu la voix, me dit : « C'est pour te taquiner, se divertir
et t'éprouver, puis il en a eu regret, désirant ne pas te
quitter tout à fait. » Et ce Monsieur me représente
Halévy à mon égard comme un ami fantaisiste et désireux
de me connaître. Mais le Monsieur défiant, que je préfère,
me déclare que c'est beaucoup plus simple, que j'insupor-
te Halévy, que mon ardeur — à lui, sage — semble d'abord
ridicule, puis bientôt assommante — qu'il a voulu me faire
sentir ça, que j'étais collant, et se débarrasser. Et quand
il a vu définitivement que je ne l'embêterais plus de ma
présence, il m'a parlé. Ce Monsieur ne sait pas si ce petit
acte a pour cause la pitié, ou l'indifférence, ou la modéra-
tion, mais il sait bien qu'il n'a aucune importance et s'en
inquiète peu... »

On admire la finesse de l'analyse ; on s'étonne de la
complication d'un garçon si jeune.

L'année de philosophie (1888-1889) fut pour lui
celle de son plus grand enrichissement intellectuel.
C'était le temps où, au matérialisme de Taine et de
Berthelot, succédait « une manière d'immatérialisme
immanent », le temps où Lagneau, pour Alain, commentait Platon et Spinoza en de belles leçons noires
comme de l'encre, où Lachelier, Fouillée, Boutroux préparaient le terrain pour Bergson. Proust eut la chance
d'avoir pour professeur Darlu (« joli cerveau», pronon-
çait Anatole France, et l'éloge eût paru réticent si
Darlu n'avait porté sur France, à la lettre, le même
jugement). Ce méridional chaleureux, sarcastique,
éveilleur d'esprits, faisait, dit Fernand Gregh, comme
un prestidigitateur, sortir toute la philosophie de son
chapeau haut de forme, qu'il avait posé sur sa chaire
et qu'il prenait toujours pour exemple quand il avait
à choisir un objet pour sa démonstration.

« Conception d'un cerveau malade... philosophie de
Sganarelle », ainsi Darlu commentait une copie et celle
même du premier de la classe. Mais il eut sur Proust
une profonde et durable influence. Dans ses cours consacrés à la réalité du monde extérieur, il avait une
manière poétique d'exposer le sujet qui permit plus tard
à Proust « d'incorporer au roman tout un domaine et
même un style qui n'appartenaient jusqu'alors qu'aux
philosophes [1] ». Plus tard, Proust lut Renouvier, Boutroux et Bergson, mais il tint toujours Darlu pour son
maître et ce fut Darlu qui déclencha cette longue méditation sur l'irréalité du monde sensible, sur la mémoire
et sur le temps, qui est la *Recherche du temps perdu*.

Il existe une lettre de Madame Adrien Proust à son
fils, qui sans doute avait quitté le lycée avant la distribution des prix : « Le pauvre loup n'a pas grand'chose
au lycée. Pas de prix, qu'un deuxième de math, premier accessit d'excellence, premier accessit de philo,

1. ALBERT THIBAUDET.

premier accessit de physique. Heureusement qu'il voit
de haut. J'ai rencontré Monsieur Jallu (le proviseur),
qui m'a dit : « Votre fils peut dire qu'il a l'estime de
son professeur ! J'ai causé longuement de lui avec
Darlu ; il m'en a parlé en des termes !... » Madame
Proust devait avoir été mal renseignée, car le palmarès
de Condorcet montre que Marcel obtint, cette année-là,
le prix d'honneur de philosophie [1].

Elle était alors à Auteuil, chez son oncle, et Marcel
à Fontainebleau, chez un ami. Mère et fils, dans leurs
lettres, parlaient surtout de leurs lectures : « Je viens
de t'expédier un colis contenant : *Curé de campagne,
Chouans, Jules César,* le tout du Cab. Lec. (*ils appelaient ainsi le cabinet de lecture*). Prends bien garde
de tout rapporter... Je t'embrasse mille fois, avec toute
la tendresse accumulée de la semaine. Gouverne-toi
bien, cher petit... » Cependant elle-même lisait Loti,
Sévigné, Musset (*Fantasio,* les *Caprices de Marianne*)
et le *Mauprat* de George Sand. Marcel partageait avec
sa mère un goût vif pour la prose de Sand « qui respire
toujours la bonté, la distinction morale », comme
pour les romans de Tolstoï. Sur d'autres auteurs, ils
n'étaient pas d'accord : « Je ne puis rien te dire de
mes lectures, mon grand, parce que je suis toute à
Madame du Deffand et que tu dédaignes, je crois, le
dix-huitième siècle... »

A distance, elle continuait de le couver. *Madame
Adrien Proust à son fils :* « As-tu travaillé ? A quelle
heure te lèves-tu ? Et couché ?... Mon pauvre loup, moi
qui n'aime pas les secs, me voici réduite à te souhaiter
tel plutôt que de te laisser envahir ainsi par une mélancolie trop tendre. « Monsieur, ne pourriez-vous la
rendre « muette ? » » — pas ta mélancolie, parce qu'elle
s'exprime très bien, mais toi, qui as besoin de te faire

---

1. Sans doute s'agit-il dans les premières phrases de cette lettre
de l'autre « loup », le frère cadet, Robert.

sous sa cravate blanche, celle, rouge, de commandeur.
un cœur moins facile et moins tendre... » *Marcel Proust
à sa mère :* « Mon exquise petite Maman... Ce matin,
m'étant levé de bonne heure, j'ai été au bois, avec
Loti. Ah ! ma petite Maman, que j'ai eu tort de ne
pas le faire encore et comme je le ferai souvent. Dès
l'entrée, il faisait bon, soleil, frais, enfin j'en riais de
joie tout seul ; j'avais du plaisir à respirer, à sentir, à
remuer mes membres. Comme jadis au Tréport, ou à
Illiers, l'année d'Augustin Thierry — et mille fois mieux
que mes promenades avec Robert. Et puis le *Mariage
de Loti* a encore accru ce bien-être — bien-être
comme si j'avais bu du thé — lu sur l'herbe au petit
lac, violet dans une demi-ombre, puis par endroits du
soleil qui se précipitait, faisant étinceler l'eau et les
arbres. « *Dans l'étincellement et le charme de l'heure.* »
J'ai alors compris, ou plutôt senti, combien de sensations exprimait ce vers charmant de Leconte de Lisle.
Toujours lui [1] !... »

II

DU LYCÉEN AU DANDY

Si intimes que fussent la mère et le fils, leurs types
de vie divergèrent vite. Madame Adrien Proust n'aimait
pas le monde et d'ailleurs ne le connaissait guère. Les
Proust d'Illiers n'avaient ajouté à sa famille israélite
qu'une famille provinciale. Le Docteur Proust, qui
devenait un des grands prêtres de la médecine officielle,
rêvait de se présenter un jour à l'Académie des Sciences
Morales et cultivait des amitiés utiles, mais sa femme
le laissait très souvent sortir seul, et ses fils, les soirs de
dîners solennels, le regardaient avec admiration mettre,

---

1. Lettres inédites, communiquées par Mme Gérard Mante-Proust.

Marcel avait montré, dès l'adolescence, un goût du monde qui allait jusqu'au besoin. Quelques-uns de ses camarades de Condorcet : Jacques Baignères, Gaston de Caillavet, avaient des mères jeunes, qui recevaient. Il avait fait chez elles la connaissance de Madeleine Lemaire, dont l'atelier était alors un salon. Son ami Jacques Bizet l'avait présenté à sa mère, née Geneviève Halévy, fille de Fromental Halévy, le compositeur de *La Juive,* veuve de l'auteur de *Carmen,* et remariée avec un riche avocat, Emile Straus. Madame Straus, à quarante-trois ans, restait belle, avec ses yeux bruns et chauds de tzigane, « d'une grâce primitive, orientale, mélancolique ». Sans avoir une profonde culture, elle plaisait à Proust par son charme, par ses caprices, par ses « mots », par ses lettres qu'il comparait témérairement à celles de Madame de Sévigné. « Surtout elle était délicieusement femme. Son esprit, que Proust a immortalisé en le prêtant à Madame de Guermantes, était fait d'un certain bon sens relevé d'une gaieté étonnée qui lui faisait dire parfois des choses énormes avec un air ingénu. Elle avait de la fantaisie dans la tête, une fantaisie qui n'était pas loin de celle de son cousin Ludovic Halévy, quelque chose de naturel et de gentil dans la narquoiserie et d'imprévu dans la logique... Son premier admirateur était Monsieur Straus, toujours en extase devant ses « mots » et qui a posé, sur ce seul point, pour le Duc de Guermantes [1]. » A Madame Straus, le lycéen Marcel Proust faisait une cour respectueuse et symbolique. Il la couvrait de fleurs, au sens propre comme au sens figuré, puis la suppliait de ne pas croire qu'il l'aimât moins parce que, pendant quelques jours, il ne pouvait lui envoyer de chrysanthèmes : « Mais Mademoiselle Lemaire pourra

---

1. FERNAND GREGH : *L'Age d'or* (Grasset, Paris 1947).

vous dire que je me promène chaque matin avec Laure
Hayman, que je la remmène souvent déjeuner — et
cela me coûte si cher que je n'ai plus un sou à fleurs
— et, sauf dix sous de coquelicots à Madame Lemaire,
je ne crois pas que j'en aie envoyé depuis à vous... »
Il continua longtemps de lui prodiguer son obligeance
hyperbolique : « Madame, si je pouvais faire n'importe
quoi pour vous faire plaisir, aller porter pour vous une
lettre à Stockholm ou à Naples, je ne sais pas quoi,
cela me rendrait bien heureux... »

Ces gentillesses, pour être sincères, demeuraient sans
illusions. Le page, s'il feignait d'être amoureux, savait
que sa « dame » et protectrice n'y attachait pas plus
d'importance que lui. Il lui écrivit, un jour, une lettre
pénétrante qu'il intitula : *La vérité sur Madame
Straus :*

« ...C'est que j'ai d'abord cru que vous n'aimiez que les
belles choses et que vous les compreniez très bien — et puis
j'ai vu que vous vous en fichiez ; — j'ai cru ensuite que
vous aimiez les Personnes, et je vois que vous vous en
fichez. Je crois que vous n'aimez qu'un certain genre de
vie, qui met moins en relief votre intelligence que votre
esprit, moins votre esprit que votre tact, moins votre tact
que vos toilettes. Une personne qui aimez surtout ce genre
de vie — et qui charmez. Et c'est parce que vous charmez
qu'il ne faut pas vous réjouir et croire que je vous aime
moins. Pour vous prouver le contraire... je vous enverrais
de plus jolies fleurs, et cela vous fâcherait, Madame, puisque vous ne daignez pas favoriser les sentiments avec
lesquels j'ai la douloureuse extase d'être,

« De Votre Indifférence Souveraine,
« Le plus respectueux serviteur... »

Mais il demeura le respectueux serviteur de cette
Indifférence Souveraine et se servit de mille traits de
l'aimable égoïste lorsqu'il créa le personnage de la

Duchesse de Guermantes. Les souliers rouges d'Oriane naîtront (une dédicace de Proust le prouve) d'un incident dont Madame Straus avait été l'héroïne.

Laure Hayman, « singulière courtisane, teintée de préciosité », raffolait du jeune Proust, le traînait partout à sa suite et l'appelait « mon petit Marcel » ou « mon petit Saxe psychologique ». Quand Paul Bourget fit d'elle l'héroïne de *Gladys Harvey,* elle donna le livre à Marcel, relié dans la soie brochée à fleurs d'un de ses jupons. Par elle, il fit dire à Paul Bourget combien il l'admirait, et Bourget répondit :

« Votre Saxe psychologique, le petit Marcel, comme vous l'appelez, est tout simplement exquis si j'en juge d'après cette lettre que vous avez eu la gracieuse idée de m'envoyer. Sa remarque sur le passage de *Gladys* concernant Jacques Molon prouve un esprit qui sait penser sur ses lectures, et tout son enthousiasme m'a fait chaud à sentir. Dites-le-lui, et qu'une fois sorti du travail auquel je suis attelé j'aurais un grand plaisir à le rencontrer. Puisque son père lui a donné trois conseils, et vous un quatrième, je lui en donnerai, moi, un cinquième : celui de ne pas laisser s'éteindre en lui cet amour des lettres qui l'anime. Il cessera d'aimer mes livres parce qu'il les aime trop. Claude Larcher sait trop bien que trop aimer, c'est être à la veille de désaimer. Mais qu'il ne désaime pas cette beauté de l'art qu'il devine, qu'il cherche à travers moi, indigne. Et, quoique ce conseil passant par la bouche d'une Dalila soit comme une ironie, dites-lui qu'il travaille et développe tout ce que porte en elle sa déjà si jolie intelligence [1]... »

Qu'il devait être alors un étrange garçon ! Comme le Narrateur de son livre, il semble n'avoir pas eu d'âge précis. Enfant ? Adolescent ? On ne savait. « Il y avait

1. Collection Daniel Halévy.
2. JACQUES-EMILE BLANCHE : *Souvenirs sur Marcel Proust.* REVUE HEBDOMADAIRE, 21 juillet 1928.

en lui bien plus du lycéen qu'il avait à peine cessé
d'être que du dandy qu'il voulait devenir. Marcel avait
été très potache de Condorcet, avec sa fleur à la boutonnière, ses « cols cassés ». Plus tard, il eut des crava-
tes vert d'eau, nouées au hasard, des pantalons tire-
bouchonnants, la redingote flottante. Sa canne de jonc,
il la tordait en ramassant celui de ses gants gris de
perle à baguette noire, froissés, salis, qu'il laissait choir
en enfilant ou en ôtant l'autre. De ces gants dépareil-
lés, partout oubliés, Marcel vous priait de lui renvoyer
le manquant sous enveloppe, en échange d'une autre
paire, ou d'une demi-douzaine d'autres paires, qu'il
vous offrait en témoignage de reconnaissance pour
l'avoir retrouvé. De même pour ses parapluies, semés
dans les fiacres et les antichambres ; les plus délabrés,
si vous les lui rendiez sur sa prière instante, il continuait de s'en servir, mais vous en achetait un neuf
chez Verdier. Et ses chapeaux hauts de forme devenaient des hérissons, des skye-terriers, à force d'être
brossés à rebours, frottés aux jupes et aux fourrures
dans les landaus et les trois-quarts de chez Binder [2]... »

Dans le portrait peint par Blanche, nous le voyons
avec une tête un peu trop grande, des yeux admirables, « œil tout en liqueur brune et dorée... obsédant
regard où la tristesse acquise par la somme des choses
baignait dans une fringante malice, où l'indifférence,
qu'il voulait soudain totale, prenait l'éclat doré de la
ferveur, de la rêverie, des projets infinis » ; cheveux
noirs abondants, toujours indisciplinés ; une cravate un
peu trop claire, une orchidée à la boutonnière, un
mélange de dandysme et de mollesse qui évoque, de
manière fugitive, Oscar Wilde. « Prince napolitain pour
roman de Bourget », dit Gregh.

« Il sentait cette beauté. Il s'attardait alors à flâner
voluptueusement les soirs d'été, en allant dans le monde,

un léger pardessus entr'ouvert sur son plastron d'habit, une fleur à la boutonnière — les fleurs à la mode étaient, dans ce temps-là, des camélias blancs ; — il jouissait de sa grâce adolescente reflétée dans les yeux des passants, avec un peu de fatuité juvénile et un rien de cette « conscience dans le mal » qu'il possédait déjà à dix-huit ans et qui a été sa Muse. Il exagérait parfois cette grâce en minauderies, mais toujours spirituelles, comme il exagérait parfois son amabilité en flatteries, mais toujours intelligentes ; et nous avions même créé entre nous le verbe *proustifier*, pour exprimer une attitude un peu trop consciente de gentillesse, avec ce que le peuple eût appelé des « chichis » interminables et délicieux [1]... »

Mais ceux mêmes qu'il irritait souvent continuaient de le voir avec plaisir parce qu'il était, plus que tout autre, intelligent et divertissant.

Page disert et câlin de tant de femmes, Chérubin qui se plaît aux froissements des jupons, amateur passionné de tout ce qui touche à la toilette des femmes, il allait pourtant un jour dire à Gide « qu'il n'avait jamais aimé les femmes que spirituellement et n'avait jamais connu l'amour qu'avec des hommes ». On imagine ce que durent être les souffrances de cet enfant sage, toujours accroché aux jupes de sa mère, en découvrant en soi des instincts qui, à tant d'autres et à lui-même, paraissaient anormaux et coupables. Voici une ébauche extraite de ses *Cahiers* inédits, qu'il a plusieurs fois remaniée avant de l'utiliser dans son livre (sous une forme un peu différente), et qui montre comment le goût de l'inversion sentimentale peut naître dans un cœur pur :

« Les uns, l'ayant longtemps ignoré et que l'objet de leur désir n'était pas les femmes, quand ils lisaient des vers ou

1. Fernand Gregh : *L'Age d'or*, page 161.

regardaient des gravures obscènes avec un camarade, ils se serraient contre lui, croyant que c'était dans la communion d'un même désir des femmes. Reconnaissant ce qu'ils éprouvaient dans les peintures de l'amour que leur offraient successivement la littérature, les arts, l'histoire, la religion, ils ne s'avisaient pas que l'objet auquel ils le rapportaient n'était pas le même, ils s'en appliquaient tous les traits et, à la faveur de cette confusion, successivement pourvoyaient leur vice du romanesque de Walter Scott, des raffinements de Baudelaire, de l'honneur de la chevalerie, des tristesses du mysticisme, de la pureté des formes des sculpteurs grecs et des peintres italiens, attendaient Rob Roy comme Diana Vernon et se persuadaient qu'ils étaient conformes au reste de l'humanité puisqu'ils retrouvaient leurs tristesses, leurs scrupules, leurs déceptions, dans Sully Prudhomme et dans Musset. Pourtant, instinctivement, ils taisaient « le nom de ce qui se faut souffrir », comme le kleptomane qui ne s'est pas encore avisé de son mal et se cache... pour prendre un objet [1]. »

Pendant toute sa jeunesse, il affecta d'éprouver pour les femmes des sentiments vifs, et peut-être les éprouva. Mais il a lui-même montré que les invertis, pour se protéger contre une société hostile à leur comportement, et par une prudence défensive, portent un masque : « La glace et les murs de leur chambre disparaissent sous des chromos représentant des actrices ; ils font des vers tels que : *« Je n'aime que Chloé au monde — Elle est divine, elle est blonde — Et d'amour mon cœur s'inonde...* » Qui sait si les photographies de femmes ne sont pas un commencement d'hypocrisie ? »

Ailleurs, dans les *Cahiers,* il explique, comme une douloureuse excuse, que d'autres appellent aberration ce qui peut-être est naturel, « chez les jeunes gens surtout, à cause de quelques fibres féminines y persistant, parfois assez tard, comme les organes de l'enfance

---

1.   Texte inédit. Appartient à Madame Mante-Proust.

qui disparaissent à la maturité, et aussi de l'indétermination sentimentale d'un âge encore gonflé d'une
tendresse vague, qui le porte tout entier, âme et corps,
vers ce qu'il aime, sans s'être encore divinisée et spécialisée... » Il évoque « l'absurdité de certaines heures où
on commet un acte en contradiction avec ceux dont
on est habituellement capable ». Déjà il parle avec
pitié de cette race malheureuse qui se défend « comme
d'une calomnie de ce qui est la source innocente de
ses rêves et de ses plaisirs. Fils sans mère, puisqu'ils
doivent lui mentir toute la vie et même à l'heure où
ils lui ferment les yeux... » Un conflit entre l'amour
filial et l'amour aberrant qui le tentait si fort a certainement bouleversé son âme d'adolescent.

Massis a raison de penser que Proust éprouvait alors
un pathétique désir « de se rendre meilleur, de valoir
et de mériter » et que son cœur, par instinct pitoyable
et doux, ne fut pas toujours étranger à l'idée d'un
devoir moral. Bien plus, on peut dire qu'il ne le fut
jamais : « Peut-être n'est-ce que dans des vies réellement vicieuses, écrit Proust, que le problème moral
peut se poser avec toute sa *force d'anxiété*. Et, à ce
problème, l'artiste donne une solution non pas dans le
plan de sa vie individuelle, mais de ce qui est pour lui
sa vraie vie, une solution générale, littéraire. Comme
les grands docteurs de l'Eglise commencèrent souvent,
tout en étant bons, par connaître les péchés des hommes
et en tirèrent leur sainteté personnelle, souvent les
grands artistes, tout en étant mauvais, se servent de
leurs vices pour arriver à concevoir la règle morale de
tous... » Les amours condamnées, dans les livres de
Proust, seront tout empestées de remords et de honte.
On mesure à quel point il avait dû changer, aux alentours de sa vingtième année, en lisant les réponses
faites alors par lui à ce même questionnaire qui déjà
lui avait été présenté à treize ans. Le nouveau texte ne

révèle encore aucun endurcissement, aucune amertume, mais de l'angoisse, des remords latents, un insatiable besoin de tendresse et des instincts irrésistibles :

« *Le principal trait de mon caractère ?* — Le besoin d'être aimé et, pour préciser, le besoin d'être caressé et gâté bien plutôt que le besoin d'être admiré.

— *La qualité que je désire chez un homme ?* — Des charmes féminins.

— *La qualité que je préfère chez une femme ?* — Des vertus d'homme et la franchise dans la camaraderie.

— *Ce que j'apprécie le plus chez mes amis ?* — D'être tendres pour moi, si leur personne est assez exquise pour donner un grand prix à leur tendresse.

— *Mon principal défaut ?* — Ne pas savoir, ne pas pouvoir « vouloir ».

— *Mon occupation préférée ?* — Aimer.

— *Mon rêve de bonheur ?* — J'ai peur qu'il ne soit pas assez élevé ; je n'ose pas le dire et j'ai peur de le détruire en le disant.

— *Quel serait mon plus grand malheur ?* — Ne pas avoir connu ma mère, ni ma grand'mère.

— *Ce que je voudrais être ?* — Moi, comme les gens que j'admire me voudraient.

— *Le pays où je désirerais vivre ?* — Celui où certaines choses que je voudrais se réaliseraient comme par enchantement — et où les tendresses seraient toujours partagées. (Phrase soulignée par Proust.)

— *La couleur que je préfère ?* — La beauté n'est pas dans les couleurs, mais dans leur harmonie.

— *La fleur que j'aime ?* — La sienne — et après, toutes.

— *L'oiseau que je préfère ?* — L'hirondelle.

— *Mes auteurs favoris en prose ?* — Aujourd'hui Anatole France et Pierre Loti.

— *Mes poètes préférés ?* — Baudelaire et Alfred de Vigny.

— *Mon héros dans la fiction ?* — Hamlet.

— *Mes héroïnes favorites dans la fiction ?* — Phèdre (biffé par Proust). Bérénice.

— *Mes compositeurs préférés ?* — Beethoven, Wagner, Shuhmann (*sic*).

— *Mes peintres favoris ?* — Léonard de Vinci, Rembrandt.

— *Mes héros dans la vie réelle ?* — Monsieur Darlu, Monsieur Boutroux.

— *Mes héroïnes dans l'histoire ?* — Cléopâtre.

— *Mes noms favoris ?* — Je n'en ai qu'un à la fois.

— *Ce que je déteste par-dessus tout ?* — Ce qu'il y a de mal en moi.

— *Caractères historiques que je méprise le plus ?* — Je ne suis pas assez instruit.

— *Le fait militaire que j'admire le plus ?* — Mon volontariat !

— *La réforme que j'admire le plus ?* — (Marcel Proust n'a pas répondu à cette question.)

— *Le don de la nature que je voudrais avoir ?* — La volonté, et des séductions.

— *Comment j'aimerais mourir ?* — Meilleur — et aimé.

— *Etat présent de mon esprit ?* — L'ennui d'avoir pensé à moi pour répondre à toutes ces questions.

— *Fautes qui m'inspirent le plus d'indulgence ?* — Celles que je *comprends*. (Mot souligné par Proust.)

— *Ma devise ?* — J'aurais trop peur qu'elle ne me porte malheur [1]. »

III

LE GUERRIER MALADROIT

Il entra au régiment, par devancement d'appel, en 1889, afin de profiter encore du « volontariat », régime dont c'était la dernière année et qui permettait à ceux qui en bénéficiaient de ne faire qu'un an de service

---

1. *Les Confidences de salon.* Paris, Lesueur-Damby, éditeur, 19, rue de Bourgogne. Cet album appartient à Mr. Edward Waterman.

militaire. Il fut envoyé à Orléans, au 76e Régiment
d'Infanterie, et, grâce à un colonel « intelligent », c'est-
à-dire sensible au prestige civil et accessible aux recommandations, ne souffrit pas trop de la disparate entre
la caserne et la famille. Un portrait assez pitoyable le
montre, fantassin mal vêtu, dans une capote flottante,
les beaux yeux de prince persan ensevelis sous la visière
d'un képi en pot de fleurs. A Robert de Billy, futur
ambassadeur, qui était alors artilleur à Orléans, la
démarche de Proust et son langage parurent aussi peu
militaires que possible : « Il avait de grands yeux inter-
rogateurs et ses phrases étaient aimables et souples. Il
me parla de Monsieur Darlu, son professeur de philosophie à Condorcet, et les nobles pensées qui s'échan-
geaient dans ce lycée de la Rive Droite paraissaient à
l'ex-taupin du Bazar Louis que j'étais une nouveauté
probablement méprisable, mais, qui sait, peut-être
sublime... » Admis au peloton d'instruction, Proust y
fut classé soixante-troisième sur soixante-quatre. Le bon
élève n'était pas un brillant soldat.

Pourtant il ne se plaignait pas et se disait lui-même
tout surpris de si bien supporter cette vie nouvelle.

Marcel Proust à son père (23 septembre 1889) : « ...Je
ne suis pas mal portant du tout (à part l'estomac) et n'ai
même pas cette mélancolie générale dont, cette année,
l'absence est sinon la cause — tout au moins le prétexte —
par conséquent l'excuse. Mais j'ai une difficulté extrême à
fixer mon attention, à lire, à apprendre par cœur, à retenir.
Ayant extrêmement peu de temps, je ne t'adresse aujour-
d'hui que ce bref témoignage d'un « penser à toi » constant
et tendre. A demain, mon cher petit Papa, rappelle-moi
au précieux souvenir du poète, ton voisin, et mets-moi aux
pieds de Madame Cazalis... Figure-toi qu'au grand scandale des Derbaune, des bonnes de Cabourg, apercevant le
pioupiou traditionnel, m'ont envoyé mille baisers. Ce sont
les bonnes — par moi délaissées — qui se vengent. Et je

suis puni si Monsieur Cazalis me permet de citer un vers
d'un de ses plus beaux poèmes, « *Pour avoir dédaigné les
fleurs de leurs seins nus* ». Je t'embrasse infiniment.
    « Ton fils,   MARCEL PROUST [1]. »

Madame Adrien Proust à Marcel : « Enfin, mon
chéri, il y a un mois de passé ; il ne te reste plus que
onze morceaux à manger du gâteau, sur lequel une ou
deux tranches se consommeront en congés. J'ai pensé
à un procédé pour t'abréger le temps. Prends onze
tablettes de chocolat que tu aimes beaucoup ; dis-toi
que tu ne veux en manger une que le dernier jour de
chaque mois, tu seras tout étonné de les voir filer — et
l'exil avec... »

Le dimanche, il passait « sa permission » à Paris, où
il était heureux de retrouver ses amis. Souvent il allait,
ce jour-là, chez Madame Arman de Caillavet, maîtresse
de maison dominatrice, Egérie d'Anatole France, dont
le fils, Gaston, était devenu l'un des meilleurs amis de
Marcel et poussait la « gentillesse » jusqu'à le recon-
duire, chaque dimanche soir, au train d'Orléans.
Marcel Proust à Jeanne Pouquet : « Si vous songez
qu'à ce moment-là le taxi n'existait pas, vous serez
stupéfaite de penser que, tous les dimanches soirs où
je retournais à Orléans par le train de 7 heures 40, il
vint chaque fois me conduire en voiture au train... et
il lui arriva même de venir à Orléans !... Mon amitié
pour Gaston était immense ; je ne parlais que de lui
à la caserne, où mon brosseur, le caporal, etc., voyaient
en lui une sorte de divinité, de sorte qu'au Jour de
l'An ils lui envoyèrent en hommage une adresse !... »

Ce fut chez Madame de Caillavet que Proust connut
Anatole France, dont il admirait le style et qui devait

1. Lettre inédite, communiquée par Madame Mante-Proust.

lui apporter de nombreux éléments pour le personnage de Bergotte. Il s'était représenté France comme un « doux chantre aux cheveux blancs » ; en voyant devant lui un homme au nez « en forme de coquille de colimaçon », à la barbiche noire, et qui bégayait un peu, il fut déçu. Le France qu'il avait « élaboré goutte à goutte, comme une stalactite, avec la transparente beauté de ses livres, se trouvait n'être d'aucun usage du moment qu'il fallait conserver le nez en colimaçon et la barbiche noire ». Nez et barbiche « le forçaient à réédifier le personnage » ; il se sentit navré d'être obligé d'y attacher, « comme après un ballon, cet homme à barbiche », sans savoir s'il garderait la force de s'élever.

— « Vous qui aimez tant les choses de l'intelligence... » lui disait France.

— « Je n'aime pas du tout les choses de l'intelligence ; je n'aime que la vie et le mouvement », répondait Proust.

Il était sincère ; l'intelligence lui était si naturelle qu'il n'en estimait guère les jeux, tandis qu'il enviait et admirait la grâce des êtres d'instinct.

IV

ENTRÉE DANS LE MONDE

Lorsqu'il sortit du régiment, son désir eût été de continuer ses études. Il n'avait, depuis l'enfance, qu'une vocation : écrire et, dès ce moment, concevait la discipline de l'écrivain comme exigeante et exclusive. Mais il adorait ses parents et ne voulait pas les contrarier. Le Docteur Proust aurait souhaité le voir entrer dans la diplomatie.

Marcel Proust à son père : « Mon cher petit Papa, j'espère toujours finir par obtenir la continuation des études littéraires et philosophiques, pour lesquelles je me crois fait. Mais, puisque je vois que chaque année ne fait que m'apporter une discipline de plus en plus pratique, je préfère choisir tout de suite une des carrières pratiques que tu m'offrais. Je me mettrai à préparer sérieusement, à ton choix, le Concours des Affaires Etrangères ou celui de l'Ecole des Chartes... Quant à l'étude d'avoué, je préférerais mille fois entrer chez un agent de change ; d'ailleurs sois persuadé que je n'y resterais pas trois jours ! Ce n'est pas que je ne croie toujours que toute autre chose que je ferai, autre que les lettres et la philosophie, est pour moi du *temps perdu*. Mais, entre plusieurs maux, il y en a de meilleurs et de pires. Je n'en ai jamais conçu de plus atroce, dans mes jours les plus désespérés, que l'étude d'avoué. Les ambassades, en me la faisant éviter, me sembleraient, non ma vocation, mais un remède [1]... »

Il est intéressant de constater, dès cette période de sa vie, que tout ce qui n'est pas lettres et philosophie lui paraît être du *temps perdu*. Mais, puisque le respect filial le condamnait à perdre son temps, et que la route des ambassades passait par l'Ecole des Sciences Politiques, il y entra. Là il retrouva Robert de Billy, Gabriel Trarieux et, avec eux, écouta les leçons d'Albert Sorel, d'Albert Vandal, de Leroy-Beaulieu. Il écoutait avec attention, ne prenait pas de notes et écrivait sur un cahier jusqu'alors vierge :

> Vandal, exquis, répand son sel,
> Mais qui s'en fout, c'est Gabriel,
> Robert, Jean et même Marcel,
> Pourtant si grave d'habitude.

Si grave ? Oui, certes, mais frivole aussi, et cela n'est pas contradictoire. « La frivolité est un état violent. » Il aimait à rejoindre dans un tennis de Neuilly, Bou-

---

1. Lettre inédite. Appartient à Madame Mante-Proust.

levard Bineau, Gaston de Caillavet et ses amis. Sa
fragilité ne lui permettait pas de jouer, mais sa conversation attirait autour de lui, sous les arbres, un cercle
de jeunes filles et de mères encore jeunes. « Chargé du
goûter, il arrivait toujours avec une grande boîte pleine
de friandises. Quand il faisait chaud, on l'obligeait à
aller chez un mastroquet voisin, chercher de la bière et
de la limonade, qu'il rapportait en gémissant, dans un
affreux panier emprunté au restaurateur. Parfois une
balle tombait au milieu des petits-fours, faisant tres-
sauter verres et demoiselles. Marcel accusait toujours
les joueurs de l'avoir lancée « par malice et sans
cause [1] ». Peut-être y en avait-il une dont les coupables eux-mêmes n'avaient pas conscience : le charme
de Marcel, sa sensibilité, sa verve agaçaient souvent ses
camarades ; ils en étaient un peu jaloux et, sans intention mauvaise ni même bien définie, n'étaient pas
fâchés de troubler « la Cour d'Amour ». C'est ainsi
qu'ils appelaient, quand ils étaient en veine poétique,
« le rond des bavards ». La partie terminée, les joueurs
venaient se reposer à l'ombre des jeunes filles en fleurs,
pour goûter comme elles les bavardages de Marcel.
Bien des années après, à propos d'un livre en préparation, ces souvenirs lui reviendront en la mémoire et
il écrira à Jeanne Pouquet (alors mariée avec Gaston
de Caillavet) : « Vous y verrez amalgamé quelque
chose de cette émotion que j'avais quand je me deman-
dais si vous seriez au tennis. Mais à quoi bon rappeler
des choses au sujet desquelles vous avez pris l'absurde
et méchant parti de faire semblant de ne vous en être
jamais aperçue ?... »

A la vérité, la jeune fille, déjà presque fiancée,
n'avait pas pris très au sérieux une cour qui ne se
manifestait guère. Un jour pourtant, après la répétition

1. JEANNE MAURICE-POUQUET : *Quelques lettres de Marcel Proust*
(Hachette, 1929).

d'une revue où Jeanne Pouquet jouait le rôle de Cléopâtre et Marcel, avec une remarquable maladresse,
celui de souffleur, il lui envoya ces vers qu'il jugeait
lui-même détestables :

> « *Sur une Demoiselle qui représenta cette nuit la reine
> Cléopâtre, pour le plus grand trouble et la future damna-
> tion d'un jeune homme qui était là.*
> « *Et sur la double essence métaphysique de ladite
> demoiselle.*

Peut-être autant que vous Cléopâtre était belle,
Mais elle était sans âme : elle était le tableau,
Inconscient gardien d'une grâce immortelle
Qui, sans l'avoir compris, réalise le Beau.
Tel encor est ce ciel en sa grise harmonie,
Il nous ferait pleurer tant il est triste et las,
Il exprime le doute et la mélancolie
     Et ne les ressent pas !
Vous avez détrôné la reine égyptienne :
Vous êtes à la fois l'artiste et l'œuvre d'art.
Votre esprit est profond comme votre regard,
Pourtant nulle beauté lors n'égalait la sienne.
Ses cheveux sentaient bon comme les fleurs des champs,
J'eusse aimé voir briller, sur ses chairs tant aimées,
Le long déroulement des tresses embaumées.
Sa parole était lente et douce comme un chant ;
Ses yeux brillaient dans un fond de nacres humides ;
Elle arrêtait son corps en des poses languides... ;
Vous avez détrôné la reine du Cydnus.
Vous êtes une fleur et vous êtes une âme.
Nul penser n'habitait son front ceint de lotus.
Ce n'est déjà pas si gracieux pour une femme. »

C'était une déclaration imprécise et prudente, qui
restait dans le domaine de la fiction.

Plus sérieuse était la question d'une carrière. Le Professeur Proust et sa femme étaient des parents trop
affectueux pour exercer sur leur fils une contrainte

durable. Ils furent « dans le marasme » quand Marcel échoua à la deuxième moitié de ses examens de droit.

Marcel Proust à Robert de Billy : « Je suis tout ce qu'il y a de plus embarrassé, car il faut, Papa le veut, que je décide de ma carrière. La Cour des Comptes me tente de plus en plus. Je me fais ce raisonnement : si je ne veux pas faire ma carrière à l'étranger, je ferai aux Affaires Etrangères, à Paris, une carrière aussi assommante que celle de la Cour des Comptes. Peut-être la Cour des Comptes est-elle — pour moi — plus difficile à préparer — mais n'est-ce pas très compensé parce qu'il y a en moins ce stage qui absorbera toute l'attention dont je suis capable ? Le reste du temps, j'irai me promener... Ah ! mon Ami, plus que jamais ici votre conseil me serait précieux, et je souffre bien de votre absence... Que reste-t-il, décidé que je suis à n'être ni avocat, ni médecin, ni prêtre, ni... ? »

Enfin ses parents l'autorisèrent à suivre, sans but défini, des cours en Sorbonne, comme il le souhaitait. Ce fut là qu'il eut pour maître Henri Bergson qui, en 1891, par un mariage avec Mademoiselle Neuburger, était devenu son cousin et qui, comme Darlu, croyait à la nécessaire alliance de la poésie et de la philosophie. « Je suis content, écrit Proust à un ami [1], que vous ayez lu Bergson et l'ayez aimé... C'est comme si nous avions été ensemble sur une altitude... Je crois vous avoir dit la grande estime que j'ai pour lui et la grande bonté dont il a toujours été pour moi... » Toutefois, sur le terrain des idées, les deux hommes se comprirent assez mal, et Bergson, vers la fin de sa vie, dit à Floris Delattre qu'il n'est pas d'œuvre d'art vraiment grande qui n'exalte et ne tonifie l'âme, ce que, pensait-il, ne fait pas la *Recherche du temps perdu*. Nous verrons que l'on peut être d'un avis tout différent.

1. GEORGES DE LAURIS : *A un Ami* (page 205). *Correspondance inédite de Marcel Proust*, 1903-1922. (Amiot-Dumont, Paris, 1948).

En apparence, les quatre ou cinq années qui suivi-rent le service militaire furent encore, pour Marcel, des années perdues ; en fait, il récoltait son miel et rem-plissait ses rayons de personnages et d'impressions. Autour de lui, vie littéraire et vie politique faisaient naître les écoles et les partis ; naturalisme et symbo-lisme se disputaient la génération montante ; Marcel Proust, lui, ne s'intéressait guère aux doctrines. Comme il avait, à Illiers, fait provision d'images naturelles, il essayait, à Paris, d'analyser et de s'ajouter les œuvres d'art. Par quelques amis, il se faisait initier à la pein-ture et c'étaient de longues promenades au Louvre ; par d'autres à la musique. Tous lui reprochaient de montrer un goût trop vif pour le Faubourg Saint-Germain. C'était en partie, dit Gregh, parce que le Faubourg lui semblait un royaume inaccessible. Pour-quoi a-t-il pris plus tard tant de plaisir à peindre l'éclatante carrière mondaine d'un Swann ? Parce qu'elle ressemblait à la sienne et parce que, dans l'un et l'autre cas, les prestiges du goût et de l'intelligence avaient vaincu des préjugés hostiles. Il est vrai qu'il écrivit un jour à Paul Souday qu'il avait dû faire un effort, lui qui avait toujours vécu dans ce monde, pour se mettre à la place d'un Narrateur qui ne connaîtrait pas de duchesses et souhaiterait en connaître, mais c'est un des rares cas où il se soit montré, consciem-ment ou non, inexact. Sa conquête du monde com-mença tôt, cela est vrai ; elle fut pourtant une conquête et exigea des campagnes.

A l'origine, on trouve les hôtesses de son adoles-cence : Madame Straus, Madame Henri Baignères, sa belle-sœur Madame Arthur Baignères (dite « la Tour qui n'a pas pris garde »), Madame Arman de Cail-lavet et aussi Madeleine Lemaire, aquarelliste « qui avait créé le plus de roses après Dieu », dans le salon de laquelle Proust connut la Princesse Mathilde et

aperçut, pour la première fois, la Comtesse Greffulhe
et Madame de Chevigné, ses futurs modèles. Ce fut là
qu'il se lia intimement avec le musicien Reynaldo
Hahn, « qui avait un excès de tous les mérites et un
génie de tous les charmes ». De trois ans plus jeune
que Marcel, né au Venezuela, mais de culture toute
française, Reynaldo montrait un talent précoce, un
goût exquis et une intelligence curieusement universelle. Qu'il se mît au piano pour jouer et chanter, ou
qu'il parlât des livres et des gens, ses improvisations
avaient quelque chose de tendre et d'ailé qui était
inimitable. « J'aime comme vous chantez, lui avait dit
un jour Pauline Viardot, oui, c'est simple, c'est bien... »
Ses amis aimaient aussi comme il contait.

Par leurs exigeantes et profondes cultures, par leur
commune horreur de l'emphase et par la gravité douloureuse de leurs feintes frivolités, Marcel Proust et
Reynaldo Hahn étaient faits pour s'entendre. Ce fut
surtout Reynaldo qui aida Marcel à comprendre la
musique et assembla pour lui les éléments épars dont
allait naître la « petite phrase » de Vinteuil. Amis passionnés, ils lisaient ensemble de grands livres : Marc-
Aurèle, les *Mémoires d'Outre-Tombe,* et admiraient la
noblesse qui en émane. Marcel estimait le sens inné
qu'avait Reynaldo de la beauté littéraire : Reynaldo
louait Marcel d'avoir senti que, dans l'*Invitation au
voyage* de Duparc, la musique qui souligne : « *Mon
enfant, ma sœur* » a l'air d'un pléonasme. Ils avaient
le même amour de la nature et le même pessimisme
mélancolique. « Se résigner à la tristesse, qui devient
fatalement le pain quotidien de tout être intelligent,
écrivait Reynaldo dans ses carnets, et regarder plus
haut pour ne pas s'impatienter, comme dit Madame de
Sévigné ». La philosophie de Marcel Proust était proche
de celle-là. Sur une parfaite communauté de goûts
s'édifia une amitié qui les fit longtemps inséparables

En 1893, chez Madeleine Lemaire, Proust rencontra le Comte Robert de Montesquiou, gentilhomme poète (alors âgé de trente-huit ans), dont « tant de disciples copiaient le port de tête et les rengorgements... et qui séduisait par ses hauteurs mêmes [1] ». Esthète « absurde et fascinant, moitié mousquetaire et moitié prélat [2] », qui passait pour avoir inspiré à Huysmans son des Esseintes. Montesquiou donnait, par ses vers comme par ses bibelots, dans tous les contournements du style fin de siècle : « Ses mains admirablement bien gantées décrivaient de beaux gestes, et il courbait harmonieusement ses poignets... Parfois il enlevait ses gants et dressait sa main précieuse vers les cieux. Une seule bague, à la fois simple et étrange, ornait son doigt. En même temps qu'il élevait la main, l'inflexion de la voix montait d'une façon stridente comme la trompette dans un orchestre ou retombait, plaintive et pleurante, pendant que le front se plissait et que les sourcils faisaient un accent circonflexe aigu [3]... » Certains l'accusaient d'être efféminé, contre quoi il protestait avec superbe.

> L'efféminé souvent dompte la femme et l'homme
> Sans être dominé..
> Voulez-vous bien me dire où gît le faible, en somme,
> Et la faiblesse, alors, de cet efféminé ?

Sa fatuité était d'une incroyable insolence, mais sa conversation brillante, pleine d'idées originales sur le monde, les tableaux, les grands poètes et les artistes.

1. François Mauriac : *Du côté de chez Proust,* pages 50-51 (La Table Ronde, Paris, 1947).
2. J. de Ricaumont : *Lettres de Robert de Montesquiou au Prince Sévastos* (Revue de Paris, juillet 1947).
3. E. de Clermont-Tonnerre : *Robert de Montesquiou et Marcel Proust* (Flammarion, Paris, 1925), *passim.*

Aussi exerçait-il une sorte de pontificat dans les salons, y imposait l'art de Whistler ou de Gustave Moreau, et se vantait d'en ouvrir les portes à ceux qu'il avait élus. Au fond, il souffrait de « sa nature étrange, mal accommodée, de laquelle il ne pouvait se guérir, à laquelle il ne pouvait échapper », et sa dureté naissait de sa tristesse, comme sa violence du désir d'afficher une virilité contestée.

Proust devina, dès la première rencontre, ce qu'il pouvait tirer d'un tel personnage, tant pour sa carrière mondaine que pour ses livres, et, tout de suite, il écrivit : « ... Votre très respectueux, fervent et charmé, Marcel Proust. » Il avait compris la soif d'admiration dont brûlait Montesquiou et l'étancha généreusement : « Vous débordez largement le type du décadent exquis sous les traits duquel on vous peint... Le seul homme supérieur de votre monde... Le plus grand critique d'art qu'il y ait eu depuis longtemps... tantôt cornélien et tantôt hermétique... Votre âme est un jardin rare et choisi... »

Proust envoie-t-il un essai à Montesquiou, c'est en écartant « l'absurde pensée de l'échange de ce ver de terre avec ce firmament d'étoiles ». Il loue l'électricité du regard, la persuasion orageuse de la voix : « Dans chaque circonstance, cher Monsieur, je vous vois, vous découvre un peu mieux, plus vaste encore, ainsi qu'un voyageur émerveillé qui gravit une montagne et dont le point de vue s'élargit sans cesse. Le *tournant* d'avant-hier était le plus beau. Suis-je au sommet [1] ?... » Et ceci, où l'équivoque se mêle à l'adulation : « Retournez-vous bientôt dans ce Versailles dont vous êtes la Marie-Antoinette pensive et le Louis XIV conscient ? Je salue Votre Grâce et Votre Majesté... »

---

1. Cf. *Correspondance Générale de Marcel Proust*, tome I : *Lettres à Robert de Montesquiou* (Plon, Paris, 1930). Pages 40, 53, 67, etc.

En retour, pour de si rares louanges, il demandait un appui : « Je vous demanderai de vouloir bien me montrer quelques-unes de ces amies au milieu desquelles on vous évoque le plus souvent : la Comtesse Greffulhe, la Princesse de Léon... » La Comtesse Greffulhe, née Caraman-Chimay, excitait singulièrement la curiosité de Marcel ; Montesquiou le fit inviter à une fête où il entrevit en elle la future Princesse de Guermantes : « Elle portait une coiffure d'une grâce polynésienne, et des orchidées mauves descendaient jusqu'à sa nuque, comme les « chapeaux de fleurs » dont parle M. Renan. Elle est difficile à juger, sans doute parce que juger c'est comparer et qu'aucun élément n'entre en elle qu'on ait pu voir chez aucun autre, ni même nulle part *ailleurs*. Mais tout le mystère de sa beauté est dans l'éclat, dans l'énigme surtout de ses yeux. Je n'ai jamais vu une femme aussi belle... »

Peu à peu, Proust devint un familier de Montesquiou. Il connut « ses avances et ses bouderies, ses réticences et ses aveux, ses timidités et ses imprudences [1] ». Puis il y eut des orages. De communs amis dirent au poète que Proust faisait de cruelles imitations, avait saisi sa voix, son rire, son style, et tapait, comme lui, du pied en renversant le buste en arrière, « avec des sourires de l'œil et des gestes nerveux du bout des doigts ». Jupiter tonna. Le mortel s'inclina : « On n'en veut pas à la foudre, même quand elle vous frappe, parce qu'elle vient du ciel. » Quant aux imitations, elles n'étaient qu'excès d'admiration : « Si l'on vous a dit plus et si l'on vous a parlé de caricature, j'invoque votre axiome : « *Un mot répété n'est jamais vrai.* » Enfin Proust jura de renoncer « à ces singeries » et Montesquiou continua de l'initier à « la poésie du snobisme ».

---

1. J. DE RICAUMONT : *opus cit.*

Car il était nécessaire, pour croire au monde-monde, de vivre « près d'un homme qui ne doutât point de sa réalité ». Dans le goût de Proust pour le monde, il n'y avait rien de bas. Ce n'était pas tant le fait d'être invité qui l'amusait que la vérification de la mécanique sociale, « les rapports des êtres humains entre eux dans la société et dans l'amour ». Il était curieux des gens du monde, mais il l'était aussi des autres : « Je n'avais pas fait de différence entre les ouvriers, les bourgeois et les grands seigneurs, et j'aurais pris indifféremment les uns et les autres pour amis, avec une certaine préférence pour les ouvriers, et après cela pour les grands seigneurs, non par goût », mais parce qu'ils sont « volontiers polis avec n'importe qui, comme les jolies femmes heureuses de donner un sourire qu'elles savent accueilli avec tant de joie. »

Le monde comptait pour lui, dit Lucien Daudet, « mais à la manière dont les fleurs comptent pour le botaniste, pas à la manière dont elles comptent pour le monsieur qui achète un bouquet ». Réduit au seul monde littéraire, il n'eût composé qu'un très pauvre herbier. Il dit un jour à une amie : « Madame de Chevigné veut toujours me faire connaître Porto-Riche. Mais Porto-Riche, c'est moi. J'aime bien mieux rencontrer Mademoiselle d'Hinnisdal. » Il constatait, comme avant lui Racine et Balzac, que ce milieu désœuvré, donc disponible, était propice à l'éclosion et à la peinture des passions, mais il le jugea toujours avec lucidité : « Un artiste ne doit servir que la vérité et n'avoir aucun respect pour le rang : Il doit simplement en tenir compte dans ses peintures, en tant qu'il est un principe de différenciation, comme par exemple la nationalité, la race, le milieu. Toute condition sociale a son intérêt et il peut être aussi curieux pour l'artiste de montrer les façons d'une reine que les habitudes d'une couturière... » En cultivant Montesquiou, il préparait Charlus. « Il est admirable que notre Proust se soit jeté dans la gueule du monstre afin de nous donner une peinture exacte, et qu'il se soit en quelque sorte inoculé le snobisme, afin de le connaître mieux [1]. »

Snobisme ? Le mot s'applique mal à Proust, sauf pendant une courte période d'ivresse juvénile. Le snob est celui qui aime un être, ou accepte une idée, non parce que l'être est aimable ou parce que l'idée lui semble vraie, mais parce que tous deux sont à la mode et leur connaissance flatteuse. Tel n'était pas le cas de Proust, qui s'intéressait authentiquement à ses monstres : « Se plaire dans la société de quelqu'un parce qu'il a eu un ancêtre aux Croisades, c'est de la vanité. L'intelligence n'a rien à voir à cela. Mais se plaire dans la société de quelqu'un parce que le nom de son grand-père se retrouve souvent dans Alfred de Vigny, ou dans Chateaubriand, ou (séduction vraiment irrésistible pour moi, je l'avoue) avoir le blason de sa famille dans la Grande Rose de Notre-Dame d'Amiens, voilà où le péché intellectuel commence... »

Un péché intellectuel demeure un péché ; il n'est pas le snobisme à l'état pur. Proust aimait à étudier, à Paris comme à Illiers, la formation, au cours de l'histoire, des cadres sociaux et comment ces cadres, vieillis, vermoulus, fléchissaient. Montesquiou était un superbe spécimen et sa cour un parfait poste d'écoute. Il exigeait l'adulation ; Marcel, pour le mieux observer, payait ce prix. « Or les paroles excessives que nous avons prononcées restent comme des lettres de change que nous devrons payer toute notre vie. » Pour avoir gâté Montesquiou par l'excès de ses adjectifs, Proust se voyait condamné à monter chaque fois un ton plus haut. Mais il ne jugeait pas que la flatterie fût une faute grave. « La flatterie n'est parfois que l'épanche-

---

1. FRANÇOIS MAURIAC : *Du côté de chez Proust.*

ment de la tendresse, et la franchise la bave de la mauvaise humeur. » On a dit qu'il était obséquieux ; ses amitiés les plus effusives allaient à des êtres qui ne lui apportaient rien, que le plaisir de leur présence. Tel Reynaldo Hahn, tel aussi ce jeune Anglais, Willie Heath, qui mourut à vingt-deux ans et à l'ombre duquel il dédia son premier livre : « *A mon ami Willie Heath, mort à Paris le 3 octobre 1893...* »

« C'est au Bois que je vous retrouvais souvent le matin, m'ayant aperçu et m'attendant sous les arbres, debout, mais reposé, semblable à l'un de ces seigneurs qu'a peints Van Dyck et dont vous aviez l'élégance pensive. Leur élégance en effet, comme la vôtre, réside moins dans les vêtements que dans le corps, et leur corps lui-même semble l'avoir reçue et continuer sans cesse à la recevoir de leur âme : c'est une élégance morale. Tout d'ailleurs contribuait à accentuer cette mélancolique ressemblance, jusqu'à ce fond de feuillages à l'ombre desquels Van Dyck a souvent arrêté la promenade d'un roi ; comme tant d'entre ceux qui furent ses modèles, vous deviez bientôt mourir et dans vos yeux, comme dans les leurs, on voyait alterner les ombres du pressentiment et la douce lumière de la résignation. Mais si la grâce de votre fierté appartenait de droit à l'art d'un Van Dyck, vous releviez plutôt du Vinci par la mystérieuse intensité de votre vie spirituelle. Souvent le doigt levé, les yeux impénétrables et souriants en face de l'énigme que vous taisiez, vous m'êtes apparu comme le *Saint Jean-Baptiste* de Léonard. Nous formions alors le rêve, presque le projet de vivre de plus en plus l'un avec l'autre, dans un cercle de femmes et d'hommes magnanimes et choisis, assez loin de la bêtise, du vice et de la méchanceté, pour nous sentir à l'abri de leurs flèches vulgaires... »

Swann aimera Odette parce qu'il aura cru revoir en elle cette Zephora, fille de Jethro, qui est peinte dans une des fresques de la Chapelle Sixtine ; ainsi Proust

avait aimé Willie Heath parce que celui-ci lui était
apparu comme le Saint Jean-Baptiste de Léonard. Cette
dédicace est belle. On y devine ce qu'il pouvait y avoir
de délicatesse dans des amitiés que les méchants empoi-
sonnaient de leurs flèches, et aussi de tristesse désespérée
chez le bel adolescent qui, en habit, fleur à la boutonnière, partait à la découverte du monde. Certains
passages de ses *Cahiers* évoquent ces jours d'affection,
d'angoisse et de pureté :

« ...Parfois ils ont un ami de leur âge, ou plus jeune,
pour qui ils ont une ardente affection, et alors redoutent
plus que la mort même (que celui-ci) puisse jamais connaître le péché, le vice qui fit leur honte et leur remords...
Heureusement ils l'en croient incapable et, à cause de cela,
s'ajoute à leur affection une sorte de vénération et de
respect, comme celui qu'un viveur peut avoir pour une
jeune fille immaculée, et les pousse pour eux aux plus
grands sacrifices... Si, dans un deuil, ils s'enhardissent à
poser leurs lèvres sur leur front, c'est une joie qui suffira à
embraser tout le reste de leur existence [1]... »

Il faudrait, pour rire de cette page, être bien dur —
ou bien sot. Proust luttait alors contre lui-même. A
l'une de ses premières nouvelles, il mettra en épigraphe
cette phrase de *l'Imitation de Jésus-Christ* : « Les désirs
des sens nous entraînent çà et là, mais l'heure passée,
que rapportez-vous ? Des remords de conscience et de
la dissipation d'esprit. On sort dans la joie et souvent
on revient dans la tristesse, et les plaisirs du soir attris-
tent le matin. Ainsi la joie des sens flatte d'abord,
mais, à la fin, elle blesse et tue... » Il aurait voulu,
sincèrement, maintenir ses affections sur le plan d'une
communauté spirituelle. Mais l'amour aberrant reste
l'amour, avec ses orages, et c'est en vain qu'il cherche
à ressembler à la grave et constante amitié.

---

1. Texte inédit. Appartient à Madame Mante-Proust.

CHAPITRE III

LES PREMIERS ÉCRITS

On appelle *amateur* celui pour qui la
recherche du beau n'est point de métier, et
ce mot n'est jamais pris favorablement.
ALAIN.

I

LE BANQUET

LE désir d'écrire continuait de le poindre. Les soirs
où il faisait les « bouts de table », dans les maisons
où on l'invitait pour son esprit, « les Brichot, les
Saniette, les Norpois péroraient devant les garde-feu en
bronze doré » de Madame Straus ou de Madame de
Caillavet. Les « vedettes des dîners » s'appelaient alors
Bourget, France, Brochard, Vogüé, Maupassant, Porto-
Riche, Hervieu, Hermant, Vandérem. Marcel Proust
les encensait et les mesurait. Eux, frappés par la pénétration de cette intelligence, regrettaient qu'il ne tra-
vaillât guère.

« Comment faites-vous, Monsieur France », demandait
Proust, « comment faites-vous pour savoir tant de choses ? »

— C'est bien simple, mon cher Marcel : quand j'avais
votre âge, je n'étais pas joli comme vous ; je ne plaisais
guère ; je n'allais pas dans le monde et je restais chez
moi à lire, à lire sans relâche. »

Déjà ses camarades de Condorcet s'essayaient en des
carrières diverses. Jacques Bizet était externe à l'Hôtel-

Dieu ; Fernand Gregh publiait ses premiers vers et préparait sa licence ès lettres ; Henri Rabaud, élève de Massenet, pouvait espérer son Prix de Rome. Marcel hésitait encore, et ses amis s'étonnaient de sa studieuse flânerie. Que n'aurait-il pu faire s'il l'avait voulu ? En 1892, Fernand Gregh écrivit un *Portrait à la plume* de Marcel :

« Fabrice, qui veut être aimé, l'est en effet. Pour les femmes et quelques hommes, il a la beauté... Il a aussi, ce qui suffit pour lui assurer l'amitié du commun des hommes, il a la grâce : une grâce enveloppante, toute passive en apparence, et très active. Il a l'air de se donner et il prend... Il a eu, tour à tour, pour amis, tous ceux qui l'ont connu. Mais, comme il aime moins ses amis qu'il ne s'aime en eux, il ne tarde pas à les quitter avec autant de facilité qu'il a déployé d'adresse pour se les attacher. Cette adresse est ineffable : dirai-je qu'il a la louange ingénieuse, qu'il sait toujours toucher le point sensible de chaque vanité ; bien mieux, ne pas flatter ceux qui n'aiment pas être flattés, ce qui est encore une manière de leur plaire ? Dirai-je qu'il sait attendre une heure, sous la pluie ou la neige, un ami qu'il abandonnera quinze jours après et dont, dans un ou deux ans, il se fera répéter le nom pour se rappeler sa figure ? Rien de tout cela ne saurait indiquer jusqu'où va son adresse à séduire... Il a plus que de la beauté, ou de la grâce, ou de l'esprit, ou de l'intelligence ; il a tout cela en même temps, ce qui le rend mille fois plus aimable que ses flatteries les plus géniales... »

C'était le temps du symbolisme, et les jeunes revues fleurissaient, aussi nombreuses que les aubépines du Mois de Marie. Le groupe de Condorcet : Gregh, Proust, Bizet, Louis de la Salle, Daniel Halévy, Robert Dreyfus, Robert de Flers, auxquels se joignirent Léon Blum, Gabriel Trarieux, Gaston Arman de Caillavet, Henri Barbusse décidèrent d'en fonder une. Chacun des fonda-

teurs devait donner dix francs par mois, ce qui suffirait
pour faire paraître, chaque mois, un numéro tiré à
quatre cents exemplaires. La recherche du titre donna
lieu à des controverses passionnées. Robert Dreyfus
proposa : *Le Chaos,* d'autres : *Les Divergences, Opinions et Variétés, L'Anarchie littéraire, Varia, Revue
timide, Revue des Opinions, l'Indépendance, le Toupet
périodique, Revue des Futurs et Conditionnels, Aperçus
littéraires et artistiques, Chemins dans la Brume, Les
Tâtonnements, Vers la Clairière, Les Guitares,* etc...
   Le procès verbal, rédigé par Jacques Bizet, conclut :

« Nous fixons définitivement notre choix sur un titre :
Le Banquet. Cela se fait en forçant un peu la main à
Messieurs Fernand Gregh et Robert Dreyfus...

N. B. — Quelques minutes après, Monsieur Gregh se
ralliait, enthousiaste, à notre titre et, deux heures plus tard
encore, Monsieur Dreyfus, qui me cherchait partout, finit
par me rencontrer dans la rue et, lui aussi, déclarait notre
titre « très bien », éloge peu banal dans sa bouche... Un
comité de lecture, composé de Messieurs Daniel Halévy,
Robert Dreyfus et Marcel Proust, est nommé. Sur leur avis,
toujours discutable d'ailleurs, les articles seront reçus ou
refusés... »

En pratique, le comité de lecture ne fonctionna pas
et l'oligarchie devint une dictature, celle de Fernand
Gregh, directeur et animateur du *Banquet.* La revue
n'eut que huit numéros, mais presque tous ses rédacteurs étaient destinés à la gloire, ou du moins à la
notoriété. Bien que très jeunes, beaucoup d'entre eux
apportaient des articles sur Nietzsche, Swinburne, Schopenhauer. Ils étaient surpris et un peu choqués quand
Marcel Proust offrait au *Banquet* des portraits de
femmes du monde, de courtisanes célèbres, écrits dans
un style « fin de siècle » où passaient des relents de
France, de Maeterlinck et de Montesquiou, mais ils se

montraient indulgents parce qu'ils aimaient son esprit
et sa voix, « cette voix profondément rieuse, chance-
lante, étalée de Proust lorsqu'il racontait, gémissait de
raconter, organisait le long de son récit un système
d'écluses, de vestibules, de fatigues, de haltes, de politesses, de gants blancs écrasant la moustache en éventail sur la figure [1]... »

Ses amis lui reprochaient d'écrire trop d'articles de
complaisance, pour être *gentil,* mot que lui-même, en
parlant de soi, mettait ironiquement entre guillemets.
Dès le premier numéro (Mars 1892), il avait fait
l'éloge d'un très médiocre *Conte de Noël,* publié dans
la *Revue des Deux Mondes* par Louis Ganderax, nor-
malien qui, comme tant de professeurs de ce temps-là :
Lemaître, Desjardins, Doumic, Brunetière, voyait dans
l'enseignement le chemin des lettres ; directeur de revue
scrupuleux jusqu'à la manie, qui signalait à deux pages
de distance une répétition et, comme disait France,
« poursuivait les hiatus jusque dans l'intérieur des
mots ». Ganderax était l'intime ami de Madame Straus,
et cela suffisait, aux yeux de Proust, pour justifier
l'article. Mais ce que ne virent pas, et ne pouvaient
voir, les rédacteurs du *Banquet,* c'est qu'à propos de
ce mauvais conte Marcel Proust essayait ses thèmes :

« La plus douce peut-être de ces fleurs du sentiment que
la réflexion flétrit bien vite est ce qu'on pourrait appeler
l'espérance mystique en l'avenir. L'amant malheureux qui,
rebuté aujourd'hui comme il l'était hier, espère que demain
celle qu'il aime, et qui ne l'aime pas, se mettra tout d'un
coup à l'aimer ; — celui dont les forces n'égalant pas le
devoir qu'il lui faudrait remplir se dit : « Demain j'aurai,
« comme par quelque enchantement, cette volonté qui me
« manque » ; — tous ceux enfin qui, les yeux levés vers
l'Orient, attendent qu'une clarté soudaine, en laquelle ils

1. Jean Cocteau : *La Voix de Marcel Proust (Nouvelle Revue
Française,* 1ᵉʳ janvier 1923).

ont foi, vienne illuminer leur ciel mélancolique, tous ceux-là mettent en l'avenir une espérance mystique, en ce sens qu'elle est l'œuvre de leur seul désir et qu'aucune prévision du raisonnement ne la justifie. Hélas ! un jour vient où nous n'attendons plus à chaque insant une lettre passionnée d'une amie jusqu'ici indifférente, où nous comprenons que les caractères ne changent pas tout d'un coup, que notre désir ne peut orienter à son gré les volontés des autres tant qu'elles ont derrière elles des choses qui les poussent et auxquelles elles ne peuvent résister ; un jour vient où nous comprenons que demain ne saurait être tout autre qu'hier, puisqu'il en est fait... »

Il louait Ganderax d'avoir situé son conte dans le monde :

« ... C'est que l'art plonge si avant ses racines dans la vie sociale que, dans la fiction particulière dont on revêt une réalité sentimentale très générale, les mœurs, les goûts d'une époque ou d'une classe ont souvent une grande part et peuvent même en aviver singulièrement l'agrément. N'était-ce pas un peu pour des spectatrices de la Cour, voluptueusement torturées par la passion, que Racine, quand il voulait, dans des jeux mêlés de délices et de crimes, figurer l'accomplissement de tragiques destinées, évoquait de préférence les ombres des princesses et des rois... »

Dans le *Banquet* aussi, on peut lire un portrait de la Comtesse Adhéaume de Chevigné, que Proust admirait, qu'il croyait aimer, sans trop le croire, et qui le désespérait quand il la poursuivait sous les arbres de l'Avenue Gabriel et qu'elle ne savait, comme un perroquet, que lui répondre : « Fitz-James m'attend », portrait où déjà est préfigurée la race des Guermantes « sans doute issue d'une déesse et d'un oiseau » :

« ... Souvent, au théâtre, elle est accoudée sur le bord de sa loge ; son bras ganté de blanc jaillit tout droit, avec la fierté d'une tige, jusqu'au menton, appuyé sur les phalanges de la main. Son corps parfait enfle ses coutumières gazes blanches, comme des ailes reployées. On pense à un oiseau qui rêve sur une patte élégante et grêle. Il est charmant aussi de voir son éventail de plumes palpiter près d'elle et battre de son aile blanche... Elle est femme, et rêve, et bête énergique et délicate, paon aux ailes de neige, épervier aux yeux de pierres précieuses, elle donne, avec l'idée du fabuleux, le frisson de la beauté... »

Ce n'est pas tout à fait le meilleur Proust ; il y manque la longue houle et la douceur des belles phrases ; il lui faudra peindre et repeindre ce portrait pour lui donner le fini d'un Vermeer ; mais les impressions qui sont à l'origine du personnage physique d'Oriane sont déjà fixées.

Si, en 1892, le désir de plaire l'emportait dans le cœur de Marcel Proust sur l'amour de la vérité, il était conscient de ce danger. En épigraphes aux chapitres d'un conte qui a pour titre : *Violante ou la mondanité,* il mettait encore deux textes de *L'Imitation :* « Ayez peu de commerce avec les jeunes gens et les personnes du monde... Ne désirez point de paraître devant les grands », et : « Ne vous appuyez point sur un roseau qu'agite le vent et n'y mettez pas votre confiance, car toute chose est comme l'herbe et sa gloire passe comme la fleur des champs... »

Le conte manquait de vie et ses personnages avaient l'irréalité désincarnée de ceux de Maeterlinck. Les noms des héros étaient eux-mêmes dématérialisés, et le monde où ils se mouvaient fait de « l'étoffe des songes », mais la condamnation de la vie que menait alors l'auteur s'y trouvait. Il aurait pu dire, à la manière de Flaubert : « Violante, c'est moi ». L'esprit de Violante a été souillé par un ami qui lui a appris « des choses fort inconvenantes dont elle ne se doutait pas. Elle en éprouva un plaisir très doux, mais dont elle eut honte aussitôt...

Un grand mouvement de pleine charité qui aurait lavé
son cœur comme une marée, nivelé toutes les inégalités
humaines qui obstruent un cœur mondain, était arrêté
par les milles digues de l'égoïsme, de la coquetterie et
de l'ambition... » Augustin, qui aime Violante, espère
qu'elle sera sauvée par le dégoût : « Mais il avait
compté sans une force qui, si elle est nourrie d'abord
par la vanité, vainc le dégoût, le mépris, l'ennui
même : c'est l'habitude... » L'autobiographie était, en
ces passages, aussi évidente que maladroite. La curieuse
abstraction propre à l'adolescence enlevait toute vie
au récit ; cependant l'essence du drame personnel de
l'auteur : noblesse innée, souillure accidentelle, honte,
puis habitude, était là. Mais le *Banquet* mourut vite,
revue ayant vécu ce que vivent les revues : l'espace
d'un enthousiasme, et la vie de Marcel Proust continua
de paraître frivole, scintillante, douloureuse et vaine.

II

INTÉRIEUR

De 1892 à 1900, le comportement de Proust fut
modifié par la maladie, mais de manière progressive
et lente. Ses crises d'asthme croissaient en nombre et
en intensité. Elles lui laissaient pourtant de longs répits
qui lui permettaient de mener une existence presque
normale ; d'aller dans le monde ; de faire des séjours
à Auteuil chez son grand-oncle, à Trouville chez
Madame Straus ou chez le banquier Hugo Finaly ; à
Evian-les-Bains ; et même des voyages en province
française, puis en Hollande, en Italie. Mais comme les
crises étaient plus violentes le jour que la nuit, surtout
en été, elles l'amenaient peu à peu à adopter des heures
de travail et de réception qui n'étaient celles de personne.

Il habitait chez ses parents, au numéro 9, Boulevard Malesherbes :

« ... une grande belle maison, dont les appartements avaient cette ampleur cossue des demeures de la bourgeoisie aisée, dans les années 1890-1900. L'impression que j'en ai gardée, et que je retrouve en fermant les yeux, est celle d'un intérieur assez obscur, bondé de meubles lourds, calfeutré de rideaux, étouffé de tapis, le tout noir et rouge, l'appartement-type d'alors, qui n'était pas si éloigné que nous le croyons du sombre bri-à-brac balzacien [1]... »

Bien qu'il se fût, avec l'âge, empâté, le visage du Docteur Proust, encadré d'une barbe grise et d'une moustache encore noire, restait noble comme celui des princes-marchands d'Holbein. Son second fils, Robert, lui ressemblait et faisait avec succès ses études de chirurgie. Marcel, lui, vivait en symbiose avec sa mère et demeurait à son égard dans la même étroite dépendance qu'un enfant. Leurs embrassades et leurs effusions avaient parfois, dans le Docteur Proust, un témoin critique et désolé. Apaiser « Papa » avait toujours été l'un des grands soucis de Madame Adrien Proust et de Marcel. Leur douce complicité était de tous les instants. Quand Marcel ne pouvait dormir, il écrivait à sa mère des lettres qu'il laissait pour elle dans le vestibule, afin qu'elle les y trouvât le matin, alors qu'il reposerait enfin :

« Ma chère petite Maman, je t'écris ce petit mot pendant qu'il m'est impossible de dormir, pour te dire que je pense à toi. J'aimerais tant, et je veux si absolument pouvoir bientôt me lever en même temps que toi, prendre mon café au lait près de toi. Sentir nos sommeils et notre veille répartis sur un même espace de temps aurait, aura pour moi tant de charme. Je m'étais couché à une heure et demie

1. FERNAND GREGH : *L'Age d'or*, page 154.

dans ce but... Je change, la nuit, de plan d'existence à ton gré et, plus rapproché encore de toi matériellement par la vie aux mêmes heures, dans les mêmes pièces, à la même température, d'après les mêmes principes, avec une approbation réciproque, si maintenant la satisfaction nous est, hélas ! interdite. Pardon d'avoir laissé le bureau du fumoir en désordre ; j'ai tant travaillé jusqu'au dernier moment. Et quant à cette belle enveloppe, c'est la seule que j'aie sous la main. Fais taire Marie-Antoine et laisser fermée la porte de la cuisine qui livre passage à sa voix... »

« ...J'ai peur, dans la violence de la crise qui m'empêchait d'écrire, de n'avoir pas donné à mon mot la forme qui t'aurait plu... Car j'aime mieux avoir des crises et te plaire que te déplaire et n'en pas avoir... En tout cas, en ce moment, je me contente de t'embrasser, car je m'endors à la seconde même. Sans Trional, donc pas de bruit. Ni de fenêtres. Je suis déjà endormi quand on te donne cela. »

« ... Une crise d'asthme *d'une violence et d'une ténacité incroyable,* voilà le triste bilan de ma nuit, qu'elle m'a obligé à passer debout malgré l'heure où je m'étais levé tantôt. Dieu sait la journée que je passerai ! Du moins, prenant maintenant (vers sept heures) du café au lait bouillant, je te prie : qu'on n'ouvre rien avant 9 heures 1/2, 10 heures, car ce serait terrible. Il y a, dans ma chambre, je ne sais quelle poussière et, de plus, une odeur, laissée sans doute par le coiffeur, qui ne sont pour rien dans cette terrible crise, mais qui la ravivent dès que je veux rentrer dans ma chambre. J'ai du moins été distrait par le si intéressant Lenôtre du *Temps*. Mille tendres baisers [1]... »

Cette affection démesurée, comme tous les sentiments trop forts, n'était pas exempte de conflits. La mère, responsable de sa maison, défendait le point de vue de ses domestiques, qui se plaignaient d'être dérangés à des heures inhumaines pour préparer une fumigation.

1. Lettres inédites, communiquées par Madame Mante-Proust.

Blâmée par son mari pour son indulgence, elle feignait de courts accès de sévérité que Marcel, accoutumé à une indulgence infinie, supportait mal. Pour un mot plus dur, il lui arrivait de sangloter toute la nuit. Si, au contraire, il se rebiffait et s'émancipait, sa mère souffrait de perdre son contrôle absolu : « Quand mon petit garçon était sous mon gouvernement, tout allait bien. Mais, quand les enfants deviennent grands, ils croient en savoir plus que leur Maman et ils veulent en faire à leur tête... » Lorsque Marcel était en voyage, le sachant généreux jusqu'à la prodigalité, elle contrôlait ses dépenses comme elle l'eût fait pour un enfant de quinze ans.

Marcel Proust à sa mère : « Tu m'as envoyé avant-hier matin 300 francs. Avant-hier, je n'ai pas dépensé un centime ; hier, j'ai dépensé l'aller et retour de Thonon (2 francs 10) et, le soir, voiture pour les Brancovan (7 francs, pourboire compris). Mais j'ai payé, sur ces 300 francs : 1°) une note de 167 francs ; 2°) une note de 40 francs, pharmacie, ouate, etc., qu'on avait portée sur le livre, quoique je paie les choses moi-même, mais par suite de choses que je t'expliquerai ; 3°) 10 francs (chiffre indiqué par Monsieur Cottin) au garçon qui me montait, le matin, mon café de la cuisine ; 4°) 10 francs au chasseur dit de l'ascenseur, à cause des nombreuses choses qu'il me faisait, chiffre indiqué par le jeune Galand. J'oublie, en ce moment de hâte, quelque chose. Mais cela fait déjà, si je ne me trompe, $167 + 40 + 10 + 10 + 9,10 = 236,10$, d'où il devrait donc me rester seulement $300 - 236,10 =$ (si j'ai bien compté) 63,90... Tout l'essentiel est dit. A demain la causerie et la tendresse. Mille baisers [1]. »

Les amitiés, de proche en proche, s'étendaient. En même temps que dans le monde-monde, Marcel, par de lents cheminements, progressait un peu dans le monde

---

1. Lettre inédite, communiquée par Madame Mante-Proust.

des lettres. C'était le temps de « cette belle renaissance naïve, massenétique et dumasfiste [2] », qui allait de Sarcey et Gounod jusqu'à Daudet et Maupassant, puis à Bourget et Loti. Proust, qui avait dans son enfance aimé en Alphonse Daudet un Dickens français, l'avait rencontré chez Madame Arthur Baignères, puis était devenu, avec Reynaldo Hahn, assidu aux jeudis de la Rue de Bellechasse. Les fils du romancier s'étaient attachés à lui, et surtout Lucien, le plus jeune, qui avait de l'humour le même sens aigu que Marcel et la même horreur des phrases qui « faisaient mal aux dents, qui faisaient loucher » et qu'ils appelaient tous deux des *louchonneries : « La grande bleue* ou *la Côte d'Azur* pour la Méditerranée, *Albion* pour l'Angleterre, *la verte Erin* pour l'Irlande, *nos petits soldats* pour l'armée française, *le rocher de Guernesey* pour l'exil, toute la chanson de la *Paimpolaise,* etc... » *Louchonnerie* aussi, chez une personne qui ne savait pas l'anglais, de s'en aller en disant : « *Bye, bye* » avec désinvolture. Toute *louchonnerie* provoquait chez les deux amis un fou rire (que Marcel contenait derrière son gant), mais qui, devant des personnages susceptibles, devenait gênant. Etouffant de rire et courbés en deux, Lucien Daudet et Marcel Proust durent un jour s'enfuir sous l'œil sévère et soupçonneux de Montesquiou, qui ne pardonna jamais.

Lucien Daudet voyait bien les étrangetés de son ami, ses idées minutieuses, nébuleuses et folles sur l'élégance vestimentaire (« Fais bien vérifier ta tenue », écrivait Madame Adrien Proust. « Avant tout, plus de chevelure de roi franc... »), mais démentait les exagérations de ceux qui, connaissant mal Proust, le décrivaient comme *toujours* affamé de mondanités, habillé *toujours* à contre-sens, avec des fragments d'ouate sortant de son

2. Léon-Paul Fargue.

col relevé par crainte du froid, *toujours* prodigue de flatteries hyperboliques, *toujours* distribuant des pourboires absurdes [1]. Oui, il était vrai que parfois un peu d'ouate sortait de son col et que les amis alors la repoussaient en souriant et en disant : « Marcel ! » Il était vrai qu'un soir il avait emprunté cent francs au concierge du Ritz, puis ajouté doucement : « Gardezles, c'était pour vous... » Mais ceux qui l'aimaient ne faisaient guère attention à ces excentricités inoffensives. Ils admiraient « une délicatesse presque enfantine, une simplicité charmante, une distinction qui était vraiment visible, une noblesse de cœur », une politesse aussi empressée envers les humbles qu'à l'égard des superbes (adressant, par exemple, une lettre : « Monsieur le Concierge de Monsieur le Duc de Guiche ») ; une générosité qui lui imposait de choisir longuement, pour faire un présent, ce qui lui semblait le plus joli, le plus souhaité et qui venait de chez le meilleur fournisseur : « Des fleurs ou des fruits envoyés à une femme venaient de chez Lemaître ou de chez Charton, des compotes envoyées à un ami malade venaient de chez Tanrade, un mouchoir emprunté par lui un jour d'oubli était rendu entre deux sachets d'Houbigant. Le moindre cadeau de mariage nécessitait des jours de conversations et d'hésitations ; il s'agissait de trouver l'objet qui correspondît exactement à la personnalité des fiancés et n'aurait pu convenir à d'autres... » Quant aux pourboires excessifs, facette négligeable de sa générosité, sa prétendue ignorance de la valeur de l'argent était, dit Lucien Daudet, une feinte pour faire croire qu'il était bon « sans le faire exprès » et plutôt par désordre. Ses grandes charités étaient cachées et, toute sa vie, il ne put entendre parler d'une infortune sans vouloir, tout de suite, contribuer à la secourir.

1. Cf. LUCIEN DAUDET : *Autour de soixante lettres de Marcel Proust* (Gallimard, Paris, 1929). Pages 13, 16, 18-19, 25, 27, etc.

Jointes au charme de l'homme, ces qualités attiraient et retenaient des fidèles. Etre son ami n'était pas facile, car « il était toujours plein de méfiance, et un certain mépris pour l'humanité, qui déjà l'avait envahi, et que le travail, la solitude relative allaient bientôt accroître dans de grandes proportions, l'empêchait quelquefois de faire la différence entre ceux qui étaient capables de mesquinerie et ceux qui en étaient incapables... » Mais, quand il entrait en confiance, il touchait par des gaietés presque enfantines et par l'évidente noblesse de sa nature profonde. Ceux des familiers que Lucien Daudet rencontra le plus souvent Boulevard Malesherbes furent Reynaldo Hahn, Robert de Billy, le peintre Frédéric de Madrazo (« Coco Madrazo ») et Robert de Flers. Les deux frères Proust, Marcel et Robert, étaient d'excellents camarades. Malgré des différences de caractère et bien que, dans les débats de la vie quotidienne, Robert fût plutôt du côté de son père, Marcel soutenu par sa mère, « la tendresse qu'ils avaient l'un pour l'autre, faisait comprendre toute la force du terme *amour fraternel* ».

En 1895, pour satisfaire enfin le Professeur Proust, qui souhaitait, depuis si longtemps, le voir choisir une profession, Marcel avait accepté de se présenter à un concours pour le poste d'« attaché non rétribué » à la Bibliothèque Mazarine. Il y fut le plus détaché des attachés et alla de congé en congé. Pourtant Lucien Daudet vint parfois le chercher à l'Institut, pour se rendre avec lui au Musée du Louvre ou à une matinée classique de la Comédie-Française. Marcel tenait à la main un pulvérisateur plein de quelque antiseptique et discourait devant les tableaux, expliquant à Lucien Daudet la beauté des couleurs de Fra Angelico, qu'il appelait « crémeuses et comestibles », ou la différence entre les deux *Philosophes* de Rembrandt. « Il était un grand critique d'art. Personne alors n'en savait rien.

Tout ce qu'il découvrait dans un tableau, à la fois
picturalement et intellectuellement, était merveilleux et
transmissible ; ce n'était pas une impression personnelle,
arbitraire, c'était l'inoubliable vérité du tableau... »

« ...Et puis il tombait en arrêt devant le monsieur au nez
rouge et à la robe rouge, qui sourit à un enfant, et s'écriait:
« Mais c'est le portrait vivant de Monsieur du Lau ! C'est
« une ressemblance incroyable !... Comme ce serait gentil
« si c'était lui !... Ah ! mon petit », continuait-il avec un
froncement des narines qui lui était particulier et cette
bonne humeur de jeune animal qu'il montrait parfois,
comme s'il avait eu des réserves inemployées de courses au
grand air et de jeux, « c'est bien amusant de regarder de
la peinture [1] ! »

Outre le monde où il demeurait assidu, il voyait un
peu ce que Dumas fils appelait alors le demi-monde,
chez Laure Hayman, « belle, douce et dure amie » qu'il
observait avec un soin méticuleux de collectionneur de
types humains et comblait de fleurs, végétales et épisto-
laires : *Proust à Laure Hayman :* « Chère Amie, chères
délices — voici quinze chrysanthèmes... J'espère que
les tiges seront excessivement longues comme je l'ai
recommandé. Et que ces fleurs, fières et tristes comme
vous, fières d'être belles, tristes que tout soit si bête,
vous plairont... » Laure Hayman se piquait de savoir
le français et l'anglais et exerçait sur ses amis son
purisme mal informé. Elle reprocha un jour à Proust
d'avoir écrit : *comme qui dirait.*

« Anatole France », répondit Proust, « près duquel je
suis pour le moment, m'assure et me permet de vous dire
que cette locution est irréprochable et nullement vulgaire.
Inutile de vous dire que je vous la sacrifie de grand cœur
et que j'aimerais mieux me tromper avec vous que d'avoir

1. LUCIEN DAUDET, opus. cit., page 18.

raison, même avec toute l'Académie. Et France l'aimerait
mieux aussi... Je me jette à vos pieds pour avoir votre
absolution et vous embrasse tendrement et distraitement... »

Très distraitement, à coup sûr. Mais, en 1896, il lui
annonça « très gentiment » la mort du « pauvre vieil
oncle Louis Weil », chez lequel il avait connu la Dame
en Rose. *Proust à Laure Hayman :* « Comme je sais
que vous l'aimiez bien, je n'ai pas voulu que vous ne
l'appreniez que par le journal... Je pense que vous serez
peut-être un peu triste et, n'est-ce pas, c'est plus gentil
de vous le dire comme cela ?... » Et le lendemain :
« Je reçois à l'instant votre petit mot. Merci de ce que
vous me dites de mon Oncle. Dans sa religion, il n'y
a pas de service. On se réunit tantôt, à trois heures et
demie, chez lui, 102, Boulevard Haussmann, et on va
de là au Père-Lachaise (mais j'ai peur que cela vous
soit une fatigue, et il y a peu de femmes qui iront).
Mais quelle idée folle de penser que vous choquerez
qui que ce soit ! Votre présence ne pourra que toucher... » Laure Hayman ne vint pas, mais elle envoya
au cimetière un « bicycliste » avec une couronne, qui
fut la seule, l'enterrement étant sans fleurs : « Mais,
quand on l'a dit à Maman, elle a voulu qu'on enterre
mon Oncle avec cette seule couronne... et c'est ce qui
a été fait. On peut bien dire de vous, comme de cette
femme du dix-septième siècle, que « la bonté et la
générosité n'ont pas été la moindre de ses élégances... »

L'irréparable malheur de ce temps-là fut la mort de
la grand-mère. Proust et sa mère avaient été unis dans
leur admiration pour cette femme sublime et plus Sévigné que Sévigné. *Madame Adrien Proust à Marcel :*
« Quelquefois je rencontre aussi, dans Madame de
Sévigné, des pensées, des mots qui me font plaisir. Elle

dit (en critiquant une sienne amie, vis-à-vis de son fils) : « Je connais une autre mère qui ne se compte pour guère, qui est toute transmise à ses enfants. » N'est-ce pas bien appliqué à ta Grand'Mère ? Seulement, elle, elle ne l'eût pas dit... »

La mort de sa mère avait produit, en Madame Adrien Proust, une subite et touchante transformation. « Ce n'est pas assez dire qu'elle avait perdu toute gaieté ; fondue, figée en une sorte d'image implorante, elle semblait avoir peur d'offenser d'un son de voix trop haut la présence douloureuse qui ne la quittait pas... » Soudain, elle était devenue semblable à la disparue, soit que son grand chagrin eût hâté une métamorphose et l'apparition d'un être que déjà elle portait en elle, soit que le regret eût agi comme une suggestion et amené sur ses traits des similitudes qui existaient en puissance. Sa mère morte, elle aurait eu scrupule à être autre que celle qu'elle avait tant admirée. Elle allait à Cabourg lire, sur la plage ou sa mère s'était assise, les *Lettres* de Madame de Sévigné dans l'exemplaire que sa mère emportait toujours avec elle. Enveloppée de crêpe, elle s'avançait, « toute noire, à pas timides et pieux, sur le sable que des pieds chéris avaient foulé avant elle, et elle avait l'air d'aller à la recherche d'une morte que les flots devaient ramener... » Mais, bien que son deuil fût sévère, elle ne l'exigeait pas des siens. Elle leur demandait seulement d'être fidèles à leurs sentiments vrais.

Madame Adrien Proust à Marcel : « Pourquoi ne m'avoir pas écrit « *parce que tu passais ton temps à pleurer et que je « suis assez triste »* » ? Je n'aurais pas été plus triste, mon cher petit, parce que tu m'aurais écrit à ce moment. Ta lettre aurait porté le reflet de ce que tu éprouvais, et pour cela même elle m'aurait fait plaisir. Et, d'abord, jamais je ne suis attristée en pensant que tu penses à ta Grand-Mère ; au contraire, cela m'est extrêmement doux. Et il m'est doux aussi de te suivre dans nos lettres — comme je te suivrais ici — et que tu t'y montres, toi, tout entier. Donc, mon chéri, ne prends pas pour système de ne pas m'écrire pour ne pas m'attrister, car c'est l'inverse qui se produit. Et puis, mon chéri, pense à elle — chéris-la avec moi, — mais ne te laisse pas aller à des journées de pleurs, qui t'énervent et qu'elle ne voudrait pas. Au contraire, plus tu penses à elle, plus tu dois être tel qu'elle t'aimerait et agir selon ce qu'elle voudrait [1]... »

III

LES PLAISIRS ET LES JOURS

Hélas ! il continuait à se sentir incapable de travailler et d'agir comme l'eût souhaité cette ombre exigeante et désolée. La plupart de ses amis commençaient à désespérer du petit Marcel et à douter de la qualité et même de la réalité de son travail quand, en 1896, il annonça un premier livre : *Les Plaisirs et les Jours,* au titre pastiché d'Hésiode, en substituant avec un naïf cynisme les plaisirs aux travaux. Par doute de sa propre valeur et besoin de se sentir épaulé, Marcel avait fait demander par Madame de Caillavet une préface à Anatole France (et, pour être sûr que celui-ci acceptât, l'Egérie l'avait en partie écrite elle-même) ; il avait obtenu de Madeleine Lemaire des aquarelles et, de Reynaldo Hahn, des textes musicaux. Le tout faisait un album trop fleuri, trop richement escorté, trop cher (treize francs cinquante, prix scandaleux en un temps où les livres se vendaient trois francs), et dont « les

1. Texte inédit.

soyeux feuillets » devaient indisposer des critiques austères.

A la vérité, *Les Plaisirs et les Jours* ne pouvait permettre, fût-ce au critique le plus devin, de prévoir que l'auteur serait un jour grand « inventeur » et rénovateur en littérature, car c'était un livre semblable à beaucoup d'autres de ce temps. Par ses qualités et par ses défauts, il rappelait la *Revue Blanche*, Jean de Tinan, Oscar Wilde, avec çà et là des résonances de culture classique, des épigraphes de l'*Imitation*, de Platon, de Théocrite, d'Horace ; des pastiches de Flaubert, de La Bruyère. France, dans sa préface, brève mais chaleureuse, disait : « Aussi le livre de notre jeune ami a-t-il des sourires lassés, des attitudes de fatigue, qui ne sont ni sans beauté, ni sans noblesse », et parlait d'une « intelligence souple, pénétrante et vraiment subtile... D'un trait, le poète a pénétré la pensée secrète, le désir inavoué... Une atmosphère de serre chaude... Des orchidées savantes... Une étrange et maladive beauté... C'est bien le climat décadent et *fin de siècle* que l'on respire ici... »

Mais pour nous, qui connaissons le véritable Proust, achevé, accompli, il est facile de reconnaître dans ces textes jetés pêle-mêle, par un adolescent pressé de publier, des traces de l'essence proustienne. Par exemple, dans la note liminaire, ceci :

« Quand j'étais tout enfant, le sort d'aucun personnage de l'Histoire Sainte ne me paraissait aussi misérable que celui de Noé, à cause du déluge qui le tient enfermé dans l'arche pendant quarante jours. Plus tard, je fus souvent malade et, pendant de longs jours, je dus rester aussi dans l'arche. Je compris alors que jamais Noé ne put si bien voir le monde que de l'arche, malgré qu'elle fût close et qu'il fît nuit sur la terre... »

« L'absence n'est-elle pas, pour qui aime, la plus certaine, la plus efficace, la plus vivace, la plus indes-

tructible des présences ?... » C'est la préfiguration
d'*Albertine disparue.* « A peine une heure à venir nous
devient-elle le présent qu'elle se dépouille de ses charmes, pour les retrouver, il est vrai, si notre âme est un
peu vaste et en perspectives bien ménagées, quand nous
l'aurons laissée loin derrière nous, sur les routes de la
mémoire... » Et cet éloge aussi de la maladie : « Douceur de la suspension de vivre, de la vraie trêve de
Dieu, qui interrompt les travaux, les désirs mauvais...
On appelle la mort... mais, si elle nous délie des enga-
gements que nous avons pris envers la vie, elle ne peut
nous délier de ceux que nous avons pris envers nous-
mêmes, et du premier surtout qui est de vivre pour
valoir et mériter... »

Cette dernière phrase laisse apparaître, une fois
encore, le côté moral de Proust qui, malgré certaines de
ses actions, n'était alors nullement affranchi des vertus
familiales. Son amour pour sa mère, qu'il n'ose attribuer, dans toute sa force douloureuse, à des héros
masculins, il le décrit à propos d'une jeune fille et
montre celle-ci souffrant affreusement de son impureté
parce qu'elle imagine la peine que la découverte de
ses fautes causerait à une mère adorée. Dans toute
l'œuvre de Proust, on devine cette obsession. Dans la
Confession d'une jeune fille, la mère de l'héroïne meurt
en l'apercevant, par la fenêtre, dans les bras d'un
amant ; plus tard, ce thème deviendra celui de la fille
de Vinteuil, puis celui du Narrateur, et l'on verra le
remords, insensiblement, se dégrader en sadisme.

Henri Massis insiste sur cette *Confession* qui, dit-il,
a le caractère d'un témoignage, et, en effet, trop de
détails rappellent ce que nous savons de l'adolescence
de l'auteur pour que nous échappions à la tentation
d'extrapoler. Cette mère qui vient dire bonsoir à
l'héroïne dans son lit, puis qui cesse de le faire pour

endurcir et calmer une sensibilité maladive, nous ne pouvons manquer de la reconnaître. « L'abdication de la volonté », nous savons que ce fut là le drame de Marcel ; c'est, dans les *Plaisirs et les Jours,* celui de la Jeune Fille : « Ce qui désolait ma mère, c'était mon manque de volonté. Je faisais tout par l'impulsion du moment. Tant qu'elle fut dominée par l'esprit ou par le cœur, ma vie, sans être tout à fait bonne, ne fut pourtant pas vraiment mauvaise... » Mais, dépourvue de volonté, l'héroïne est incapable de résister aux « mauvaises pensées » qu'éveille en elle un corrupteur. « Quand l'amour finit, l'habitude avait pris sa place et il ne manquait pas de jeunes gens immoraux pour l'exploiter... J'eus d'abord des remords atroces, je fis des aveux qui ne furent pas compris... » On retrouve, en transposant ce récit (ce ne sont que conjectures, mais fortement étayées), la confession, à une mère innocente qui comprend à peine de quoi il s'agit, d'un garçon de quinze ans auquel des camarades dépravés ont révélé des plaisirs pour lui mêlés d'horreur et de délices : « Je pleurai longtemps en lui racontant toutes ces vilaines choses, qu'il fallait l'ignorance de mon âge pour lui dire et qu'elle sut écouter divinement, sans les comprendre, diminuant leur importance avec une bonté qui allégeait le poids de ma conscience... »

On imagine des luttes, longues et douloureuses, dont il sortira vaincu ; des efforts pour dompter ces désirs des sens qui, l'heure passée, ne rapportent que « remords de conscience et dissipation d'esprit » ; des rechutes et enfin de tristes échecs. On ne peut commettre sur Proust plus grande erreur que de le tenir pour un être amoral. Immoral, oui, mais qui en souffrait : « Je n'ai jamais peint l'immoralité que chez des êtres d'une conscience délicate. Aussi, trop faibles pour vouloir le bien, trop nobles pour jouir pleinement dans le mal, ne connaissant que la souffrance, je n'ai pu parler d'eux qu'avec une pitié trop sincère pour qu'elle ne purifiât pas ces petits essais... »

Le style est encore très loin de celui de la *Recherche du temps perdu*. Non qu'il soit mauvais, bien au contraire, mais les phrases demeurent classiques, la distinction du ton froide, un peu artificielle. La période ne se modèle pas sur les replis mouvants de cette sensibilité compliquée. Pourtant, çà et là, notre attente est comblée :

> « L'ambition enivre plus que la gloire ; le désir fleurit, la possession flétrit toutes choses ; il vaut mieux rêver sa vie que la vivre ; encore que la vivre, ce soit la rêver, mais moins mystérieusement et moins clairement à la fois, d'un rêve obscur et lourd, semblable à un rêve épars dans la faible conscience des bêtes qui ruminent. Les pièces de Shakespeare sont plus belles lues dans la chambre de travail que représentées au théâtre. Les poètes qui ont créé les impérissables amoureuses n'ont souvent connu que de médiocres servantes d'auberge, tandis que les voluptueux les plus enviés ne savent point concevoir la vie qu'ils mènent, ou plutôt qui les mène... »

On trouve, dans *Les Plaisirs et les Jours,* des marines, des paysages qui annoncent le maître de demain. Mais tout cela est clair pour nous, qui savons la suite, comme l'écrivain qui écrit de nos jours aperçoit clairement les prodromes de la Réforme, de la Révolution Française, dans des signes qui furent inintelligibles et muets pour des contemporains. En 1896, ce livre épars, trop joli, maladroit et charmant, ne pouvait que confirmer le diagnostic anxieux de la petite bande de Condorcet : un mondain, plein d'intelligence et de grâce, mais sans avenir. « Oui, vers la vingt-cinquième année, écrit le fidèle Robert Dreyfus, les imperfections de Marcel Proust nous choquaient, nous mettaient en rage. » Dans une revue, jouée chez Jacques Bizet, ses amis le raillèrent doucement, Léon Yeatman imitant la voix de Marcel :

PROUST, *s'adressant à Ernest La Jeunesse.* — Est-ce que vous l'avez lu, mon livre ?

LA JEUNESSE. — Non, Monsieur, il est trop cher.

PROUST. — Hélas ! c'est ce que tout le monde me dit... Et toi, Gregh, tu l'as lu ?

GREGH. — Oui, je l'ai découpé pour en rendre compte.

PROUST. — Et, toi aussi, tu as trouvé que c'était trop cher ?

GREGH. — Mais non, mais non, on en avait pour son argent.

PROUST. — N'est-ce pas ?... Une préface de Monsieur France : quatre francs... Des tableaux de Madame Lemaire : quatre francs... De la musique de Reynaldo Hahn : quatre francs... De la prose de moi : un franc... Quelques vers de moi : cinquante centimes... Total : treize francs cinquante ; ça n'était pas exagéré ?

LA JEUNESSE. — Mais, Monsieur, il y a bien plus de chose que ça dans l'*Almanach Hachette,* et ça ne coûte que vingt-cinq sous !

PROUST, *éclatant de rire.* — Ah ! que c'est drôle !... Oh ! que ça me fait mal de rire comme ça !...

Le rire devait être assez douloureux. La publication des *Plaisirs et les Jours* n'avait pas donné à Marcel, aux yeux des hommes de sa génération, figure d'écrivain. Montesquiou, dans un de ses ouvrages, en avait dit deux mots, d'un ton protecteur. Marguerite Moreno avait récité les *Portraits de peintres* à la Bodinière. Les critiques sérieux n'avaient même pas cité le nom de Proust : « Pour eux, dit Valéry Larbaud, il était l'auteur d'un livre au titre vieillot... un livre d'amateur mondain, publié comme en province, un livre dont ils n'avaient rien à dire. Il avait collaboré au *Figaro,* composé des pastiches, fait de la littérature... » Lui-même, Marcel, avait le sentiment d'être un échec et écrivait à Robert Dreyfus : « Seul d'entre nous tu as fait une œuvre — *exegisti monumentum.* » Comment se serait-il alors cru capable d'élever lui-même le monument de son temps ?

IV

UNE ENFANCE PROLONGÉE

A quoi se passait sa vie ? D'abord à écrire des lettres des lettres « insensées et féeriques », impérieuses, câlines, « interrogeantes, haletantes », ingénieuses, spirituelles, qui caressaient la vanité du destinataire, l'inquiétaient par l'ironie de leurs hyperboles, le tourmentaient par leur méfiance et le charmaient par leur ton. Il fallait bien que le charme l'emportât sur l'inquiétude, car tous les gardaient, vingt ans avant le temps où il allait être célèbre, et l'on a vu sortir après sa mort, de tous les tiroirs de Paris, des trésors soigneusement enfouis.

Souvent ses lettres étaient des reproches. « Marcel Proust, c'est le Diable », avait dit un jour Alphonse Daudet, à cause de sa pénétration inquiétante et surhumaine des mobiles des autres. Il était un ami difficile : « Quelquefois on le blessait sans le vouloir, dit Lauris. Au fond, toute confiance dans les autres lui manquait. Il croyait voir en vous des réserves, des froideurs. Quels dessous il supposait !... » Les reproches arrivaient par lettre. On l'avait quitté à deux heures du matin, et, au réveil, on trouvait sur le plateau du déjeuner une épaisse enveloppe, apportée par sa concierge, et une lettre où il analysait, avec une impitoyable lucidité, ce qu'on avait dit et ce qu'on avait tu. Sa vie de malade, ses « interminables nuits d'insomnie » favorisaient le travail de l'imagination sur les mobiles de ses propres actes, sur ceux de ses proches, de ses amis, et engendraient chez lui ce *génie du soupçon* signalé par tous ses familiers.

Dans le monde, il continuait à exercer son état de « généalogiste et d'entomologiste » de la société française. Au premier groupe d'amis s'étaient joints de nouveaux intimes. Le jeune Duc de Guiche, homme du meilleur dix-huitième siècle, plus occupé d'optique et d'hydrostatique que de mondanités, l'avait connu « petit jeune homme obscur qui faisait les bouts de table chez Madame Straus ». Une autre cible pour ses éloges était la Comtesse de Noailles, grand poète, beauté vive et brillante, esprit mordant et hardi, qui aima tout de suite « sa magnifique intelligence, sa tendresse suave et alarmée, ses dons inouïs ». Qui mieux que lui savait toujours trouver le nouveau recueil de poèmes supérieur au précédent et justifier cet enthousiasme accru par les raisons les plus fines ? Qui mieux que lui associait la femme aux triomphes du poète ?

Marcel Proust à Madame de Noailles : « Vous êtes trop gentille. Dans les âges croyants, je comprends qu'on aimât la Sainte Vierge ; elle laissait s'approcher de sa robe les boiteux, les aveugles, les lépreux, les paralytiques, tous les malheureux. Mais vous êtes meilleure encore, et, à chaque nouvelle révélation de votre grand cœur infini, je comprends mieux la base inébranlable, les assises pour l'éternité de votre génie. Et, si cela vous fâche un peu d'être une encore meilleure Sainte Vierge, je dirai que vous êtes comme cette déesse carthaginoise qui inspirait à tous des idées de luxure et à quelques-uns des désirs de piété... »

Vers la même époque, il rencontra Antoine Bibesco, prince roumain dont Marcel disait qu'il était « le plus intelligent des Français », et son frère, Emmanuel Bibesco. Ce furent des amitiés confidentielles, jalouses,

avec un caractère de société secrète. Ils avaient un
vocabulaire à eux. Les Bibesco, dans cette langue,
étaient les *Ocsebib* ; Marcel, *Lecram* ; Bertrand de
Fénelon, *Nonelef*. Un secret était « *un tombeau* ». *Faire
la hyène* était violer un tombeau. Réunir des amis extérieurs au groupe était *opérer une conjonction*. Plus
tard, les Bibesco opérèrent la conjonction de leur cousine Marthe, jeune femme aussi belle que son génie,
avec Marcel. C'est elle qui a noté que, pour celui-ci,
souvent prisonnier de ses maux, les Bibesco étaient,
avec Reynaldo Hahn, les pourvoyeurs de rêves, les
rabatteurs d'images [1].

Symboliquement, il habitait encore sa chambre d'enfant et travaillait, comme jadis, sur la table de la salle
à manger. Comme son père, très occupé, partait le
matin de bonne heure, Marcel pouvait rester au lit, il
était bien sûr que sa mère ne le « secouerait » pas.
Après le déjeuner seulement, il achevait de s'habiller,
boutonnait ses bottines (ce qui était, pour lui, asthma-
tique, une opération curieusement difficile). Le soir,
s'il était souffrant et ne sortait pas, on le trouvait dans
la salle à manger, près d'un grand feu, devant la table
recouverte d'un molleton rouge, écrivant dans des
cahiers d'écolier, sous une lampe Carcel dont il aimait
la lumière douce. A côté de lui, dans un fauteuil,
Madame Proust était à demi endormie. Il y avait, en
ce mode de vie, de l'infantilisme, mais rester un enfant,
c'est devenir un poète.

Quand il était bien, il dînait dans le monde. Il était
très invité parce qu'il avait de l'esprit, et ses imitations
faisaient la joie des salons. « Il imitait le rire de Montesquiou et admirait celui de Madame Greffulhe qui,
pareil au carillon de Bruges, lance ses notes d'une façon

1. Cf. PRINCESSE BIBESCO : *Au bal avec Marcel Proust* (Gallimard,
Paris, 1929), et, du même auteur : *Le Voyageur voilé* (Editions de la
Palatine, Genève, 1947).

inattendue dans l'espace. Il contrefaisait Madeleine
Lemaire reconduisant ses invités : « Madame de Mau-
peou, vous avez chanté comme un ange, ce soir ! Cette
Brandès est étonnante : elle a toujours vingt ans... Ce
petit être est tellement *artissste* (en parlant de Madrazo)... Au revoir, Montesquiou, cher grand, sublime
poète... Ochoa, n'attrapez pas froid !... » Puis elle
disait : « Allons, viens, Suzette ! » Et, en remontant,
elle expliquait à ses chiens sa vraie pensée. »

Mais Marcel aimait surtout à donner, chez ses
parents, des dîners un peu solennels où, « autour des
azalées et des lilas blancs », il réunissait des prototypes
de Saint-Loup, de Bloch, d'Oriane, mêlés à Bourget,
Hervieu, Madame de Noailles, Anatole France, Calmette — « et Marcel en habit, le plastron de sa chemise
cabossé, les cheveux un peu dérangés, respirant mal,
ses magnifiques yeux brillants et cernés par l'insomnie,
se dépensant en grâces juvéniles, s'épuisant à mettre
en rapports courtois des invités disparates, condescen-
dants ou adulateurs, qui, ne se connaissant point
encore, s'observaient... Souvent, comme il était inquiet
(ou curieux) de l'effet que feraient ses invités les uns
sur les autres, au cours du dîner, il transportait son
assiette auprès de chacun des convives ; il mangeait le
potage près de l'un, le poisson (ou une moitié de
poisson) à côté d'un autre, et ainsi de suite jusqu'à la
fin du repas ; il est à supposer qu'aux fruits il avait
fait le tour. Témoignage d'amabilité, de bonne volonté
vis-à-vis de tous, car il eût été désolé que quelqu'un
songeât à se plaindre ; et il pensait à la fois faire une
politesse distincte et s'assurer avec sa perspicacité habituelle que l'atmosphère dégagée par chaque personne
était favorable. Les résultats, d'ailleurs, étaient excellents et l'on ne s'ennuyait pas chez lui... »

Il serait faux et peu vraisemblable de prétendre que
ses parents approuvaient un tel mode de vie et se prê-

taient sans remontrances aux exigences de cet enfant gâté. Madame Adrien Proust était souvent déchirée entre son mari et son fils. Dans les dîners les plus réussis, des amis gaffaient :

Marcel Proust à sa mère : « *...Cette fête a été charmante,* en effet, comme tu dis, grâce à ta gentille prévoyance et à tes talents d'organisation. Mais j'ai bien pleuré après le dîner, moins peut-être des désagréments que me cause l'absurde sortie de Bibesco — et de la repartie, si injuste, de Papa — que de voir qu'on ne peut se fier à personne et que les amis les meilleurs en apparence ont des trous si fantastiques'que, tout compensé, ils valent peut-être encore moins que les autres. J'ai dit cent mille fois à Bibesco combien la fausse interprétation que vous avez adoptée de ma manière de prendre l'existence empoisonne ma vie et combien, dans la résignation où je suis de ne pouvoir vous prouver qu'elle est erronée, vous êtes en ceci, pour moi, plus un sujet de préoccupation légitime que je ne suis, pour vous, un sujet de préoccupations gratuites. Par surcroît de précautions, avant le dîner, je lui ai rappelé : « Pas de plaisanteries sur les pourboires, d'une part ; de l'autre, pas de questions saugrenues à Papa : Monsieur, croyez-vous que si Marcel se couvrait moins... ? » etc... Quelque plaisir que cela puisse être pour moi d'avoir à la maison des amis, et de les sentir si gentiment et si brillamment reçus, je préfère n'en avoir jamais si les réunions les plus intimes, et qui devraient être les plus cordiales, dégénèrent ainsi en luttes qui laissent ensuite des traces profondes dans l'esprit de Papa et fortifient des préjugés contre lesquels toute l'évidence du monde ne pourrait lutter [1]... »

Parfois un conflit surgissait, entre Marcel et ses parents, au sujet des invités :

Marcel Proust à sa mère : « ... Quant au fait même du dîner que tu appelles, avec tant de délicatesse, « *un dîner*

---

1.   Lettre inédite, communiquée par Madame Mante-Proust.

de cocottes », il aura lieu à une date qui n'est pas encore choisie, mais qui sera vraisemblablement le 30 mars, ou peut-être le 25, parce que je ne peux pas faire autrement et qu'il est plus important pour moi qu'il ait lieu avant Pâques que ne pourra être nuisible, pour moi, la faillite où il va me mettre. Car c'est au restaurant que je le donnerai, inévitablement, puisque tu refuses de le donner ici... Calmette, pour ne prendre que lui, ou Hervieu, sont aussi utiles pour moi que Lyon-Caen pour Papa, ou ses chefs pour Robert. Et le désordre dont tu te plains ne t'empêche pas de donner les dîners qu'ils désirent. Et l'état où je peux être ne m'empêche pas, si souffrant que je sois ce jour-là, d'y venir. Tu me feras donc difficilement croire que, s'il ne s'agit pas de représailles, ce qui est possible quand il s'agit d'eux devienne impossible quand il s'agit de moi [1]... »

Car, même dans ses rapports avec sa mère, il y avait « de ces moments brefs, mais inévitables, où l'on déteste quelqu'un qu'on aime ». Elle l'irritait par ses reproches sur la vie mondaine, par son insistance pour qu'il se mît au travail, surtout par ce qu'il y a au monde de plus difficile à supporter : par son amour. Maternel ou conjugal, l'amour est si jaloux qu'il s'accommode parfois mieux de la maladie de l'être aimé que de sa liberté. Souvent Marcel se sentait prisonnier.

Marcel Proust à Madame Adrien Proust : «... La vérité, c'est que, dès que je vais bien, la vie qui me fait aller bien t'exaspérant, tu démolis tout jusqu'à ce que j'aille de nouveau mal. Ce n'est pas la première fois. J'ai pris froid l'autre soir : si cela se tourne en asthme, ce qui ne saurait tarder dans l'état actuel des choses, je ne doute pas que tu ne seras de nouveau gentille pour moi, quand je serai dans l'état où j'étais l'année dernière à pareille époque. Mais il est triste de ne pouvoir avoir, à la fois, affection et santé...»

1. Lettre inédite, communiquée par Madame Mante-Proust.

« ... Avec l'inverse prescience des mères, tu ne pouvais plus intempestivement que par ta lettre faire avorter la triple réforme qui devait s'accomplir le lendemain de mon dîner en ville (celui de jeudi dernier, Pierrebourg)... »

« ... Je te disais, vers le 1er décembre, quand tu te plaignais de mon inactivité intellectuelle, que tu étais vraiment bien impossible ; car, devant ma vraie résurrection, au lieu de l'admirer et d'aimer ce qui l'avait rendue possible, il te fallait aussitôt que je me remette au travail... »

« ... Je fais toujours ce qui peut te faire plaisir. Je ne peux pas en dire autant de toi. Je me suppose à ta place et ayant à te refuser de donner, non pas un, mais cent dîners ! Mais je ne t'en veux pas et te demande seulement de ne plus m'écrire de lettres nécessitant des réponses, car je suis brisé [1]... »

Puis l'asthme revenait, et l'affection :

« ... Ma sortie ne m'a pas oppressé, mais j'ai fait la bêtise de rentrer à pied et je suis rentré glacé. Mais j'ai pensé à toi avec tant de tendresse que, si je n'avais craint de te réveiller, je serais entré dans ta chambre. Est-ce le retour de l'asthme et de la fièvre des foins, ma vraie nature physique, qui m'a valu cette plénitude de ma vraie nature morale ? Je ne sais pas. Mais il y avait longtemps que je n'avais pensé à toi avec ce paroxysme d'effusions. Fatigué en ce moment et n'écrivant plus que du bout des doigts, j'ai peur de mal dire ce que je voudrais dire : que le chagrin rend égoïste et empêche aussi d'être tendre. Mais surtout que, depuis quelques années, bien des déceptions que tu m'as causées par des mots qui, pour être rares, n'en ont pas moins fait époque pour moi par leur ironie méprisante et leur dureté (bien que cela ait l'air paradoxal) m'avaient beaucoup détourné de la culture d'une tendresse incomprise [2]... »

1. Fragments de lettres inédites, appartenant à Madame Mante-Proust.
2. *Ibidem.*

V

L'AFFAIRE

Tel était Marcel Proust aux environs de 1898. Le cordon ombilical n'était pas coupé et il continuait d'avoir besoin, pour vivre, de la nourriture sentimentale que lui apportait chaque jour la tendresse maternelle. Mais, bien que sa vie familiale fût infantile, il se conduisait de la manière la plus virile dans toutes les occasions qui requéraient du courage. « Je tenais de ma grand-mère », dit le Narrateur, qui se confond ici avec l'auteur, « d'être dénué d'amour-propre à un degré qui ferait aisément manquer de dignité... J'avais fini par apprendre de l'expérience de la vie qu'il était mal de sourire affectueusement quand quelqu'un se moquait de moi et de ne pas lui en vouloir... La colère et la méchanceté ne me venaient que de tout autre manière, par crises furieuses... » Mais, à force d'entendre les plus estimés de ses camarades ne pas souffrir qu'on leur manquât, il avait fini par montrer dans ses paroles et ses actions une seconde nature qui était fière. Dans un restaurant, pour un geste, pour un regard, il se crêtait, et cela allait parfois jusqu'au duel.

« Je me souviens de notre silence autour d'une table chez Larue, un soir, tandis que, tranquillement et sa main si blanche posée sur la nappe n'ayant aucun frémissement, il recevait avec des insolences bien calculées, bien rédigées, quelqu'un qu'il soupçonnait de fort mal parler de lui et qui était venu lui serrer la main [1]... »

1. GEORGES DE LAURIS : *A un Ami* (Amiot-Dumont, Paris, 1948), page 25.

En 1897, insulté par Jean Lorrain dans un journal à propos de sa publication des *Plaisirs et les Jours,* il envoya deux amis : le peintre Jean Béraud et Gustave de Borda, surnommé « Borda Coup d'Epée », merveilleux duelliste d'un esprit charmant et orné, qui était aussi un incomparable témoin. On se battit au pistolet, sans résultat, mais Béraud garda un souvenir très net de cette pluvieuse matinée d'hiver, à la Tour de Villebon, et de la crânerie montrée par Marcel Proust en dépit de sa faiblesse physique.

L'Affaire Dreyfus vint lui fournir de nouvelles occasions de montrer son courage. Elle provoqua en France une crise d'antisémitisme. Proust aimait trop sa mère

(et d'ailleurs avait l'esprit trop juste) pour ne pas réagir, fût-ce contre un homme dont il craignait la colère, comme Robert de Montesquiou. *Proust à Montesquiou :* « Je n'ai pas répondu hier à ce que vous m'avez demandé des Juifs. C'est pour cette raison très simple : si je suis catholique, comme mon père, et mon frère, par contre ma mère est juive. Vous comprenez que c'est une raison assez forte pour que je m'abstienne de ce genre de discussions... »

Sur la tolérance, il s'entendait admirablement avec son amie Madame Straus, élevée « dans la tradition de la famille Halévy, où toutes les religions étaient mêlées et fraternisaient de longue date ». Elle-même ne s'était pas convertie : « J'ai trop peu de religion pour en changer », disait-elle, mais elle avait un grand respect des convictions des autres. Pourtant, lorsque l'Affaire exigea un choix, Madame Straus prit position avec force et, malgré son goût pour certaines « vedettes du camp opposé » (Jules Lemaître, Maurice Barrès), elle ne chercha pas à retenir dans son salon les fanatiques qu'écartait son dreyfusisme. Proust qui, avec France et

Madame de Caillavet, s'était engagé dans le dreyfusisme militant, l'aiguillonnait :

Proust à Madame Straus : « Monsieur France, sur la demande de Monsieur Labori, voudrait que quelques personnalités en évidence signent une adresse à Picquart, Monsieur Labori estimant que cela pourrait impressionner les juges. Pour cela on voudrait des noms nouveaux. Et j'ai promis à Monsieur France de m'adresser à vous pour Monsieur d'Haussonville, à qui vous pourriez d'ailleurs très bien dire que c'est de la part de France. L'adresse serait, exprès, conçue en termes si modérés que cela n'engagerait en rien les signataires sur l'Affaire Dreyfus elle-même. Et Monsieur d'Haussonville, qui a tant de cœur, d'élévation d'esprit, ne vous le refusera peut-être pas. Et Monsieur France pense, comme tout le monde, que son nom, qui (est) à tous les points de vue hors de pair, aurait une importance énorme pour l'avenir, non de l'Affaire, mais de Picquart qui, paraît-il, est bien plus sombre. Je parle de son avenir, car, pour lui, il est d'une sérénité qui arrache à France, habituellement plus détaché, des accents attendris... »

C'était Louis de Robert qui, à une soirée de l'éditeur Charpentier, avait présenté Proust au héros de cette réunion, le Colonel Picquart. Lorsque celui-ci fut emprisonné au Mont-Valérien, Marcel lui fit parvenir, non sans difficulté, *Les Plaisirs et les Jours*. Il s'était attaché à la cause de Dreyfus avec passion, ce qui exigeait de lui d'autant plus de courage moral que son attitude devait le brouiller avec un grand nombre des gens du monde à l'amitié desquels il avait paru tenir si fort. En somme, il était beaucoup moins snob qu'il n'était équitable, et beaucoup trop intelligent pour supporter les excès de la bêtise partisane. Il triompha quand éclatèrent les grands coups de théâtre tragiques. *Proust à Madame Straus :* « Je ne vous ai plus vue depuis que l'Affaire, de si balzacienne (Bertulus, le juge d'ins-

truction de *Splendeurs et Misères des Courtisanes* ;
Christian Esterhazy, le neveu de province des *Illusions
perdues* ; du Paty de Clam, le Rastignac qui donne
rendez-vous à Vautrin dans des faubourgs éloignés) est
devenue si shakespearienne, avec l'accumulation de ses
dénouements précipités... »

Avec Anatole France, cette bataille menée en commun avait, pour le temps des combats, resserré les liens.
« Il n'y a d'amitié que politique. » Marcel écrivait à
France pour le louer de son attitude ; il ne l'avait
jamais plus admiré que dans ce rôle nouveau de
champion des innocents :

« Maître,
« Je vous souhaite une bonne année et une bonne
santé. Du reste, aucune année ne fut si belle pour vous
que celle qui vient de finir. « Ce fut alors qu'on donna à
Alexandre ce nom de Grand... » Le courage que vous aviez
si noblement chanté, personne ne l'a eu à un plus haut
degré que vous, et vous ne pouvez plus envier au tragique
grec d'avoir connu des victoires autres que les victoires
littéraires.   Et, en effet, vous vous êtes mêlé à la vie
publique d'une manière inconnue à ce siècle, ni comme
Chateaubriand, ni comme Barrès, non pas pour vous faire
un nom, mais quand vous en aviez un, pour qu'il fût un
poids dans la Balance de la Justice. Je n'avais pas besoin
de cela pour vous admirer comme homme juste, brave et
bon.   Comme je vous aimais, je connaissais tout ce qui
était en vous. Mais cela a manifesté à d'autres des choses
qu'ils ne savaient pas et qu'ils admirent autant que la
prose de *Thaïs*, parce que c'est aussi noble, parfaitement
harmonieux et beau [1]... »

Mais sa confidente la plus constante, au sujet de
l'Affaire, fut sa mère, qui partageait avec force ses

---

1. Lettre inédite. Collection de Monsieur Alfred Dupont. — Voir,
en appendice, une autre lettre inédite de Proust à Anatole France.

sentiments et sa foi. Mère et fils observaient l'attitude de leurs amis, ou celle des étrangers rencontrés et, comme le Bloch du roman, cherchaient à deviner, à travers les réticences, les opinions vraies. Se trouvant à Evian, en 1899, au Splendid Hôtel, avec le Comte et la Comtesse d'Eu, Marcel Proust les traita en fonction de l'Affaire, mais les peignit en romancier :

Proust à Madame Adrien Proust : « Les Eu ont l'air de bonnes gens très simples, bien que j'affecte le chapeau sur la tête et l'immobilité en leur présence. « Brouillé depuis « Rennes. » M'étant trouvé avec le vieux devant une porte à devoir passer l'un ou l'autre le premier, je me suis effacé. Et il a passé, mais en ôtant son chapeau avec un grand salut, pas du tout condescendant, ni d'Haussonville, mais de vieux brave homme très poli, salut que je n'ai encore eu d'aucune des personnes devant qui je m'efface de même, qui sont de « simples bourgeois » et passent raides comme des princes... »

« Le jeune Galand m'a présenté à deux messieurs Langlois, fort laids et se ressemblant à s'y méprendre, qui, résolus à ne pas parler de l'Affaire, laissaient bouillonner à la surface de la conversation, venus d'un fond que l'on sent extrêmement vaseux, des « Oh ! Forain en a fait de si admirables dans le *Psst...* » — « Oh ! Félix Faure, celui-là était patriote. Ah ! s'il avait vécu ! » — « Ne parlons pas de sténographie ! Quand on a vu, cet été, celle du *Figaro,* où il y avait des mensonges à chaque ligne [1]... »

Mais alors que tant de dreyfusistes permettaient à l'Affaire de colorer tous leurs jugements et devenaient incapables de justice, et même de pitié, pour leurs adversaires, Marcel Proust garda toujours la mesure et la raison. Il ne se brouilla pas avec les Daudet. Il fut heureux quand vint, en 1901, le temps des réhabilitations, de voir que la vie, pour Dreyfus et pour Picquart,

---

1. Lettres inédites, communiquées par Madame Mante-Proust.

« était devenue providentielle, à la façon des contes de fées et des romans-feuilletons » mais il déplut à sa sensibilité que le Général Mercier fût insulté par Barthou, « dreyfusard depuis quelques semaines » :

Proust à la Comtesse de Noailles : « Ce serait d'un comique inouï si le journal ne disait : « Le général Mercier très pâle, le Général Mercier encore plus pâle... » C'est horrible à lire, car, dans l'homme le plus méchant, il y a un pauvre cheval innocent qui peine, un cœur, un foie, des artères où il n'y a point de malice et qui souffrent. Et l'heure des plus beaux triomphes est gâtée parce qu'il y a toujours quelqu'un qui souffre... »

Et, bien qu'il eût rencontré, dans l'Affaire, l'hostilité active, non de l'Eglise, mais de certaines congrégations, il défendit dans le *Figaro,* avec ingéniosité et passion, les églises que le projet Briand menaçait alors de désaffecter. A des amis partisans de l'école unique, parce qu'ils pensaient qu'elle aiderait à l'unité de la France et parce qu'ils voulaient se prémunir contre le retour d'injustices telles que l'Affaire, il écrivit que, s'il avait pensé que l'école unique détruirait les ferments de haine, il lui eût été favorable ; mais il était certain que, le catholicisme éteint (si jamais il le pouvait être), des cléricaux incroyants surgiraient, d'autant plus violemment antisémites, antilibéraux, et cent fois pires, d'ailleurs. Il concluait avec fermeté :

« ...Le siècle de Carlyle, de Ruskin, de Tolstoï, même fût-il le siècle d'Hugo, fût-il le siècle de Renan (et je ne dis même pas s'il devait jamais être le siècle de Lamartine, ou de Chateaubriand), n'est pas un siècle antireligieux. Baudelaire lui-même tient à l'Eglise, au moins par le sacrilège, mais en tout cas cette question n'a rien à voir avec celle des écoles chrétiennes. D'abord parce que l'on ne tue pas l'esprit chrétien en fermant les écoles chrétiennes et que, s'il doit mourir, il mourra même sous une théocratie. Ensuite parce que l'esprit chrétien, et même le dogme catholique, n'a rien à voir avec l'esprit de parti que nous voulons détruire (et que nous copions) [1]... »

Ainsi le style et la pensée étaient, chez Proust, dès ce temps-là, d'une étonnante maîtrise, et cela dans une lettre à un ami, écrite à la diable pour l'intimité.

L'Affaire l'avait beaucoup aidé à passer, dans ses jugements sur le monde, « de la complaisance au courage [2] ». Devenu, dans sa studieuse obscurité, à l'insu de presque tous, à force de lectures, de travail et de goût inné, un des meilleurs techniciens de la prose française, il démontait le mécanisme des plus grands styles au point d'être capable de les pasticher avec une perfection telle que Jules Lemaître disait : « C'est à ne plus oser écrire ; non seulement c'est extraordinaire, mais cela fait peur... » Il était, jusqu'à l'évidence, l'un des hommes les plus lettrés de son époque et dont la vocation littéraire apparaissait impérieuse. Or il approchait de la trentaine, ne perçait pas et ne tentait même pas de s'affirmer. Pourquoi restait-il en marge de la vie ?

Parce qu'il se fuyait. « S'accepter soi-même est la condition première de l'écriture [1]. » Comment faire jaillir la source si l'on se refuse à creuser dans la direction de la nappe intérieure ? Proust refusait encore de se connaître et sa dissipation avait pour objet essentiel de le dispenser de l'expression. Entre son culte familial d'enfant modèle et sa vie secrète, l'écart était trop large pour qu'il osât sauter ce pas. Une foule de vérités

---

1. GEORGES DE LAURIS : *A un Ami, Correspondance inédite de Marcel Proust, 1903-1922*, pages 69-70 (Amiot-Dumont, Paris, 1948).
2. PIERRE ABRAHAM : *Proust. Recherches sur la création intellectuelle* (Rieder, Paris, 1930).
1. BERNARD GRASSET.

relatives aux passions, aux caractères, aux mœurs, se pressaient en lui, mais il les avait découvertes dans des amours médiocres et détestables ; cette origine suspecte le détournait d'en parler. Pour qu'il pût faire un grand livre, il lui fallait comprendre que les matériaux de cette œuvre devraient être précisément les joies frivoles et les souffrances inavouables que l'homme s'efforçait de refouler, mais que le romancier engrangeait, aussi inconsciemment que le grain met en réserve les aliments qui nourrissent les plantes.

Comme au temps d'Illiers, il continuait de communier avec la nature, avec l'art, avec la vie, en des minutes profondes où son être entier « entrait pour ainsi dire en état de transe ». Reynaldo Hahn fut, un jour, témoin d'un de ces moments où l'intelligence et la sensibilité de Marcel « parvenaient jusqu'à la racine des choses ». Les deux amis, se promenant dans un jardin, venaient de passer devant une bordure de rosiers du Bengale lorsque soudain Marcel, avec une douceur enfantine et un peu triste dans la voix, dit : « Est-ce que ça vous fâcherait que je reste un peu en arrière ? Je voudrais revoir ces petits rosiers... » Reynaldo le quitta, fit le tour du château et retrouva Marcel à la même place, regardant fixement les roses :

« La tête penchée, le visage grave, il clignait des yeux, les sourcils légèrement froncés, comme par un effort d'attention passionnée, et, de sa main gauche, il poussait obstinément entre ses lèvres le bout de sa petite moustache noire qu'il mordillait. Je sentais qu'il m'entendait venir, qu'il me voyait, mais qu'il ne voulait ni parler ni bouger. Je passai sans prononcer un mot. Une minute s'écoula, puis j'entendis Marcel qui m'appelait. Je me retournai ; il courait vers moi. Il me rejoignit et me demanda « si je n'étais pas fâché ? » Je le rassurai en riant et nous reprîmes notre conversation interrompue. Je ne lui adressai pas de questions sur l'épisode des rosiers. Je ne

fis aucun commentaire, aucune plaisanterie ; je compre-
nais obscurément qu'il ne fallait pas [1]... »

Mais s'il avait, dès ce temps-là, arraché leur secret
aux roses comme aux hommes, il était seul à le savoir.

---

1. REYNALDO HAHN : *Hommage à Marcel Proust,* tome I des
Cahiers Marcel Proust, pages 33-34 (Gallimard, 1927).

CHAPITRE IV

LA FIN DE L'ENFANCE

> J'avais asservi mon intelligence à mon repos. En défaisant ses chaînes, j'ai cru seulement délivrer une esclave, je me suis donné un maître que je n'ai pas la force physique de contenter et qui me tuerait si je ne lui résistais pas.
>
> MARCEL PROUST.

I

RUE DE COURCELLES

EN 1900, le Docteur et Madame Adrien Proust allèrent habiter 45, Rue de Courcelles, au coin de la Rue de Monceau, une maison « à voûte sonore et large escalier ». Les pièces y étaient vastes et riches. Le soir, Marcel travaillait dans la grande salle à manger « aux boiseries sévères à reflets d'acajou ». Il y avait sur la table des livres, des papiers et une lampe à huile « dont il aimait la clarté blonde et douce ». Là, électricité éteinte, maison endormie, il lisait Saint-Simon, Chateaubriand, Sainte-Beuve, Emile Mâle. Sa porte était ouverte pour les intimes : Antoine Bibesco, Guiche, Georges de Lauris, Louis d'Albuféra et Bertrand de Fénelon dont les yeux vifs et la jaquette au vent devaient prêter à Saint-Loup part de son charme. La jolie Louisa de Mornand entrait parfois, après le théâtre, pour dire bonsoir à Marcel. Il est remarquable que tous : actrice, diplomate, savant, poète, homme de cheval, aient tenu pour un privilège d'être l'ami de ce malade inconnu qui semblait, à travers eux, explorer le monde. « Il paraissait un noble étranger qu'environnait le mystère d'un pays de mémoire et de pensée. »

Parfois le Docteur Proust restait un instant et racontait une histoire politique ou médicale ; Madame Proust, fine, réservée, disait un mot aimable aux amis de son fils, puis se retirait avec une discrétion mélancolique, non sans avoir fait ses recommandations : « Mon cher petit, si tu sors ce soir, couvre-toi bien... Il fait très froid... Ayez soin de lui, n'est-ce pas, Monsieur ?... Il a eu tout à l'heure une crise d'étouffement... » Son asthme augmentait et souvent, bien que sa chemise d'habit fût préparée, étendue devant le feu de bois qui brûlait, même en été, dans la cheminée de la salle à manger (il avait horreur du linge froid, qu'il disait humide), il renonçait au dernier moment à sortir. Ces soirs-là, il dînait d'une tasse de café au lait bouillant et offrait à ses visiteurs une coupe de cidre, souvenir de la Beauce, « où des bulles grumelaient le verre et lui donnaient une extrême beauté en brodant de mille points délicats sa surface que le cidre rosait ».

Parfois il dînait chez Larue ou chez Weber, et on le voyait arriver, Rue Royale, enveloppé de sa pelisse, fût-ce au printemps, et d'une pâleur inhumaine sous ses cheveux noirs. D'autres fois, il recevait Rue de Courcelles, ses parents le laissant présider la table, et il prenait plaisir à réunir des hommes qui, hors de sa présence, étaient brouillés depuis l'Affaire, comme Léon Daudet et Anatole France. Madame de Noailles, alors dans tout l'éclat de son jeune esprit, était l'un des ornements de ces dîners. Montesquiou venait parfois, et que de précautions il fallait prendre alors pour le choix des invités ! *Proust à Montesquiou* : « D'autre part, pour les gens, j'inviterai tous ceux que vous me dites et pas un de plus... Vous ne m'avez pas dit si vous autorisiez Madame Cahen. J'ai pris bonne note des ennemis à rayer... »

Quand il se sentait mieux, Marcel voyageait pour voir des arbres, des tableaux, de belles églises. Il alla ainsi en Hollande, avec Bertrand de Fénelon ; en Bourgogne, avec Louis d'Albuféra ; à Venise, avec sa mère. C'étaient pour lui de grandes aventures.

Marcel Proust à Madame Adrien Proust : « Je rentrerai coucher, le soir, à Amsterdam et reviendrai à Paris soit dimanche, soit lundi, bien content d'embrasser ma petite Maman et mon petit Papa après si longtemps. Je n'aurais peut-être pas eu le courage d'une si longue séparation si je l'avais décidée tout entière. Mais je l'ai prolongée presque jour par jour. J'ai cru, quinze fois, vous embrasser le lendemain. Jamais je n'ai cru rester quinze jours sans vous embrasser... Le retour à Paris, même avec Bibesco (s'il n'est pas parti), Reynaldo, etc., me paraîtra déjà bien dur, comme toute modification de l'ambiance. Mais enfin c'est un endroit connu... Illiers serait atroce, et tout autre endroit en ce moment. Fénelon est toujours tout ce qu'il y a de plus gentil. Tu lui as écrit une lettre charmante, adressée à : Monsieur de Fénélon. Cet accent aigu, joint au K de Bibesko... n'a aucune importance [1]... »

Lui-même avait mis quelque temps à apprendre qu'il n'est pas français de dire : *De* Guiche... *De* Fénelon... Il demandait : « Diriez-vous Dyck pour Van Dyck ? » et, en 1903, écrivait encore : « J'ai une lettre quotidienne à écrire à de Flers et à de Billy. »

En été, quand ses étouffements lui laissaient une période d'accalmie, il allait surprendre Léon Daudet à Fontainebleau, Madame Alphonse Daudet en Touraine,

---

1. Lettre inédite, communiquée par Madame Mante-Proust.

les Finaly ou Madame Straus en Normandie. Son futur éditeur, Gaston Gallimard, le vit pour la première fois à Bénerville, chez Louisa de Mornand. Proust arrivait à pied de Cabourg.

« ...Aujourd'hui encore, je le revois tel qu'il m'apparut, avec ses vêtements noirs étriqués et mal boutonnés, sa longue cape doublée de velours, son col droit empesé, son chapeau de paille défraîchi, trop petit, qu'il portait très en avant sur le front, ses épaules hautes, ses cheveux épais et drus, ses escarpins vernis couverts de poussière. Cet habillement pouvait être ridicule sous ce soleil : il ne manquait pourtant pas d'une grâce touchante. Une certaine élégance s'en dégageait et aussi une grande indifférence à toute élégance. Il n'y avait nulle extravagance de sa part à avoir entrepris cette longue course à pied. Il n'y avait, à cette époque, aucun autre moyen pratique de franchir les dix-sept kilomètres qui séparent Cabourg de Bénerville. Mais cet effort qu'il dut faire, et dont la fatigue se lisait sur son visage, attestait bien sa « gentillesse ». Il nous conta sa route avec une malice exquise, sans se douter que ce voyage, par cette chaleur, était une grande preuve d'amitié. Il s'était, à plusieurs reprises, arrêté dans différentes auberges pour y boire du café et reprendre des forces. Tout ceci fut dit avec simplicité et je fus tout de suite séduit [1]... »

« C'est à cette époque, raconte Georges de Lauris, que nous avons fait, quelques amis et lui, des voyages vers les églises, les monuments qu'il aimait. Il n'y avait pas à craindre qu'il ne fût pas prêt de bon matin, car il restait levé depuis la veille. En route, il ne prenait que des cafés au lait, qu'il payait royalement. Nous avons été ainsi à Laon, à Coucy. Il est monté même, malgré ses étouffements et sa fatigue, jusqu'à la plate-

---

1. GASTON GALLIMARD : *Première rencontre.* Cf. *Hommage à Marcel Proust, tome* I des *Cahiers Marcel Proust,* pages 56-57 (Gallimard, Paris, 1927).

forme de la grande tour, celle que les Allemands ont abattue. Je me rappelle qu'il montait appuyé au bras de Bertrand de Fénelon qui, pour l'encourager, chantait à mi-voix l'*Enchantement du Vendredi Saint*. C'était en effet, un Vendredi Saint, avec les arbres fruitiers en fleurs sous un premier soleil. Je vois aussi Marcel attentif, devant l'église de Senlis, écoutant le Prince Emmanuel Bibesco qui, avec tant de modestie et comme se défendant de lui rien apprendre, expliquait ce qui caractérise les clochers de l'Ile-de-France... »

II

RUSKIN OU L'INTERCESSEUR

Sa mère le suppliait de « se mettre enfin à un travail sérieux ». Elle avait une telle confiance en « son petit jaunet » ; elle admirait tant son immense culture ; elle était si certaine qu'il avait plus de talent que tous les autres. « Je suis *outrée,* écrivait-elle, que tu *oses* dire que je ne lis pas tes lettres, quand je les lis, relis, regrignote tous les petits coins et puis, le soir, tâte encore s'il reste quelque chose de bon à savourer... » Et lui aussi savait bien qu'il avait du talent, mais il pressentait que, le jour où il « se mettrait » vraiment au seul travail pour lequel il était fait, il lui donnerait sa vie et avait, devant ce sacrifice, un recul instinctif.

Marcel à Madame Adrien Proust : « Je crois que si mes ennuis pouvaient s'apaiser... Mais hélas ! tu me dis à cet égard qu'il y a des gens qui en ont autant « et qui ont à travailler pour faire vivre leur famille ». Je le sais. Bien que les mêmes ennuis, de plus grands ennuis, d'infiniment plus grands ennuis ne signifient pas forcément les mêmes souffrances. Car il y a, en tout ceci, deux choses : La matérialité du fait qui fait souffrir. Et la capacité de la personne — due à sa nature — à en souffrir. Mais, enfin, je suis persuadé que bien des gens souffrent autant, et bien plus, et cependant travaillent. Aussi apprenons-nous qu'ils ont eu telle ou telle maladie et qu'on leur a fait abandonner leur travail. Trop tard. Et j'ai mieux aimé le faire trop tôt. Et j'ai eu raison, car il y a travail et travail. Le travail littéraire fait un perpétuel appel à ces sentiments qui sont liés à la souffrance. (« *Quand, par tant d'autres nœuds, tu tiens à la douleur...* ») C'est faire un mouvement qui intéresse un organe blessé qu'il faut au contraire laisser immobile. Ce qu'il faudrait, c'est de la frivolité et de la distraction [1]... »

Cependant, Madame Proust insistait avec ténacité. Il avait parlé d'un roman. Où en était celui-ci ?

Marcel à Madame Adrien Proust : « ...Si je ne peux pas dire que j'aie encore travaillé à mon roman, dans le sens d'être absorbé par lui, de le concevoir d'ensemble, le cahier que j'ai acheté et qui ne représente pas tout ce que j'ai fait, puisque avant je travaillais sur des feuilles volantes, — ce cahier est fini, et il a cent dix pages, grandes [2] »

Que contenait ce cahier ? Des souvenirs, dont quelques-uns étaient comme une conversation avec sa mère : « Maman, te rappelles-tu que tu m'as lu la *Petite Fadette* et *François le Champi* quand j'étais malade ? Tu avais fait venir le médecin. Il m'avait ordonné des médicaments pour couper la fièvre et permis de manger un peu. Tu ne dis pas un mot. Mais, à ton silence, je compris bien que tu l'écoutais par politesse et que tu avais déjà décidé, dans ta tête, que je ne prendrais aucun médicament et que je ne mangerais pas tant que j'aurais la fièvre. Et tu ne m'as laissé

---

1. Lettre inédite, communiquée par Madame Mante-Proust.
2. Lettre inédite, communiquée par Madame Mante-Proust.

prendre que du lait, jusqu'à un matin où tu as jugé dans ta science que j'avais la peau fraîche et un bon pouls. Alors tu m'as permis une petite sole. Mais tu n'avais aucune confiance dans le médecin ; tu l'écoutais avec hypocrisie... » Des réflexions morales : « A propos de ce qui est ci-dessus, il faudra montrer que, quand je suis mondain, j'attache trop d'importance au danger de la mondanité ; quand ma mémoire s'affaiblit, trop d'importance à l'auto-reconstruction. Les natures éprises d'idéal pensent toujours que le plus beau est ce qui leur est le plus difficile, ce qui d'ailleurs est la morale instinctive pour contrebalancer nos vices et nos faiblesses... » Des paysages : « Autres mers que j'ajouterai : le soleil était couché ; ma fenêtre, comme un hublot de navire, était remplie tout entière par la mer, à qui l'obscurité commençait à ôter de la splendeur et à rendre de la vie, qui m'entourait, infinie et familière, comme un navigateur aurait aimé à passer la nuit en tête à tête avec elle... Le soleil mettait sur la mer une plaque d'or où on distinguait des mouettes, immobiles et jaunes comme de larges fleurs des eaux (nom de nymphéa jaune)... Le soleil était couché. Sur la mer rose, des mouettes flottaient comme des nymphéas (nom de nymphéa rose)... » Il y avait même des scènes plus achevées, des personnages esquissés, mais le tout demeurait fragmentaire et confus.

S'il hésitait encore devant le Roman, pourquoi ne pas entreprendre un travail d'érudition ? Depuis quelques années, il lisait et admirait Ruskin, que Robert de la Sizeranne et Jacques Bardoux venaient de révéler aux Français. Un éditeur lui en avait jadis demandé des traductions, puis avait fait faillite. Pourquoi ne pas les reprendre ? L'étrange est que Proust savait à peine l'anglais et, quand il essayait de l'écrire, commettait faute sur faute, mais une cousine de Reynaldo Hahn, Marie Nordlinger, l'aida. Robert d'Hu-

mières, le traducteur de Kipling, fut souvent consulté.
Madame Adrien Proust faisait « le mot à mot » que
Marcel ensuite polissait, et elle recopiait le texte, de
sa fine écriture, dans des cahiers d'écolier. Reynaldo
Hahn décrit Proust, couché, fixant de ses grands yeux
luisants, dans le texte original de Ruskin, « ces pages,
indéchiffrables pour lui, dont il percevait pourtant le
sens dans toute sa profondeur ». *Marcel Proust à sa
mère :* « ... Ne me fais pas la traduction ; je l'ai faite.
Débrouille, si tu veux (oralement), la préface de
Sésame... J'ai si follement travaillé que je ne t'écris que
ces quelques mots. »

On comprend que des affinités électives aient uni
Proust à Ruskin. Comme Ruskin, Proust appartenait
à une famille de grands bourgeois cultivés ; comme
Ruskin, il avait été, dans son enfance, « couvé » par
des parents trop tendres et avait passé ses journées dans
un jardin à observer, avec une curiosité minutieuse,
les oiseaux, les fleurs et les nuages. Tous deux avaient
débuté en amateurs riches, type de vie qui a peut-être
ses dangers, parce qu'il prive l'enfant ou le jeune
homme du contact avec la vie réelle, mais qui, d'autre
part, en lui laissant un épiderme plus sensible et en lui
assurant une possibilité de méditation plus prolongée,
lui permet d'arriver à une délicatesse de nuances très
particulière et très rare. « Ruskin a dit quelque part,
écrit Proust à Lauris, une chose sublime et qui doit
être devant notre esprit chaque jour, quand il a dit que
les deux grands commandements de Dieu étaient :
« *Travaillez pendant que vous avez encore la lumière* »
et : « *Soyez miséricordieux pendant que vous avez
encore la miséricorde.* » Là était le Proust véritable ;
là il se trouva. « C'est le pouvoir du génie que de nous
faire aimer une pensée que nous sentons plus réelle que
nous. » En consacrant cinq ou six ans à l'étude de
Ruskin, Proust s'imposa une discipline spirituelle qui

permit son plein développement. « Cette traduction que
je voudrais vivante, dit-il, et qui sera du moins fidèle,
fidèle comme l'amour et la pitié. »

Elle est vivante et il serait bien insuffisant de parler
de *traduction* lorsque le traducteur a enrichi l'œuvre
originale de préfaces et de notes qui la dépassent.
Proust s'ajouta vraiment la pensée de Ruskin, l'assimila, c'est-à-dire la transforma en sa propre matière.
« Il n'y a pas de meilleure manière d'arriver à prendre
conscience de ce qu'on sent soi-même que d'essayer de
recréer en soi ce qu'a senti un maître. Dans cet effort
profond, c'est notre pensée que nous mettons, avec la
sienne, au jour... » Dès que Proust avait rencontré les
livres de Ruskin, il avait senti que ceux-ci allaient lui
révéler toute une part du monde qu'il ignorait et
enrichir son univers de villes, de monuments et de
tableaux que jusqu'alors il n'avait su pénétrer, ni
posséder.

« Et ce fut ainsi, en effet ; l'univers reprit tout d'un
coup à mes yeux un prix infini. Et mon admiration pour
Ruskin donnait une telle importance aux choses qu'il
m'avait fait aimer qu'elles me semblaient chargées d'une
valeur plus grande même que celle de la vie. Ce fut, à la
lettre, dans une circonstance où je croyais mes jours
comptés ; je partis pour Venise afin d'avoir pu avant de
mourir, approcher, toucher, voir incarnées, en des palais
défaillants mais encore debout et roses, les idées de Ruskin
sur l'architecture domestique du Moyen Age... »

Ruskin a été, pour Proust, un des esprits intercesseurs qui sont nécessaires au début de la vie, et même
toute la vie, pour prendre contact avec le réel. Ruskin
lui apprit à voir, et surtout à décrire. Un goût inné
pour les infiniment petits dans les nuances, un art de
noter des émotions au ralenti, une gourmande manière

de savourer les couleurs et les formes étaient communs aux deux hommes.

Tous deux font à la science une part très grande dans la composition de l'œuvre d'art, Ruskin disant que chaque classe de rochers, chaque variété du sol, chaque espèce de nuages doit être étudiée et rendue avec une exactitude géologique et météorologique ; Proust s'attachant à décrire des sentiments avec une précision de médecin. Ruskin éprouvait le besoin de sacrifier tous ses devoirs, tous ses plaisirs, et jusqu'à sa propre vie, à ce qui était pour lui la seule manière possible d'entrer en contact avec la réalité. Proust, lui aussi, considère que le devoir le plus pressant, pour un artiste, c'est ce contact avec une réalité qui est sienne : « Cette Beauté, dit-il de Ruskin, à laquelle il se trouva ainsi consacrer sa vie, ne fut pas conçue par lui comme un objet de jouissance fait pour le charmer, mais comme une réalité infiniment plus importante que la vie, pour laquelle il aurait donné la sienne. De là vous allez voir découler toute l'esthétique de Ruskin... » De là aussi découlent, pour une large part, l'esthétique et l'éthique de Proust.

De sa grand-mère et de sa mère, il tenait l'amour et l'intelligence du dix-septième siècle français. Sans Ruskin lui eût manqué « l'intelligence du Moyen Age, le sens de l'histoire et je ne sais quelle amitié naturelle avec les choses effacées, quel sentiment de leur présence ». Ce fut par amour pour Ruskin qu'il découvrit les trésors de nos cathédrales, qu'il étudia et consulta Emile Mâle, qu'il se rendit à Rouen tout exprès pour y chercher un petit personnage du Portail des Libraires qu'avait décrit Ruskin, qu'il entreprit, avec Albuféra et Louisa de Mornand, un voyage à Vézelay et à Sens.

Proust à Georges de Lauris : « Au matin, un désir fou de violer des petites villes endormies (lisez bien : *villes* et

non : des petites filles endormies), celles qui étaient à
l'Occident, dans un reste mourant de clair de lune, celles
qui étaient à l'Orient en plein soleil levant, mais je me
suis retenu, je suis resté dans le train. Arrivé à Avallon
vers onze heures ; visité Avallon ; pris une voiture et, au
bout de trois heures, arrivé à Vézelay, mais dans un état
fantastique. Vézelay est une chose prodigieuse, dans une
espèce de Suisse, toute seule sur une montagne qui domine
les autres, visible de partout à des lieues, dans l'harmonie
du paysage la plus saisissante. L'église est immense et
ressemble autant à des bains turcs qu'à Notre-Dame, bâtie
en pierres alternativement noires et blanches, délicieuse
mosquée chrétienne... Je suis rentré le soir à Avallon et
pris tant de fièvre qu'il m'a été impossible de me désha-
biller. Je me suis promené toute la nuit. A cinq heures du
matin, j'ai appris qu'il y avait un train qui partait à six
heures... Je l'ai pris. J'ai aperçu une petite ville admirable
du Moyen Age, qui s'appelle Semur, et je suis arrivé à dix
heures à Dijon, où j'ai vu de belles choses et ces grands
tombeaux des Ducs de Bourgogne, dont les moulages ne
donnent aucune idée, car ils sont polychromes. Et je suis
arrivé à onze heures du soir à Evian... »

Mais c'est surtout en ce qui concerne le style que
l'influence de Ruskin sur Proust fut décisive. « Ruskin,
invisible, habite l'esthétique de Proust. » Lisez les
descriptions, par Ruskin, d'une vague, d'une pierre
précieuse, d'un arbre, d'une famille florale ; bien tra-
duites, elles pourraient être de Proust. « Lorsque », dit
Gabriel Mourey, « dans les *Pierres de Venise,* Ruskin
parle, en décrivant la façade de Saint-Marc, de « son
« éclat ininterrompu et obscurci comme la lumière
« passant entre les branches du jardin de l'Eden, alors
« que — il y a longtemps de cela — ses portes étaient
« confiées à la garde des Anges », et de « l'exquise con-
« fusion parmi laquelle les poitrails des chevaux grecs
« se développent dans leur force dorée et le Lion de
« Saint-Marc apparaît dans un fond bleu parsemé

« d'étoiles, jusqu'à ce qu'enfin, comme en extase, les
« arceaux se brisent dans un bouillonnement de marbre
« et s'élancent dans le ciel en gerbe d'écume sculptée,
« comme si, frappés par la gelée avant de se rouler sur
« le rivage, les brisants du Lido avaient été incrustés de
« corail et d'améthystes par les nymphes de la mer... »
ne croirait-on pas lire des passages de Proust ?... »

Dans la préface de *Sésame et les Lys,* qui a pour
titre : *Journées de lecture,* nous tombons sur un riche
filon, de la même veine que la *Recherche du temps
perdu.* Proust a désormais compris un grand nombre
de choses essentielles. Il sait, grâce à Ruskin, que la
matière de l'œuvre n'a aucune importance et qu'il
pourra écrire un chef-d'œuvre en peignant simplement
le jardin de son enfance, la chambre, le village, la
famille. « Car c'est un effet de l'amour que les poètes
éveillent en nous de nous faire attacher une importance
littérale à des choses qui ne sont pour eux que signi-
fications d'émotions personnelles... » Peu importent les
paysages et personnages décrits : « Ce qui nous les fait
paraître autres et plus beaux que le reste du monde,
c'est qu'ils portent sur eux, comme un reflet insaisissable, l'impression qu'ils ont donnée au génie... »

Il a compris aussi ce que sera, dans *Swann,* l'évan-
gile de la grand-mère : que la perfection est faite de
simplicité dans les moyens, de sobriété et de charme,
et qu'« il y a deux types d'écrivains de second ordre :
ceux qui écrivent mal et ceux qui écrivent trop bien ».
Toutes ses notes sur le style, dans la préface de *Sésame,*
sont d'une parfaite et méticuleuse justesse : « Les plus
célèbres vers de Racine le sont en réalité parce qu'ils
charment ainsi par quelque audace familière de langage jetée comme un pont hardi entre deux rives de
douceur : « Je t'aimais inconstant, *qu'aurais-je fait
fidèle ?* » Et quel plaisir cause la belle rencontre de ces
expressions dont la simplicité presque commune donne

au sens, comme à certains visages dans Mantegna, une
si douce plénitude, de si belles couleurs :

Et dans un fol amour ma jeunesse *embarquée*...
Réunissons trois cœurs qui n'ont pu *s'accorder*... »

Il se plaira désormais, lui aussi, à introduire dans une
longue et noble phrase un mot familier qui la relèvera
et y fera paraître un sens plus humain, ou bien, au
contraire, à faire résonner, à la fin d'une description
concrète d'un fait simple, des harmoniques abstraites
et graves, et à évoquer au moment où, enfant, il se
couche dans de grands draps blancs qui vous montent
par-dessus la figure, « l'église qui sonne par toute la
ville les heures d'insomnie des mourants et des amoureux ».

Peu nombreux, cette fois encore, furent les critiques
et les amis qui surent voir les promesses contenues dans
les préfaces et dans les notes pour la *Bible d'Amiens*
et pour *Sésame et les lys*. Pourtant André Beaunier,
dans la *Renaissance,* publia un article enthousiaste, et
Louis de Robert, alors romancier fort estimé, écrivit
à Proust, inconnu, pour le louer généreusement. *Marcel
Proust à Georges de Lauris :* « Du reste, je suis tout
étonné d'apprendre par Madame de Noailles et son
groupe que j'ai écrit là quelque chose d'admirable et
de sublime, et la vérité est qu'hélas ! je n'en crois rien.
Je ne puis vous dire combien ces témoignages, fort
inattendus, m'ont été doux... »

Mais ces témoignages perspicaces étaient rares. Anatole France, à qui il envoya la *Bible d'Amiens,* « en
hommage de mon admiration infinie, de ma tendresse
respectueuse et de ma reconnaissance pour une bonté
impossible à oublier », n'y attacha aucune importance,
et pourtant, dès 1904, par l'intercession de Ruskin,
Proust était descendu dans les régions profondes de

soi-même où commence la véritable vie de l'esprit ; il
avait cessé de vivre à la surface, dans une sorte de
passivité qui le rendait le jouet des plaisirs, des désirs
et du monde ; il avait trouvé son propre génie, qui
allait maintenant jaillir en flots d'autant plus torrentiels
que la nappe était encore intacte : « J'écris au galop ;
j'ai tant de choses à dire... »

Ruskin était déjà dépassé. « Oui, mon amour pour
Ruskin dure. Seulement, quelquefois, rien ne le refroi-
dit comme de lire Ruskin... » Son œuvre véritable,
Proust la cherchait déjà dans ses propres souvenirs.
Depuis des années, alors que ses amis le croyaient oisif,
il préparait ses matériaux. Nous possédons ses carnets,
ses étranges carnets d'un format bizarre (« *modern
style* » eût dit Odette), ornés de dessins 1900, cadeaux
sans doute de quelque amie, et remplis de notes précieuses. On y voit que, dès ce moment, il pensait à un
long roman où il dirait sa déception devant la réalité,
sa joie devant les attentes et souvenirs, ses rares instants
d'illumination et d'éternité. « Si jamais je peux écrire
le grand ouvrage auquel je pense, vous verrez... » Pour
écrire ce grand ouvrage, il ne lui manquait plus que
volonté, solitude et surtout affranchissement.

III

LA MORT DES PARENTS

Ni les textes sur Ruskin, ni quelques chroniques du
Figaro (qu'il signait tantôt *Dominique,* tantôt *Horatio*)
ne constituaient une œuvre suffisante pour apaiser la
conscience inquiète qu'avait Proust de trahir à la fois
ses dons d'écrivain et la confiance de ses parents. Il

savait qu'il était désormais l'homme d'un grand livre, et même il entrevoyait confusément ce que pourrait être ce livre. Mais il en avait peur, car ce qu'il avait à dire lui paraissait choquant, douloureux et secret. Contre toute son éducation morale et conformiste, ses instincts l'avaient entraîné vers l'inversion. Des attachements tenaces à des êtres indignes, comme des bêtes rampant dans la vase des bas-fonds, se traînaient en des régions de son cœur où ne pénétraient pas les amis de son esprit. Beaucoup de ceux-ci ne se doutaient même pas de cette vie seconde et cachée. Mais Proust savait que, s'il devait un jour écrire un chef-d'œuvre, ce serait seulement en allant à la pointe du mal et en irritant cette plaie toujours à vif. *Sodome et Gomorrhe* fut le premier titre auquel il pensa pour ce roman, encore à l'état de rêve.

Longtemps, il rusa. Comment parler, devant un père sévère, avec une mère pudique, de ce qu'ils ne pouvaient comprendre ? Comment en écrire quand il les savait ses premiers lecteurs ? Parfois, dans ses lettres, il faisait vaguement allusion à des chagrins, à des difficultés sentimentales, mais aussitôt brouillait les pistes. Il continuait à répandre, avec ténacité, la légende de son amour malheureux pour Jeanne Pouquet. Il affectait de jouer le rôle du prétendant qui, évincé, demeure inconsolable, et le joua même avec tant d'ostentation que Gaston de Caillavet en prit ombrage. Sa jeune femme, justement surprise, se vit soudain priée « d'espacer Marcel » et, en particulier, de ne plus jamais l'inviter chez elle.

Marcel Proust à Jeanne de Caillavet : « Si j'avais su Gaston souffrant et en train de se reposer, je ne vous aurais pas écrit... Vous savez que je l'aime, je peux dire en prenant dans son sens littéral une expression que l'insincérité universelle a banalisée, de *tout mon cœur*. Mon attachement pour vous deux, c'est une amitié exaltée d'autrefois pour l'un, un amour sans espoir pour l'autre, devenus avec le temps des affections plus raisonnables, mais très fortes. Je souhaite que son repos le rétablisse vite et, ce repos, je suis navré de l'avoir troublé [1]. »

Louisa de Mornand recevait de Proust des poèmes galants, mais aussi des lettres vertueuses : « J'aimerais mieux mourir que de lever les yeux sur la femme adorée d'un ami... » Un autre jour, il lui écrivait en évoquant le souvenir de Marie Radziwill (née Benardaky), « une femme qui, quand elle avait quinze ans, a été le grand amour de ma jeunesse et pour qui j'ai voulu me tuer... » Aux yeux de sa mère, il maintenait la fiction d'un mariage possible. *Marcel à Madame Adrien Proust* : « Sois bien prudente si tu parles désirs matrimoniaux pour moi. Car il paraîtrait que France aurait pensé à moi pour sa fille et, comme jamais je ne le ferai, il faut être prudent... » Il se dit rassuré quand « la petite France », en Décembre 1901, épousa le Capitaine Mollin, officier d'ordonnance du Général André. Ses amis eux-mêmes furent longtemps entretenus dans de telles illusions :

Proust à Georges de Lauris : « Moi, je n'aime guère (en ce moment je n'aime rien comme vous pouvez penser) que les jeunes filles, comme si la vie n'était déjà pas assez compliquée comme cela. Vous me direz qu'on a inventé pour cela le mariage, mais ce n'est plus une jeune fille, on n'a jamais une jeune fille qu'une fois. Je comprends Barbe-Bleue ; c'était un homme qui aimait les jeunes filles... »

Et plus tard : « Georges, vous apprendrez peut-être bientôt de moi du nouveau, ou plutôt je vous demanderai conseil. Faire partager mon affreuse vie à une toute jeune fille délicieuse, même qui ne s'en effraye pas, ne serait-ce pas un crime ?... »

---

1. Lettre inédite.

Pour des femmes inaccessibles, maîtresse d'un ami, matrone irréprochable, il continuait de feindre l'adoration. A l'aimable Louisa de Mornand, il envoya la *Bible d'Amiens* avec une dédicace hardie :

« A Louisa de Mornand,

« *Ceinte du flamboiement des yeux fixés sur elle...* »

« (Mornand n'est certainement pas le participe présent du verbe *morner,* car ce vieux verbe avait un sens que je ne me rappelle plus exactement, mais qui était d'une extrême inconvenance. Et Dieu sait !...) Hélas ! à ceux qui n'ont pas réussi auprès de vous — c'est-à-dire tout le monde — les autres femmes cependant ne plaisent plus. D'où ce distique :

« A qui ne peut avoir Louisa de Mornand,
Il ne peut plus rester que le péché d'Onan... »

et *Sésame et les lys* avec ces mots : « *O toi que j'eusse aimée, ô toi qui le savais !* » Mais les réels objets de ses amours, objets de délices et de dégoût, étaient ces jeunes inconnus qui, par les charmes du magicien, devaient un jour se métamorphoser en Albertine.

Autour de lui, ses amis se mariaient. Son frère Robert avait, en 1903, épousé Marthe Dubois-Amiot et quitté la Rue de Courcelles pour aller vivre Boulevard Saint-Germain. En 1904, le Duc de Guiche épousa Elaine Greffulhe, fille unique de la Comtesse Greffulhe, que Proust admirait tant et dont il avait essayé en vain de se faire donner la photographie par Montesquiou. *Proust au Duc de Guiche :* « J'ai dit à Madame Greffulhe que vous aviez envisagé votre mariage (un des aspects seulement) comme une possibilité d'avoir sa photographie. Elle a ri si joliment que j'aurais voulu le lui redire dix fois de suite. Je voudrais bien que mon amitié avec vous me vaille le même privilège... »

Proust attacha, toute sa vie, une importance extra-ordinaire à la possession d'une photographie. Il en avait, dans sa chambre, toute une collection qu'il montrait à ses amis, et il scrutait ces images avec la même attention que les aubépines et les roses, pour y délivrer des âmes enchaînées et pour en exiger des aveux muets. Dix ans plus tard, il écrira à Simone de Caillavet, fille de Jeanne Pouquet : « Vous me ferez très plaisir si vous me donnez votre photographie... Je penserai à vous même sans photographie, mais ma mémoire, fatiguée par les stupéfiants, a de telles défaillances que les photographies me sont bien précieuses. Je les garde comme renfort et ne les regarde pas trop souvent, pour ne pas épuiser leur vertu... Quand j'étais amoureux de votre Maman, j'ai fait, pour avoir sa photographie, des choses prodigieuses. Mais cela n'a servi à rien. Je reçois encore, au Jour de l'An, des cartes de Périgourdins avec lesquels je ne m'étais lié que pour tâcher d'avoir cette photographie !... »

A son ami Guiche, il avait fait pour ses noces le singulier présent d'un revolver, dans un étui peint et historié par Frédéric de Madrazo qui, par de petites scènes peintes à la gouache, avait transformé « l'écrin de l'arme meurtrière en une espèce de boîte magique, portant sur toutes ses faces le reflet des jeux floraux de la poétique petite fille dont Guiche venait de faire sa femme [1]... » Proust envia cette lune de miel passée au château de la Rivière, à l'orée de la forêt de Fontainebleau. « Ce qu'il y a d'admirable dans le bonheur des autres », dit-il un jour à Antoine Bibesco, « c'est qu'on y croit. »

Le peu de bonheur familial qu'il avait lui-même se défaisait alors rapidement. A la fin de 1903, son père

---

1. Princesse Bibesco : *Le Voyageur voilé*, page 30 (Editions de la Palatine, Genève, 1947).

mourut, frappé en plein travail par une congestion.
Marcel lui dédia la traduction de la *Bible d'Amiens :*
« A la mémoire de mon Père, frappé en travaillant,
le 24 novembre 1903, mort le 26 novembre, cette
traduction est tendrement dédiée. » Ce fut pour
Madame Proust, épouse exemplaire, un choc dont elle
ne se releva pas. Elle vécut désormais pour son deuil,
le cultivant avec une étonnante abondance d'anniver-
saires et de mortifications. Anniversaire mensuel, anniversaire hebdomadaire même étaient pour elle des jours
sacrés où il ne fallait pas prendre le moindre plaisir.
Marcel se plia dévotement à ce culte.

Marcel à Madame Adrien Proust : « 24 septembre 1904.
— ... Il me semble que je pense encore plus tendrement à
toi si c'est possible (et pourtant cela ne l'est pas) aujour-
d'hui, 24 septembre. Chaque fois que ce jour revient,
tandis que toutes les pensées accumulées heure par heure,
depuis le premier jour, devraient nous faire paraître tellement long le temps qui s'est déjà écoulé, pourtant l'habitude de se reporter sans cesse à ce jour et à tout le bonheur
qui l'a précédé ; l'habitude de compter pour rien, que
pour une sorte de mauvais rêve machinal, tout ce qui a
suivi, fait qu'au contraire cela semble hier et qu'il faut
calculer les dates pour se dire qu'il y a déjà six mois,
qu'on a déjà pu être malheureux si longtemps, qu'on aura
encore si longtemps à l'être ; que depuis dix mois mon
pauvre petit Papa ne jouit plus de rien, n'a plus la
douceur de la vie [1]... »

Il refusait toute invitation pour un 24. *Proust à
Montesquiou :* « Je sais que Maman serait affligée que
je recherche ce jour-là un plaisir, d'autant plus vif qu'il
serait plus intellectuel... Ainsi je n'irai pas... » Autant
qu'il le put, pendant les années 1904 et 1905, il vécut

1. Lettre inédite, communiquée par Madame Mante-Proust.

avec et pour sa mère. En Août 1905, alors qu'il l'avait emmenée à Evian, elle y tomba gravement malade d'une crise d'urémie. « Maintenant elle est à Paris », écrivit-il à Montesquiou, « dans un état qui me tourmente et me rend infiniment malheureux... » Il est probable que les scènes, si belles, de la mort de la grand-mère, dans le *Côté de Guermantes,* sont celles dont il fut alors le témoin.

La religieuse qui soignait la mourante a témoigné que, pour Madame Proust, « son fils Marcel avait toujours quatre ans ». Dans les *Cahiers* du fils, on trouve cette note, cachée au coin d'une page : « Maman avait quelquefois bien du chagrin, mais on ne le savait pas, car elle ne pleurait jamais qu'avec douceur et esprit. Elle est morte en me faisant une citation de Molière et une citation de Labiche. Elle m'a dit, de la garde qui sortait un instant, nous laissant seuls : « *Son départ ne pouvait plus à propos se faire...* » — « Que « ce petit-là n'ait pas peur ; sa Maman ne le quittera « pas. *Il ferait beau voir que je sois à Etampes et mon* « *orthographe à Arpajon...* » Et puis elle n'a plus pu parler. Une fois seulement elle vit que je me retenais pour ne pas pleurer et elle fronça les sourcils, fit la moue en souriant, et je distinguai, dans sa parole déjà si embrouillée : « *Si vous n'êtes Romain, soyez digne* « *de l'être* [1]... »

Il y eut quelques jours d'amélioration apparente. *Proust à Montesquiou :* « Quelque espoir que la petite amélioration de ces jours-ci nous donne (et je ne peux pas vous dire combien ce mot *espoir* m'est délicieux, il semble me rendre la possibilité de continuer à vivre), des abîmes où nous étions, la pente sera si longue à remonter que le progrès de chaque jour, si Dieu veut qu'il continue, sera insensible. Puisque vous avez la

---

1. Texte inédit. Appartient à Madame Mante-Proust.

bonté de vous intéresser à ma peine, je vous écrirai s'il
y a quelque mieux décisif qui nous délivre de nos tourments. Mais ne prenez pas la peine d'envoyer. Je ne
peux pas vous dire ce que j'ai souffert... Elle me sait
si incapable de vivre sans elle, si désarmé de toute façon
devant la vie, que, si elle a eu, comme j'en ai la peur
et l'angoisse, le sentiment qu'elle allait peut-être me
quitter pour jamais, elle a dû connaître des minutes
anxieuses et atroces qui me sont, à imaginer, le plus
horrible supplice... »

Enfin elle mourut. Le désespoir de Marcel inspira
une profonde pitié à ses amis. *Journal de Reynaldo
Hahn :* « J'ai longuement pensé à Marcel, à son isolement. Je le revois toujours près du lit de mort de
Madame Proust, pleurant et souriant au cadavre à
travers ses larmes... » A Laure Hayman, Proust écrivit :
« Et maintenant mon cœur est vide, et ma chambre,
et ma vie... » *A Montesquiou :* « Je l'ai perdue, je l'ai
vue souffrir, je peux croire qu'elle a su qu'elle me
quittait et qu'elle n'a pu me faire des recommandations
qu'il était peut-être angoissant pour elle de taire ; j'ai
le sentiment que, par ma mauvaise santé, j'ai été le
chagrin et le souci de sa vie... »

Sa mère était le seul être dont l'amour ne l'eût
jamais longtemps déçu. Elle comprenait et pardonnait
tout. Qui, désormais, le traiterait en enfant qu'il était
resté l'appellerait : « Mon petit benêt ! Mon petit
nigaud ! »

Proust à Madame Straus : « Sortir, même si malade, ce
ne serait rien, mais *rentrer,* quand mon premier mot était :
« Madame est là ? » Et, avant qu'on me répondît, j'aper-
cevais Maman qui n'osait pas entrer près de moi de peur
de me faire parler si j'étais trop oppressé et qui attendait
anxieusement, pour voir si je rentrais sans trop de crise.
Hélas ! c'est ce souci qui ajoutait à ses tristesses qui me

ronge maintenant de remords et m'empêche de trouver
une seconde de douceur dans le souvenir de nos heures de
tendresse que je ne peux même pas dire qui est incessant,
car c'est en lui que je respire, que je pense, il est seul
autour de moi. Quand l'anxiété qui s'y mêle est trop forte
et me rend fou, je tâche de la diriger, de la diminuer.
Mais, depuis quelques jours, je redors un peu. Alors, dans
le sommeil, l'intelligence n'est plus là pour écarter un
souvenir trop angoissant pour un instant, pour doser la
douleur, la mêler de douceur ; alors je suis sans défense
aux impressions les plus atroces. D'ailleurs, par moment,
il me semble que je suis habitué à ce malheur, que je vais
reprendre goût à la vie, je me le reproche et, à la même
minute, une nouvelle douleur s'abat sur moi. Car on n'a
pas *un* chagrin, le regret prend à tout instant une autre
forme, à chaque instant, suggéré par telle impression identique à une impression d'autrefois ; c'est un *nouveau*
malheur, un mal inconnu, atroce comme la première fois...»

Proust a décrit les alternatives du désespoir et de
l'oubli, les rémissions et les rechutes, les intermittences
du cœur ; mais le souvenir de sa mère ne le quitta
jamais longtemps. Léon Pierre-Quint a raconté comment, dix ans plus tard, Marcel disait à un ami, avec
cette voix qui était comme un doux gémissement :
« Venez voir le portrait de Maman », en prononçant
le mot *Maman*, qui venait en mourant de la gorge,
comme si elle vivait toujours. N'étant pas du tout
comédien, il avait repris sa vie, « il parlait, il riait,
mais, derrière ses paroles, derrière son rire, on entendait
quelquefois la voix de Madame Proust, cette voix qu'il
écoutait, lui, du soir au matin... Ce qu'il y avait de
sensible en lui était condamné [1]... » Sa tristesse était
accrue par le remords d'avoir déçu ses parents, tous
deux si fiers de son intelligence, tous deux morts avant

1. Lucien Daudet : *Autour de soixante lettres de Marcel Proust,*
pages 46-47.

qu'il eût produit une œuvre. « Mais c'est une si grande joie pour moi, ajoutait-il, de penser que Maman a pu garder des illusions sur mon avenir... »

On a dit avec raison que c'était le remords et le désir de ne pas donner un démenti aux illusions conservées par sa mère qui lui avaient donné la force de commencer enfin son œuvre et la volonté de la mener à bien. Mais, dès 1905, il avait recueilli des notes innombrables en vue de ce grand dessein. Les mondes que Proust allait créer n'avaient pas encore pris forme et n'apparaissaient que dans les lointains de l'esprit, comme de pâles nébuleuses, mais la matière dont ils seraient formés existait, et aussi le génie qui les animerait.

En fait, la préface de *Sésame et les Lys* avait contenu en puissance tout le début d'un roman, et Proust sentait que rien de ce qu'il verrait désormais ne lui donnerait plus d'aussi délicieuses émotions que le temps où il avait découvert à la fois le monde et lui-même : « C'est parce que je croyais aux choses, aux êtres, tandis que je les parcourais (les chemins de Combray), que les choses, les êtres qu'ils m'ont fait connaître sont les seuls que je prenne encore au sérieux et qui me donnent encore de la joie. Soit que la foi qui crée soit tarie en moi, soit que la réalité ne se forme que dans la mémoire, les fleurs qu'on me montre aujourd'hui pour la première fois ne me semblent pas de vraies fleurs. Le côté de Méséglise, avec ses lilas, ses aubépines, ses bleuets, ses coquelicots, ses pommiers ; le côté de Guermantes, avec sa rivière à têtards, ses nymphéas et ses boutons-d'or, ont constitué à tout jamais pour moi la figure des pays où j'aimerais vivre, où j'exige avant tout qu'on puisse aller à la pêche, se promener en canot, voir des ruines de fortifications gothiques et trouver au milieu des blés, ainsi qu'était Saint-André des Champs, une église monumentale, rustique et dorée comme une

meule ; et les bleuets, les aubépines, les pommiers qu'il
m'arrive quand je voyage de rencontrer encore dans
les champs, parce qu'ils sont situés à la même profondeur, au niveau de mon passé, sont immédiatement en
communication avec mon cœur... »

Les seuls véritables paradis sont les paradis que l'on
a perdus. Les possibilités des heures si pleines et si belles
de l'enfance ne renaîtront jamais, hors quelques brèves
amours, qui nous rendent pour un temps l'enthousiasme
et la naïveté. Seulement, pour découvrir le monde
magique de l'enfance, pour le peindre, pour le transformer en matière romanesque il faut en sortir, et
c'était ce que Proust, tant que ses parents vivaient,
n'avait pu faire. « Depuis peu de temps, je recommence
à très bien percevoir, si je prête l'oreille, les sanglots
que j'eus la force de contenir devant mon père et qui
n'éclatèrent que quand je me retrouvai seul avec
Maman. En réalité, ils n'ont jamais cessé ; et c'est
seulement parce que la vie se tait maintenant davantage
autour de moi que je les entends de nouveau, comme
ces cloches de couvents que couvrent si bien les bruits
de la ville pendant le jour qu'on les croirait arrêtées,
mais qui se remettent à sonner dans le silence du
soir... »

La mort de sa mère l'avait exilé du paradis de
l'enfance ; le moment était donc venu de le recréer. Or
Proust était maintenant, pour cette redécouverte, merveilleusement équipé. Il héritait du diagnostic sûr, de
l'esprit scientifique de son père ; de l'intuition et du
goût de sa mère. Il possédait un style, une culture, une
connaissance de la peinture, de la musique, de l'architecture. Il avait acquis un vocabulaire riche et précis.
Il montrait une intelligence « inapte à la consolation »
et hypertrophiée par la solitude. Surtout il avait cultivé
une prodigieuse mémoire, toute peuplée d'images et de
conversations. La moisson engrangée dans l'enfance et

l'adolescence, il ne l'avait pas gaspillée, comme tant d'autres, en méchants romans de jeunesse. Il arrivait à l'âge des grandes entreprises, ses greniers pleins. Enfin, de ses parents, il tenait le sentiment du devoir sans lequel nul, artiste ou homme d'action, ne fait rien de grand.

Seulement l'obligation morale, chez lui, prenait cette forme, très spéciale, du devoir de l'artiste qui est de peindre avec une absolue vérité, avec un courage total, ce qu'il voit. Courage infiniment rare. La plupart des écrivains, consciemment ou non, fardent la vie ou la déforment ; les uns parce qu'ils n'osent pas montrer la vanité de tout ce à quoi s'attachent les hommes et eux-mêmes ; les autres parce que leurs propres griefs leur cachent ce qu'il y a, dans le monde, de grandeur et de poésie ; presque tous parce qu'ils n'ont pas la force d'aller au delà des apparences et de délivrer la beauté captive. Observer ne suffit pas ; il faut pénétrer au delà de l'objet, au delà des êtres de chair, jusqu'aux vérités mystérieuses qu'ils cachent. La beauté ressemble à ces princesses des contes, qu'a enfermées dans un donjon quelque redoutable enchanteur. Nous pouvons, sans la trouver, ouvrir à grand'peine mille portes, et la plupart des hommes, sollicités par les ardeurs actives de la jeunesse, se lassent de la rechercher et l'abandonnent. Mais un Proust renonce à tout le reste pour atteindre la prisonnière et un jour, jour de révélation, d'illumination et de certitude, il aura son éblouissante et secrète récompense. « On a frappé à toutes les portes qui ne donnent sur rien, dit-il, et la seule par où l'on peut entrer et qu'on aurait cherchée en vain pendant cent ans, on y heurte sans le savoir et elle s'ouvre... »

CHAPITRE V

ENTRÉE EN LITTÉRATURE : 1906-1912

> Il avait l'air d'un homme qui ne vit plus
> à l'air et au jour, l'air d'un ermite qui n'est
> pas sorti depuis longtemps de son chêne,
> avec quelque chose d'angoissant sur le visage
> et comme l'expression d'un chagrin qui com-
> mence à s'adoucir. Il dégageait de la bonté
> amère.
>
> LÉON-PAUL FARGUE.

I

L'ÉTRANGE HUMAIN

« Qu'as-tu fait de moi ? Qu'as-tu fait de moi ?
Si nous voulions y penser, il n'y a peut-être pas
une mère vraiment aimante qui ne pourrait,
à son dernier jour, souvent bien avant, adresser ce
reproche à son fils. Au fond, nous vieillissons, nous
tuons tout ce qui nous aime par les soucis que nous lui
donnons, par l'inquiète tendresse elle-même que nous
inspirons et mettons sans cesse en alarme... » Ces lignes,
publiées par Proust dans une chronique du *Figaro*,
quelques mois après la mort de sa mère, à propos d'un
homme fin et bon soudain devenu fou et parricide, on
ne peut douter qu'il ne les ait écrites en pensant à sa

propre mère. Certes, il ne l'avait pas tuée à coups de poignard ; il l'avait soignée avec un authentique désespoir ; et si, en de rares billets, par dépit d'enfant gâté, il l'avait parfois bousculée, ces bouderies, toujours brèves, n'avaient jamais entamé l'adoration qu'il lui portait. Et pourtant il se sentait responsable de ce « lent travail de destruction que poursuit, dans un corps chéri, une tendresse douloureuse et déçue ». Mademoiselle Vinteuil et son amie, profanant le portrait du vieux musicien, seront, dans son livre, comme « un symbole de sa conscience tombée de ses remords [1] », peut-être des plaisirs inavouables trouvés dans la profanation elle-même.

Il sait maintenant que jamais plus il ne connaîtra, dans l'univers réel, ce monde fondé « sur la bonté, sur le scrupule et sur le sacrifice », dont il s'était refusé à nier l'existence tant que vivait celle en qui cet idéal semblait s'incarner. Quel bonheur lui reste-t-il à poursuivre ? Les succès mondains ? Il les a tous obtenus et en a mesuré la vanité. L'amour charnel ? Il s'est attaché à « une funeste hérésie » qui ne lui permet pas d'en goûter les joies d'un cœur tranquille. L'espoir en Dieu ? Il voudrait croire et ne croit pas. Seule lui reste la fuite dans l'irréel. Marcel Proust va entrer en littérature comme d'autres en religion. Sa retraite se fera par étapes parce que, longtemps, il lui faudra, pour les besoins de son œuvre, maintenir avec le siècle des relations diplomatiques. Jusqu'à la fin, un fantôme plastronné de ouate, « tout pâle, avec une barbe bleue à force d'être noire [2] », continuera de hanter, sur le coup de minuit, quelques maisons de Paris, quelques halls d'hôtel. Le vrai Marcel vivra désormais dans le passé.

1. MARIE-ANNE COCHET : *L'âme proustienne* (Imprimerie des Etablissements Collignon. Bruxelles, 1929).
2. RAMON FERNANDEZ : *Proust* (Editions de la Nouvelle Revue Critique, Paris, 1943).

« L'arche était close et il faisait nuit sur terre... Le monde que Noé contemplait, dans la nuit diluvienne, était un monde purement intérieur... » [1]. Entre 1905 et 1911, à une date qui n'est pas exactement connue, Marcel Proust commença de mettre en forme son roman. « Nous savions, dit Lucien Daudet, qu'il écrivait un ouvrage dont il parlait à peine et comme en s'excusant. » Çà et là, dans ses lettres, on devine le travail qui s'accomplit. Des morceaux détachés du livre paraissent dans le *Figaro,* sous forme de chroniques : *Epines blanches, épines roses ; Rayons de soleil sur le balcon ; L'Eglise de village.* En 1909, Marcel lit à Reynaldo Hahn les deux cents premières pages et il est rassuré par la chaleur de l'accueil. La même année, il consulte Georges de Lauris sur le nom de *Guermantes* et sur la division de l'œuvre en volumes. Derrière un opaque rideau de maladie et de mystère, Proust monte silencieusement ses décors et fait répéter ses personnages. Jusqu'à 1905, il n'avait pas trouvé la force de sacrifier le présent au souvenir. Son sujet aussi l'effrayait : « Le poète est à plaindre et qui n'est guidé par aucun Virgile d'avoir à traverser les cercles d'un Enfer de soufre et de poix, de se jeter dans le feu qui tombe du ciel pour en ramener quelque habitant de Sodome... » La mort de ses parents, la maturation de ses idées, sans doute aussi quelque soudaine illumination, tout cela fit qu'il se mit alors au travail. Il se sentait très malade. Vivrait-il encore assez longtemps pour faire son œuvre ? Il savait que son cerveau était « un riche bassin minier, où il y avait une étendue immense et fort diverse de gisements précieux... » Mais aurait-il le temps de les exploiter ?

Le livre qu'il avait à écrire allait être long : « Il lui faudrait beaucoup de nuits, peut-être cent, peut-être

1. ROBERT BRASILLACH : *Portraits* (Plon, Paris, 1935).

mille... » Ce serait un livre aussi long que les *Mille et une Nuits,* mais tout autre. Il aurait besoin, pour l'écrire, d'une constance et d'un courage infinis. « J'avais vécu dans la paresse, dans la dissipation des plaisirs, dans la maladie, les soins, les manies, et j'entreprenais mon ouvrage à la veille de mourir, sans rien savoir de mon métier... » Il a dit quelque part que la paresse l'avait sauvé de la facilité, et la maladie de la paresse. C'est exact. Sans sa dissipation première, il aurait écrit trop tôt des œuvres trop peu mijotées, trop faciles, et sans les maux qui, devenant plus graves, le contraignirent à rester chez lui et lui permirent de faire accepter par tous un mode de vie si singulier, il n'aurait pu se ménager la longue solitude sans laquelle aucune grande œuvre ne peut naître.

Il resta quinze mois Rue de Courcelles, dans l'appartement où étaient morts ses parents, « pour user le bail », puis, à la fin de 1906, alla vivre 102, Boulevard Haussmann, dans une maison appartenant à la veuve de son oncle Georges Weil, le magistrat. *Marcel Proust à Madame Catusse :* « Je n'ai pas pu me décider à aller habiter, sans transition, dans une maison que Maman n'aurait jamais connue et j'ai sous-loué pour cette année l'ancien appartement de mon oncle, dans la maison du 102, Boulevard Haussmann, où j'allais quelquefois dîner avec Maman, où j'ai vu mourir mon oncle dans la chambre qui sera la mienne, mais dont, sans ces souvenirs, les décorations dorées sur une muraille couleur chair, la poussière du quartier, le bruit incessant et jusqu'aux arbres appuyés contre la fenêtre répondent évidemment fort peu à l'appartement que je cherchais !... »

Dans cette nouvelle chambre, Marcel voulut que son lit, flanqué de la petite table qu'il appelait « la

chaloupe » et qui portait des livres, des papiers, des
porte-plume et le matériel des fumigations, fût orienté
comme il l'avait été Boulevard Malesherbes et Rue de
Courcelles, de manière « à laisser voir en diagonale
l'entrée des visiteurs, à recevoir le jour de gauche —
quand par hasard on le laissait entrer — et de gauche
aussi la chaleur du foyer, toujours accusée d'être trop
vive ou trop faible [1]... » Les ouvrages entassés sur la
chaloupe avaient presque tous été empruntés à des
amis. Au temps du déménagement, la bibliothèque
familiale s'était trouvée ensevelie sous les meubles, sous
les lustres, sous les tapisseries, trop nombreux pour un
appartement plus petit, de sorte que Marcel ne pouvait
plus atteindre aucun de ses propres livres. Il lui arrivait
de prêter à Georges de Lauris un Sainte-Beuve ou un
Mérimée qu'il venait d'acheter, en lui disant : « Gar-
dez-le. Si j'en ai besoin, je vous le demanderai. Chez
moi, il se perdrait... »

Le déménagement avait été, pour Marcel, un dépaysе-
ment et une tragédie. Il avait, suivant sa coutume,
consulté tous ses familiers. Madame de Noailles avait,
un soir, été appelée au téléphone, par le sommelier de
l'Hôtel des Réservoirs à Versailles, qui lui avait demandé avec une consciencieuse simplicité, « si elle conseillait
à Monsieur Proust de louer l'appartement du Boulevard Haussmann. » Madame Catusse avait reçu de
nombreuses lettres : « Croyez-vous que le mobilier de
la chambre de Maman (bleu) soit très poussiéreux, ou
qu'il soit bien pour ma chambre ? Le trouvez-vous
joli ? Pour un petit salon, préféreriez-vous ce mobilier,
ou celui du cabinet de Papa, Rue de Courcelles ?... »
Et si les yeux charmants de Madame Catusse voulaient
bien s'égarer sur les lavabos, lequel était le mieux ?
Pour le grand salon, pouvait-elle lui acheter un tapis

1. Lucien Daudet : *opus cit.*, page 51.

persan ? Et les tapisseries, trop grandes pour ces
nouveaux murs, fallait-il les couper ou les replier ?

Surtout qu'elle le sauvât de tout bruit ! Si d'autres
locataires de la maison avaient des travaux à exécuter,
leur devoir n'était-il pas de faire venir les ouvriers la
nuit, puisque lui, Marcel, dormait le jour ? Madame
Catusse, trouvant la mission difficile, Madame Straus
à son tour était mobilisée. Ne connaissait-elle pas ce
Monsieur Katz, dont la mère mettait en mouvement
tant de marteaux diaboliques ? Ne pourrait-elle lui
demander de ne commencer ses travaux qu'à midi ?
« Je lui donnerai toutes les indemnités qu'elle voudra...
J'ai obtenu d'un autre locataire, qu'il fît ses travaux
de huit heures (du soir) à minuit... » Mais il vaudrait
encore mieux que Madame Katz ne fît pas venir
d'ouvriers du tout : « Car, on a beau leur recommander de travailler d'un autre côté, de ne pas faire trop
de bruit, leur donner tous les pourboires possibles, et
au concierge, leur premier rite est d'abord de réveiller
le voisin et de l'inciter à partager leur allégresse :
« *Frappez marteaux et tenailles* », et ils mettent une
obstination religieuse à n'y pas manquer... »

Madame Straus, ironique et dévouée, invita Monsieur Katz à déjeuner, mais sa mère continua de
construire « je ne sais quoi ! Car, depuis tant de mois,
douze ouvriers par jour, tapant avec cette frénésie, ont
dû édifier quelque chose d'aussi majestueux que la
Pyramide de Chéops, que les gens qui sortent doivent
apercevoir avec étonnement entre le *Printemps* et Saint-
Augustin... » La Pyramide de Katz achevée, ce fut le
tour de Monsieur Sauphar : « Monsieur Straus m'a dit
qu'autrefois, à la synagogue, les Sauphar, c'étaient les
bruyantes trompettes qui réveillaient pour le Jugement
même les morts. Il n'y a pas une grande différence
avec ceux d'aujourd'hui... » La concierge de l'immeuble elle-même fut sommée d'intervenir : « Madame

Antoine, je vous serais obligé de savoir ce qui se passe
chez le Docteur Gagey, où maintenant l'on tape à tout
moment... A quatre heures, l'on a cloué, percé, etc.,
au-dessus de ma tête. Etait-ce des ouvriers, le mécanicien, le valet de chambre ?... Tâchez de savoir qui
c'était et écrivez-moi un petit mot à ce sujet, ce soir
ou demain, si cela ne vous fatigue pas [1]... »

Enfin il découvrit un remède : tapisser entièrement
sa chambre de liège. Ce fut donc entre quatre murs
doublés de subérine, et imperméables aux bruits du
dehors, qu'il écrivit son grand livre. Autour de lui
étaient ses *Cahiers,* des cahiers d'écolier recouverts de
moleskine noire, où il découpait des passages choisis,
pour les coller dans le manuscrit définitif. La chambre
était remplie des volutes jaunes des fumigations et
imprégnée de leur âcre odeur. A travers ce nuage, on
apercevait Marcel, pâle, un peu bouffi, ses yeux brillant
dans le brouillard, vêtu d'une chemise de nuit et de
nombreux tricots superposés, grillés, effilochés. Ramon
Fernandez a décrit l'une de ses visites nocturnes au
Boulevard Haussmann, et la voix de Proust, « cette
miraculeuse voix, prudente, distraite, abstraite, ponc-
tuée, ouatée, qui semblait former les sons au-delà des
dents et des lèvres, au-delà de la gorge, dans les régions
même de l'intelligence... Ses admirables yeux se collaient
matériellement aux meubles, aux tentures, aux bibelots ; par tous les pores de sa peau, il semblait aspirer
la réalité contenue dans la chambre, dans l'instant,
dans moi-même ; et l'espèce d'extase qui se peignait
sur son visage était bien celle du médium qui reçoit
les messages invisibles des choses. Il se répandait en
exclamations admiratives, que je ne prenais pas pour des
flatteries puisqu'il posait un chef-d'œuvre partout où

---

1. *Quatre lettres de Marcel Proust à ses concierges* (Albert Skira,
Genève, 1945).

ses yeux s'arrêtaient... » Ce jour-là, il demanda à Fernandez, qui savait l'italien, de prononcer plusieurs fois
les deux mots : *senza rigore*. Proust écoutait, les yeux
fermés, et, beaucoup plus tard, Fernandez retrouva
dans les *Jeunes filles en fleurs* ce « *senza rigore,* évoca-
teur de foudre brute et de douce spiritualité ». Par où
l'on voit combien chaque phrase de son livre était une
expérience, un souvenir, et combien ce chasseur de
sensations pratiquait «l'intuition intégrale ».

Toute visite se transformait en séance de travail. Il
interrogeait avec passion, avec précision, avec incrédulité, ramenait au sujet l'interlocuteur qui s'évadait ;
ou bien, au contraire, prenait lui-même un détour pour
arracher un aveu ou réveiller une mémoire. Souvent, il
faisait son enquête par lettre. *Proust à Lucien Daudet :*
« Vous devriez, vous qui avez vu très enfant la Princesse Mathilde, me faire (me décrire) une toilette d'elle,
une après-midi de printemps, presque crinoline comme
elle portait, mauve, peut-être un chapeau à brides avec
violettes, telle enfin que vous avez dû la voir... » A
Madame Straus, il demandait conseil au sujet des
renards qu'il voulait acheter pour une jeune fille ; or
les renards étaient fictifs, et la jeune fille l'Albertine du
roman. Parfois, il dépêchait un messager nocturne, car
ses brusques désirs de savoir devaient être satisfaits sur
l'heure. Déjà, au temps où il traduisait Ruskin, ses
amis Yeatman racontaient qu'un soir on avait sonné
chez eux. C'était le valet de chambre de Proust, qui
leur avait dit de la voix la plus naturelle du monde :
« Monsieur m'envoie demander à Monsieur et Madame
ce qu'est devenu le cœur de Shelley. »

Chaque spécialiste était consulté, Reynaldo Hahn sur
la musique, Jean-Louis Vaudoyer sur la peinture, la
famille Daudet sur les fleurs. En toutes choses, il voulait
connaître le terme technique, « si bien qu'un musicien,
un jardinier, un peintre ou un médecin peuvent croire,

en le lisant, que Proust a consacré des années à la musique ou à l'horticulture, à la peinture ou à la médecine ». « Nous nous appliquions de notre mieux, dit Lucien Daudet, à le renseigner — sans savoir au juste dans quel but — au sujet des gâteaux qu'on trouve le dimanche, après la messe, chez le pâtissier de telle ville de province, ou encore au sujet des arbustes qui fleurissent en même temps que les épines et les lilas, ou des fleurs qui, sans être des jacinthes, sont cependant de la même qualité quant au port, à l'emploi, etc. »

Aux femmes, il demandait de l'éclairer sur leurs propres techniques. *Proust à Madame Gaston de Caillavet :* « Est-ce que par hasard vous pourriez me donner, pour le livre que je finis, quelques petites explications « couturières » ? (Ne croyez pas que c'était pour cela que je vous avais téléphoné l'autre jour ; je n'y songeais, mais seulement à l'envie de vous voir)... » Suivaient de pressantes questions sur la robe qu'avait portée Madame Greffulhe à une représentation italienne du théâtre de Monte-Carlo, « dans une baignoire d'avant-scène fort noire, il y a à peu près deux mois » (et les réponses devaient être utilisées pour habiller la Princesse de Guermantes, à l'Opéra). Il aurait voulu revoir des robes, des chapeaux portés par ses amies vingt ans plus tôt, et s'indignait de ce qu'elles ne les eussent pas conservés. « Mon cher Marcel, c'est un chapeau d'il y a vingt ans ; je ne l'ai plus... — Ce n'est pas possible, Madame. Vous ne *voulez* pas me le montrer. Vous l'avez et vous voulez me contrarier. Vous allez me faire une énorme peine [1]... »

Un soir, à onze heures trente, il arrivait chez ses amis Caillavet, qu'il n'avait pas vus depuis longtemps.

1. LÉON PIERRE-QUINT : *Marcel Proust, sa vie, son œuvre* (Editions du Sagittaire, 1935).

« Monsieur et Madame sont-ils couchés ? Peuvent-ils me recevoir ?... » Naturellement, on le recevait.

« Madame, voulez-vous me faire une immense joie ? Il y a très longtemps que je n'ai vu votre fille. Je ne reviendrai peut-être plus ici... et il y a peu de chances pour que vous l'ameniez jamais chez moi ! Quand elle sera en âge d'aller au bal, je ne pourrai plus sortir ; je suis si malade. Alors, Madame, je vous en prie, laissez-moi voir ce soir Mademoiselle Simone.

— Mais, Marcel, elle est couchée depuis longtemps.

— Madame, je vous en supplie, allez voir. Si elle ne dort pas, expliquez-lui... »

Simone descendit et fit la connaissance de l'étrange visiteur. Que cherchait-il en elle ? Les impressions dont il avait besoin pour peindre Mademoiselle de Saint-Loup, fille d'une femme qu'a aimée le Narrateur.

C'était aussi à la poursuite d'images du passé que, si son état le lui permettait, il voyageait encore : « Je sors une fois par hasard, et c'est en général pour aller voir des aubépines, ou les falbalas de trois pommiers en robe de bal sous un ciel gris. » Quand ses crises devenaient trop fréquentes, il n'osait même plus regarder à travers la vitre les marronniers de son boulevard, et tout un automne se passait sans qu'il eût vu la couleur de la saison. Au temps des « vacances », il faisait « une consommation effrayante et platonique d'Indicateurs et potassait mille voyages circulaires » qu'il faisait entre deux et six heures du matin, sur sa chaise longue.

Si, au contraire il allait un peu mieux, il se risquait au dehors. « Les exceptions à la règle sont la féerie de l'existence », disait-il. La Duchesse de Clermont-Tonnerre le reçut un soir, à Glisolles, alors qu'il « faisait la Normandie » en taxi et admirait les fleurs à travers les vitres fermées de sa voiture. « On braqua les phares de l'auto sur les allées de rosiers. Les roses apparurent comme des beautés qu'on vient d'arracher au sommeil.. » Il allait revoir « sous l'indifférence et l'opacité d'un ciel pluvieux, à qui ils parvenaient à dérober des trésors de lumière (par un miracle qui aurait pu être figuré dans la cathédrale, entre tant d'autres moins intéressants), les vitraux d'Evreux ». Pour supporter ces voyages, il se nourrissait exclusivement de café au lait et remerciait son hôtesse « d'avoir guidé, sur les marches nocturnes, ses pas tremblants de caféine [1] ». En 1910, il rêva d'un séjour à Pontigny : « Connaissez-vous l'abbaye laïque de Paul Desjardins à Pontigny ? Si j'étais assez bien portant pour un séjour si peu confortable, voilà qui me tenterait... »

Mais surtout, dès qu'il le pouvait, il allait à Cabourg, pour y nourrir les fantômes de Balbec et l'ombre des jeunes filles en fleur. *Proust à Madame Gaston de Caillavet :* « Je pense beaucoup à votre fille. Quel ennui qu'elle n'aille pas à Cabourg ! Je ne suis du reste pas du tout décidé à y aller cette année, mais, si elle y venait, je n'hésiterais plus... » Dans un hôtel, il lui fallait trois chambres (pour être certain d'échapper aux voisins bruyants), dont une pour Félicie. (« Mais ne serait-ce pas ridicule d'amener ma vieille cuisinière à l'hôtel ? ») L'appartement devait être gai, confortable, *sans pas au-dessus de la tête*. Au besoin, il louerait aussi la chambre située au-dessus de la sienne. Tout le jour, il restait enfermé dans celle-ci, travaillant ou interrogeant les domestiques de l'hôtel qui lui apportaient, sur les clients ou sur le personnel, de précieux renseignements. Au coucher du soleil, son ennemi le Jour étant vaincu, il descendait, une ombrelle à la main, et restait un instant sur le seuil comme l'oiseau nocturne qui, au crépuscule, sort de sa sombre retraite — s'assurant que ce n'était pas seulement un nuage, qu'il n'y

---

1. Cf. E. DE CLERMONT-TONNERRE : *Robert de Montesquiou et Marcel Proust,* page 104 (Flammarion, Paris, 1925).

aurait aucun retour offensif de la lumière. Plus tard,
assis à une grande table de la salle à manger, il recevait, simple, frileux, charmant, et offrait du champagne
à ceux qui s'approchaient.

A Paris, il allait encore dans quelques salons, pour y
suivre ses personnages, mais il y arrivait si tard que
beaucoup, en le voyant, s'écriaient : « Marcel ! c'est un
coup de deux heures du matin », et prenaient la fuite.
Tel était le cas d'Anatole France, aux mercredis de
Madame Arman de Caillavet. Il ne s'intéressait guère
à Proust, qui lui écrivait pourtant, sur chaque livre
nouveau, une lettre enthousiaste :

« ... Quelles belles soirées je vais passer avec Crainque-
bille, le Doyen Malorey, le Général Decuir, Putois, Riquet,
maintenant assemblés, si fraîchement nés de l'écume merveilleuse de votre génie, et pourtant déjà augustes par
l'empire irrésistible qu'ils ont exercé sur l'esprit des hommes depuis ces quelques années où ils ont si profondément
changé le monde qu'ils ont pris la majesté des siècles... Les
Manœuvres à Montil, c'est, n'est-ce pas, l'admirable scène
du général cherchant sa brigade, bataille de Waterloo de
la *Chartreuse,* ironique et géniale ; avec les conversations
qui n'ont d'égales que celles de Balzac, mais ont plus de
beauté — du général disant en voyant les tapisseries de
Van Orley : « C'est grand, ici ! » — « Le général aurait pu
amener sa brigade. » — « J'aurais été heureuse de la recevoir. » Les trois répliques sont restées gravées dans ma
mémoire, comme le plus beau triptyque comique qu'un
maître ait jamais peint avec la plus absolue perfection, la
plus faite pour surprendre, avec ses traits inventés et
géniaux, la plus faite pour contenter par sa vérité inattendue mais confondante. Je crois me rappeler aussi la direction du journal qui demande un récit qui ait un parfum
d'aristocratie. La seule chose que j'aie encore lue, je viens
de recevoir le livre il y a dix minutes, c'est *Le Christ de
l'Océan,* qui m'a donné l'émotion la plus profonde. Ce que
j'aimerai peut-être le mieux — je l'ai tant aimé — c'est

Putois. Et puis j'en sais l'histoire, apprise auprès de vous au temps heureux où je pouvais voir la petite fleur encore vivante qui avait suggéré la forme de la pierre sculptée dans votre sublime cathédrale. Encore merci, mon cher Maître, de ne pas avoir oublié un malade dont vous êtes le seul à vous rappeler l'existence, parce que les plus grands sont aussi les meilleurs [1]... »

Quand Proust recevait lui-même, ce n'était plus, comme au temps de ses parents, dans sa propre maison, mais au restaurant et surtout à l'Hôtel Ritz, dont le maître d'hôtel, Olivier Dabescat, l'enchantait par sa discrète distinction, par son officieuse dignité et par sa science des bons usages. Donner un dîner pour Calmette, directeur du *Figaro,* qui accueillait avec bienveillance ses articles, c'était, aux yeux de Proust, un événement que préparaient de longues lettres à Madame Straus et des coups de téléphone (que, d'ailleurs, il ne donnait pas lui-même) à chacun des invités ; à Gabriel Fauré, qui devait jouer, car Reynaldo était à Londres où il chantait devant le Roi Edouard VII et la Reine Alexandra... Et pouvait-on inviter Monsieur Joseph Reinach avec le Duc de Clermont-Tonnerre ? Et quel était l'ordre des préséances entre Fauré, « qui n'est plus jeune ; Calmette, pour qui je donne le dîner ; Béraud, qui est très susceptible ; Monsieur de Clermont-Tonnerre, qui est plus jeune, mais qui descend de Charlemagne ; des étrangers ?... »

Enfin le dîner avait lieu, dans un salon du Ritz, aux panneaux tendus de brocart cerise, à l'ameublement doré. « Deux Lapons gonflés de fourrures » étonnaient dans ce décor : c'étaient Proust et Madame de Noailles. Risler, engagé au dernier moment, jouait des ouvertures wagnériennes. Après le dîner venait l'heure des pourboires. Marcel voulait offrir trois cents francs à Olivier,

---

1. Lettre inédite. Collection du Professeur Mondor.

et ses convives se précipitaient sur lui pour le contraindre à moins de générosité. Il passait outre.

Mais Cabourg, le Ritz, les visites nocturnes n'étaient que des coups de main destinés à rapporter des renseignement sur l'ennemi, c'est-à-dire sur le monde extérieur. La vraie vie de Proust, pendant ses années de travail, se passait dans le lit où il écrivait, entouré de ce que Félicie, héritée de Madame Proust (Françoise du roman), appelait « ses paperoles », c'est-à-dire ses carnets, ses cahiers de notes, ses innombrables photographies. A force de coller les uns aux autres des fragments qui, amalgamés, allaient former le plus beau livre du monde, les papiers se déchiraient çà et là. « C'est tout mité », disait Françoise. « Regardez, c'est malheureux, voilà un bout de page qui n'est plus qu'une dentelle. » Et, l'examinant comme un tailleur : « Je ne crois pas que je pourrai le refaire, c'est perdu... » Mais rien n'était perdu et, lentement, comme le bœuf mode de Françoise, l'œuvre à laquelle désormais Marcel Proust devait, à la lettre, donner sa vie, se faisait.

II

EN MARGE DE LA VIE

Dans l'arche calfeutrée de liège, les compagnons devenaient moins nombreux. Les femmes n'étaient que rarement admises Boulevard Haussmann; il n'aimait pas à se montrer à elles au milieu de ses potions, enveloppé de vapeurs fétides. Il voyait ses amies chez elles ou au restaurant. Les domestiques jouaient dans sa vie un grand rôle. Ceux de ses parents, Félicie, Antoine, étaient restés avec lui ; il étudiait leur langage, admirait leur dévouement, subissait leur despotisme. Malade et maniaque, il dépendait d'eux, ce qui l'obligeait à les bien connaître et à prévoir leurs réactions.

Sur le même plan étaient ses hommes d'affaires. Bien que, depuis la mort de ses parents, il eût une très convenable fortune, il se croyait ou se disait ruiné. Inapte à l'action, ou feignant de l'être, la moindre déclaration fiscale le terrifiait, et il la faisait rédiger par d'obscurs cousins spécialisés. Sur ses placements, il demandait conseil de tous côtés, avec mystère et réticences : « Je voudrais bien savoir si Monsieur Straus a des mines d'or d'Australie... Quand je dis : *s'il a,* cela ne veut pas dire par curiosité, mais *s'il a* signifie : « si on lui a fait acheter, si on lui a recommandé ». On m'a bien parlé de mines d'or d'Australie, mais je ne sais pas lesquelles... »

Il était sensible à la poésie de la Bourse, au charme romantique et désuet des gravures qui ornaient les titres, mais il compliquait la moindre transaction par ses craintes, ses soupçons, ses repentirs et ses parenthèses. Le jeune Albert Nahmias, qu'il chargeait de ses opérations, recevait d'étonnantes lettres qu'un excès de précision rendait à peu près incompréhensibles :

« Mon petit Albert,

Je ne sais comment, avec la crise que j'ai, je vais pouvoir vous expliquer clairement une chose diaboliquement compliquée. En un mot : je ne disposerai en tout que de cent mille francs. Et le Crédit Industriel m'avise que, comme c'était pour une liquidation, laquelle, prétend-il, est pour le 4 Mars, il n'aura l'argent que le 3 Mars, mais il faut que je fasse un chèque de 100.000 francs, daté du 3 Mars, qu'ils paieront au terme fixé par la liquidation (si je comprends bien, le 4 Mars, ou le 3). En tout cas, pas plus tard que le 4. Inutile de vous dire qu'il s'agit d'une certitude absolue et que je réponds des fonds.

« Donc, si cette combinaison (qui semble absolument régulière et nullement en retard au directeur du Crédit

Industriel, et qui par conséquent doit l'être, car ce sont des gens très réguliers) plaît, c'est convenu ainsi et, dans ce cas, vous n'avez qu'à calculer, vous qui connaissez mon compte débiteur, combien je lèverai de titres, puisque j'en lèverai pour une somme qui, en y ajoutant mes différences pour le reste, fasse cent mille francs approximativement. Je suppose que cela fait quelque chose comme 270 *Rand Mines* et 275 *Crown Mines*, peut-être pas tout à fait (il faut que mes différences soient comprises dans les cent mille francs, ou les dépassent de très peu, en un mot que, les cent mille francs une fois versés, je ne doive plus rien). Je me répète, comme Aranyi, mais ce ne sera jamais trop clair. (Et je ne me fais reporter pour rien ; je lève une partie des titres et liquide le reste.)

« Maintenant si, pour une raison ou pour une autre, cette combinaison déplaît à Léon, et si par hasard il vous dit : « Il est bien tard pour lever les titres, » etc., alors, dans ce cas (mais il faudrait que je sache cela dès demain 29), je ne lèverai rien et, au lieu de faire un chèque de cent mille francs, je le ferai seulement de la différence. Dans ce cas, je ne me ferai pas reporter non plus et liquiderai le tout. Mais je crois que la première combinaison ne soulève pas de difficultés et que c'est celle que Léon préférera. Dites-le-moi demain, par un mot. Et, dans ce cas, je vous enverrai un chèque de cent mille francs dès demain (mais qui ne sera daté que du 3 Mars). Quant aux titres, Léon les remettra au Crédit Industriel à mon nom, quand il voudra. Je ne sais comment s'opère cette partie de la transaction, ne m'étant préoccupé que de celle qui me concerne, et cela suffit déjà ! Inutile de vous dire si je maudis intérieurement la personne qui, par son retard, au dernier moment, sans réfléchir à l'agitation que cela me donnait (et cela juste un jour de crise), a trouvé intelligent d'attendre la date extrême de la liquidation pour faire tenir les fonds. Le Crédit Industriel trouve cela très correct, mais, moi, je trouve cela très agitant. Encore une fois, si Léon trouve plus agréable que je ne lève pas de titres et que je liquide le tout, je suis à ses ordres. Mais il faut que je le sache demain. Dans les deux cas, je ne me fais reporter pour rien. Dans le cas de levage, il faut tenir la proportion identique entre les *Crown Mines* et les *Rand Mines* : 270 *Crown Mines,* 270 *Rand Mines ;* 260 *Crown Mines,* 260 *Rand Mines* (selon l'argent qui reste pour payer la différence de ce que je liquiderai, de façon que le tout ne dépasse pas cent mille francs). Mais, s'il y a cinq *Rand Mines* de plus que de *Crown Mines,* ou cinq *Crown Mines* de plus que de *Rand Mines* (ou même dix, ou vingt), cela n'a pas d'importance.

« Faites attention, je vous prie, si vous téléphoniez, etc., de ne pas parler *ici* de rien de tout cela. Pas de levage, de titres, etc.

« Savez-vous si les chèques pour des sommes aussi élevées se font de la même manière que les chèques de cent francs?

« Tendresses.

« MARCEL [1] ».

Au même Albert Nahmias, il confiait certains cahiers du roman, pour en faire dactylographier le contenu :

« Cher Albert, — Est-ce que vous avez toujours envie de rivaliser avec Œdipe et de déchiffrer les énigmes sphingétiques de mon écriture ? Si oui, je peux vous envoyer des cahiers qui dépassent en obscurité tout ce que vous avez jamais vu. Mais ce n'est que *si vous le désirez.* Ne le faites pas pour me faire plaisir, car je peux le faire faire...

... Excusez-moi de vous poser une question étrange qui, inopinément, représente pour moi un grand service. Vous est-il jamais arrivé, pour une raison quelconque, de faire suivre quelqu'un et, si oui, avez-vous gardé des adresses de policiers ou contact avec eux ? [2] »

Ce désir de faire suivre quelqu'un était né de ses tristes amours. Au début de sa vie, il s'était attaché à de beaux adolescents comme Willie Heath, et sans doute y avait-il eu quelque ombrageuse pureté dans de

1. Lettre inédite.
2. Lettre inédite. Collection Alfred Dupont.

telles amitiés. Mais il avait ensuite rencontré un personnage diabolique et balzacien, Albert Le Cuziat, que
l'on connaît surtout par ce qu'en a écrit Maurice
Sachs [1] : « Il était né en Bretagne ; désireux de voir
la capitale, il s'était fait recommander par son curé à
un prêtre parisien qui se trouvait de l'intimité du Prince
O... Celui-ci le prit comme troisième valet de pied.
Albert était alors fort beau, grand, mince, blond, et
sans doute d'un caractère soumis et affectueux. Il plut
au Prince R... ami de son maître, qui le demanda et
le porta au rang de premier valet de pied [2]... » Albert
aimait servir comme d'autres aiment à commander. « Il
se passionna pour cette noblesse à laquelle il ouvrait
chaque soir les portes des salons » et connut bientôt
mieux que personne les origines, les alliances et les
blasons de toutes les grandes familles.

Proust se l'attacha. « Cela fit croire et dire qu'Albert
était Albertine. Ce serait bien mal connaître, écrit
Maurice Sachs, les méthodes de composition prous-
tiennes. D'ailleurs, l'héroïne de Proust n'est pas d'un
sexe très défini : elle est l'amour même et chacun peut
lui prêter l'image qui lui est la plus chère. Tout au
plus relèverait-on dans l'œuvre écrite certaines coïncidences de nom : il est exact, par exemple, qu'Albert
eut une aventure avec un soldat qui s'appelait André.
Albert lui-même ne prétendit jamais avoir joué auprès
de Proust d'autre rôle que celui de confident et de
pourvoyeur, mais il est un personnage de l'œuvre
auquel il ressemblait chaque année un peu plus :
c'était Jupien. » Comme celui-ci, Le Cuziat ouvrit un
« étrange établissement... lieu d'abomination où cet
Albert-Jupien faisait figure de Prince Sérénissime des
Enfers », et pour lequel Proust, comme le Narrateur

---

1. Cf. *Nouvelle Revue Française,* 1ᵉʳ juillet 1938.
2. Maurice Sachs : *Le Sabbat,* pages 279-286 (Editions Corrêa,
Paris, 1946).

du roman, lui donna des meubles de famille qui, faute
de place, avaient été entreposés dans une remise du
Boulevard Haussmann. A cinquante ans, Albert était
un homme « chauve, aux tempes blanches, les lèvres
très minces, les yeux très bleus, le profil très aigu, qui
trônait à la caisse, raidi, immobile, lisant généralement
un livre d'histoire où quelque précis de généalogie ».
Il fut presque seul à connaître un Proust ténébreux et
assez effrayant qui compensait, par un sadisme intermittent, son masochisme douloureux.

Les « honteux attachements de la chair et du
monde » étaient, pour Marcel, causes de tristes erreurs
et de constantes angoisses. Tous ses mouvements, et
même les plus légitimes, devaient demeurer mystérieux.
Madame Arman de Caillavet à son fils : « Depuis deux
ans, je rencontrais souvent Marcel lorsque j'allais chez
Prouté, mon marchand de dessins. Il me disait se rendre
passage des Beaux-Arts, où il écrivait un roman, chez
un ami obscur... Or c'est passage des Beaux-Arts
qu'Oscar Wilde est mort sous un faux nom ! Mystère... » Proust allait-il en secret voir Oscar Wilde, alors
réprouvé ? C'est possible ; c'était charitable ; pourquoi
s'en cacher ?

Plusieurs fois, un « prisonnier » habita l'appartement
du Boulevard Haussmann. Ceux des amis qui venaient
au début de la soirée ne le voyaient pas. Ils écoutaient
le monologue éblouissant qui, émanant du lit, leur
arrivait à travers les brumes de la chambre. C'était une
suite étincelante d'imitations, de pastiches et de taqui-
neries après lesquelles, d'un mouvement brusque, il se
frottait la figure à pleines mains, deux doigts encadrant
le nez. Sa façon de taquiner était souvent très gentille,
mais pas toujours. Bien qu'il eût écrit et pensé : « On
ne peut avoir de talent si l'on n'est pas bon », il lui
arrivait d'être cruel. Il faut distinguer chez lui « l'oncle-
gâteau », comme dit Fernandez, qui se montrait géné-

reux moins par bonté que par désir de se concilier, dans
la vie pratique, des hommes dont son esprit se détachait, et « le saint », qui obéissait à de purs mouvements de charité humaine, comme le soir où il sauva
des terreurs de la nuit une petite bonne toute fraîche
arrivée de la campagne, qui mourait de peur au pied
d'un escalier. Le saint existait, authentiquement, car
Proust avait trop d'imagination pour ne pas se représenter les peines des autres. « Je me sens de grands
devoirs envers elle depuis qu'elle est abandonnée »,
disait-il d'une amie, et aussi, à Jean-Louis Vaudoyer :
« J'ai à éprouver les souffrances de mes amis une aptitude que la vie n'a que trop développée. » Et non
seulement les souffrances de ses amis, mais celles d'inconnus le trouvaient compatissant :

Marcel Proust à Madame Gaston de Caillavet : « J'ai
un service à demander à Gaston et, comme il est tellement
occupé, c'est à vous que j'écris, pensant que vous pourrez
vous-même vous rendre compte s'il peut ou non faire cela.
Car, si cela le gêne, je peux m'adresser à quelque autre
ami. Il s'agit d'un pauvre chanteur nommé Père, intéressant parce que sa femme, tuberculeuse, ne peut plus jouer
et qu'ils ont une petite fille. Lui a chanté autrefois
Mireille à l'Opéra-Comique (il doit avoir à peu près
trente-huit ans, je ne le connais pas personnellement),
mais il a pris du ventre et ne peut plus jouer que dans des
théâtres comiques ! Il voudrait avoir une audition à l'Apollo. Avant de demander à Gaston s'il pouvait lui faire avoir
cette audition, j'ai voulu savoir s'il chantait convenable-
ment (ou plutôt je ne pensais pas à Gaston à ce moment-
là). J'ai donc fait envoyer Monsieur Père à Reynaldo. Il
m'a dit qu'il chantait assez bien pour être engagé, qu'il
pourrait sans doute le faire engager au Trianon-Lyrique ;
mais, puisque l'idée fixe de cet homme est d'avoir une
audition à l'Apollo (où Reynaldo croit qu'il aurait bien
moins facilement un emploi, mais il désire tant l'audition
à l'Apollo), Reynaldo m'a dit que Gaston était plus indi-

qué que lui pour cela. Si, pour une raison ou l'autre (froid
avec Franck, ou toute autre cause), cela gêne Gaston,
dites-le-moi très franchement : je serais désolé de lui cau-
ser de l'ennui, et surtout pour quelqu'un que je ne connais
pas personnellement, et qui est plutôt intéressant par sa
situation difficile que par son talent, qui n'a rien de remarquable (vous voyez que je n'essaye pas de vous tromper
sur la qualité de l'artiste). D'ailleurs, comme il est très
malheureux, je crois qu'il accepterait à l'Apollo les plus
petits emplois ; il a été régisseur d'un cinématographe,
etc [1]... »

Mais, à ses yeux, toute âme humaine était un
mélange de bonté et de méchanceté. Monsieur Verdurin, qui se montre capable de générosité, est au fond
méchant ; Monsieur de Charlus cache, sous ses sarcas-
mes, une réelle bonté. Et Proust, comme ses héros, se
savait à la fois bon et méchant. Sur le monde qui
l'avait, au temps de ses débuts, fait souffrir, il prenait
sa revanche, durement, dans son livre et ses propos. Les
amis même étaient jugés du haut de ce « lit de justice ».
Beaucoup de ses familiers craignaient son impitoyable
perspicacité et volontiers eussent dit, comme jadis
Alphonse Daudet : « Marcel Proust, c'est le Diable ! »
Chaque « potin méritait une exégèse ». « De son lit, la
tête penchée, les mains jointes ou un crayon maintenu
entre ses deux index, il reprenait l'événement et lui
donnait sa forme [2]. » Puis venaient les questions, insistantes, redoublées, impitoyables. Marcel faisait son miel.
Sur le tard arrivait Reynaldo, à qui l'œuvre de son ami
devait beaucoup, tant pour des scènes qu'il racontait
de manière inimitable, que par l'amour de la musique
qu'il enseignait à Marcel.

A minuit entrait « le Prisonnier », pseudo-secrétaire

1. Lettre inédite.
2. JACQUES POREL : *L'Imagination dans l'amitié* (*Nouvelle Revue
Française,* 1ᵉʳ janvier 1923).

qui écoutait en silence les conversations autour du lit.
Ces Adonis (car l'emploi fut tenu successivement par
plusieurs jeunes hommes) étaient, comme Albertine,
séquestrés. Si, par faveur, ils sortaient, il fallait que
leur emploi du temps fût connu, instant par instant.
S'ils s'échappaient et faisaient ainsi souffrir leur maître,
celui-ci trouvait dans cette souffrance les sentiments
déchirants dont il avait besoin pour son Narrateur. A
un ami qui, un jour, se plaignait à lui de peines de
cœur : « Comment ? dit Proust, vous avez des ennuis
sentimentaux. Voilà votre chance. »

A des familiers d'obédience normale, il ne parlait
jamais de l'inversion. Dans son livre même, il allait
attribuer ces mœurs à Charlus, à Nissim Bernard, à
Monsieur de Vaugoubert, à cent autres, mais non au
Narrateur. A Gide, plus tard, au temps de *Si le grain
ne meurt,* Proust donna ce conseil : « Vous pouvez
tout raconter, mais à la condition de ne jamais dire :
Je. » Dans le *Journal* de Gide, on trouve un texte
« capitalissime », car il explique la transposition
d'Albert en Albertine : « Nous n'avons, ce soir encore,
guère parlé que d'uranisme ; il dit se reprocher cette
« indécision » qui l'a fait, pour nourrir la partie hétéro-
sexuelle de son livre, transposer « à l'ombre des jeunes
filles » tout ce que ses souvenirs homosexuels lui pro-
posaient de gracieux, de tendre et de charmant, de
sorte qu'il ne lui reste plus pour *Sodome* que du grotesque et de l'abject. Mais il se montre très affecté
lorsque je lui dis qu'il semble avoir voulu stigmatiser
l'uranisme ; il proteste ; et je comprends enfin que ce
que nous trouvons ignoble, objet de rire ou de dégoût,
ne lui paraît pas, à lui, si repoussant [1]... »

Pourquoi se donnait-il, lui que les êtres les plus nobles

---

1. Cf. ANDRÉ GIDE : *Journal 1889-1939,* pages 692-694 (Gallimard, Paris, 1939, Bibliothèque de la Pléiade).

eussent aimé, cette vie difficile ? Il semble que son rêve
de bonheur ait été une sensualité presque animale,
goûtée avec des êtres jeunes. Souffrant d'un excès d'intelligence, de conscience et d'analyse, il aspirait à un
monde complémentaire, tout charnel, et le cherchait en
vain. Brasillach raconte que Proust admirait Colette et
pleurait en lisant les histoires de ses héroïnes instinctives
et naïvement heureuses : « Cet homme trop fin, intelligent, malheureux, avait les mêmes rêves que les
écrivains qui se font de Tahiti un paradis imaginaire
parce qu'ils ont vu des toiles de Gauguin. Ce qu'il lui
faut, c'est la vie simple. Ainsi retournait-il à l'enfance... » Entre la poésie de l'œuvre et les compromissions
de la vie, un fossé de plus en plus large se creusait.
Proust a, dans ses *Cahiers,* parlant de Bergotte, justifié
cet écart :

« Son œuvre était bien plus morale, plus préoccupée du
bien, que n'est l'art pur, plus préoccupée du péché, du
scrupule, jusqu'à voir une mortelle tristesse des choses les
plus simples, jusqu'à voir des abîmes sous les pas de tous
les jours.

« Et sa vie, sa vie était bien plus immorale, bien plus
condamnée au mal, au péché, ne s'embarrassant pas, ou se
débarrassant des scrupules qui arrêtent les autres hommes,
jusqu'à faire des choses dont les moins délicats s'abstien-
nent. Et ceux qui, comme Legrandin, aimaient ses livres et
connaissaient sa vie pouvaient en effet trouver une sorte
de comique, qu'ils estimaient tout à fait de ce temps-ci, à
mettre en regard quelques mots admirables, d'une morale
si délicate, si sévère, qui eût fait paraître la vie des plus
grands hommes de bien jusqu'ici grossière et peu soucieuse
de morale, et quelques actes notoires, quelques situations
scandaleuses de sa vie. Et c'était peut-être en effet quelque
chose de ce temps que ses artistes sont à la fois plus
conscients de la douleur du péché et plus condamnés au
péché que n'étaient ceux qui les avaient précédés, niant

aux yeux du monde leur vie, en se rapportant au vieux point d'honneur, à l'ancienne morale, par amour-propre et pour considérer comme offensant ce qu'ils faisaient. Et d'autre part, dans leur morale à eux, faisant plutôt consister le bien dans une sorte de conscience douloureuse du mal, à l'éclairer, à s'en affliger, plutôt qu'à s'en abstenir. Peut-être, comme certaines apparences morbides peuvent être l'effet de deux maladies absolument différentes, y a-t-il des méchants indélicats qui, au lieu de l'être comme beaucoup par insuffisance de sensibilité, le sont par excès de sensibilité. Et l'étonnement qu'on pouvait avoir à voir émaner d'eux des œuvres qui semblent exiger une grande délicatesse de sensibilité, s'ils appartiennent à la première famille, tombe en partie si l'on va au delà des apparences et qu'on se rend compte qu'ils appartiennent à la seconde [1]... »

III

LE TRAVAIL

Ainsi quelques dernières amarres, amitiés, amours, reliaient encore l'arche au rivage, mais déjà la vie réelle de Proust n'était plus que celle de son livre. *Marcel Proust à Georges de Lauris :* « Travaillez. Alors, si la vie apporte des déboires, on s'en console, car la vraie vie est ailleurs, non pas dans la vie même, ni après, mais au dehors, si un terme qui tire son origine de l'espace a un sens en un monde qui en est affranchi... » Ce qu'il voulait faire, il le savait très bien. Un roman de deux mille pages, qui tiendrait à la fois des *Mille et une Nuits,* de George Eliot, de Thomas Hardy et de Saint-Simon, et qui pourtant ne ressemblerait à aucun de ces livres ; un roman dont le Temps serait le per-

1. Texte inédit. Appartient à Madame Mante-Proust.

sonnage pricipal ; un roman où, après avoir exploré le
Paradis de son enfance, il déboucherait sur l'Enfer de
Sodome. Ce roman, il en embrassait la courbe d'un
regard et déjà il en avait écrit la première et la dernière
phrase.

En même temps, au cours de cette période 1906-
1912, il poursuivit quelques projets mineurs : réunir en
un volume ses articles et chroniques ; publier ses pastiches, si parfaits qu'ils devenaient une forme originale
de critique ; écrire une étude sur Sainte-Beuve. A
Georges de Lauris, il parla plusieurs fois de « ce *Sainte-
Beuve* qui est écrit dans ma tête... » — « Est-ce que je
peux vous demander un conseil ? Je vais écrire quelque
chose sur Sainte-Beuve. J'ai en quelque sorte deux
articles bâtis en ma pensée (articles de revue). L'un
est un article de forme classique, l'essai de Taine en
moins bien. L'autre débuterait par le récit d'une matinée ; Maman viendrait près de mon lit et je lui racon-
terais l'article que je veux faire sur Sainte-Beuve, et je
le lui développerais. Qu'est-ce que vous trouvez de
mieux ?... » Il lui emprunta les sept volumes de *Port-
Royal.* « Non, je n'ai pas encore commencé *Sainte-
Beuve* et doute de pouvoir, mais je vous assure que ce
ne sera pas mal et j'aimerais que vous le lisiez... » Puis,
en 1909 : « Georges, je suis si épuisé d'avoir commencé
Sainte-Beuve (je suis en plein travail, détestable du
reste) que je ne sais ce que je vous écris... »

Le *Sainte-Beuve* fut-il jamais terminé ? On ne
trouve, dans les *Cahiers,* qu'une esquisse inachevée :
Sainte-Beuve et Baudelaire, qui semble être un fragment
d'un texte adressé à Madame Proust, car il commence
par ce paragraphe :

« Un poète qui écrit en prose (excepté naturellement
quand il y fait de la poésie, comme Baudelaire dans ses
petits poèmes et Musset dans son théâtre). Musset, quand

il écrit ses contes, ses essais de critique, ses discours d'académie, c'est quelqu'un qui a laissé de côté son génie, qui a cessé de tirer de lui des formes qu'il prend dans un monde surnaturel et exclusivement personnel à lui, et qui pourtant s'en ressouvient, nous en fait souvenir. Par moment, à un développement, nous pensons à des vers célèbres, invisibles, absents, mais dont la forme vague, indécise, semble transparente derrière des propos que pourrait cependant tenir tout le monde et leur donne une sorte de grâce et de majesté d'émouvante allusion. Le poète a déjà fui, mais, derrière les nuages, on aperçoit son reflet encore. Dans l'homme de la vie, des dîners, de l'ambition, il ne reste plus rien et c'est celui-là à qui Sainte-Beuve prétend demander l'essence de l'autre, dont il n'a rien gardé. *Je comprends que tu n'aimes qu'à demi Baudelaire. Tu as trouvé dans ses lettres, comme dans celles de Stendhal, des choses cruelles sur sa famille.* Et cruel, il l'est dans sa poésie, cruel avec infiniment de sensibilité, d'autant plus étonnant dans sa dureté que les souffrances qu'il raille, qu'il présente avec cette impassibilité, on sent qu'il les a ressenties jusqu'au fond de ses nerfs. Il est certain que, dans un poème sublime comme les *Petites Vieilles*, il n'y a pas une de leurs souffrances qui lui échappe... [1] »

Une partie de cette étude a été utilisée par Proust pour le : *A propos de Baudelaire* publié dans *Chroniques,* et une autre pour la préface de *Tendres Stocks*. La page qui précède, inédite, est intéressante non seulement par sa qualité, mais par son côté révélateur : « cruel avec infiniment de sensibilité » est vrai de Proust autant que de Baudelaire.

Mais le *Sainte-Beuve* et les *Pastiches* ne sont que des interludes. Le seul travail véritable, celui qui absorbe les années et les forces, c'est le roman. De quels éléments réels Proust disposait-il pour l'écrire ? Tout romancier, au moment où il établit les fondations de

---

1. Texte inédit. Collection de Madame Mante-Proust.

son œuvre, possède une réserve de matériaux, qu'il a emmagasinés au cours de sa vie. Ils les complétera ensuite par des enquêtes, par des conversations, mais il lui faut une base de départ. Pour Balzac, celle-ci était fort large puisqu'il possédait son expérience des affaires, les confidences de Madame de Berny, celles d'autres femmes, et surtout ses souvenirs de basoche. Que connaissait bien Proust ?

Un monde assez étroit. Le milieu d'Illiers : son père, sa grand-mère, sa mère et ses tantes ; le milieu de Paris : les médecins, les Champs-Elysées, quelques femmes d'abord du type Laure Hayman, puis Madame Straus, Madame de Chevigné ; les salons de Madame Greffulhe, de Madame de Beaulaincourt, de Madame Arman de Caillavet, le monde-monde ; par Auteuil et ses oncles Weil, un milieu juif ; par Cabourg et le tennis du Boulevard Bineau, des jeunes filles ; le peuple à peine représenté par sa vieille Félicie, par Antoine et Jean Blanc (domestiques du Professeur Proust), plus tard par Céleste et Odilon Albaret, quelques « liftiers » et chasseurs d'hôtel ; quelques souvenirs de régiment ; quelques commerçants de Combray. Une coupe très mince dans la société française. Mais cela importe peu. Il va exploiter son filon non en étendue, mais en profondeur, et d'ailleurs le sujet, en art, n'est rien. C'est avec trois pommes et une assiette que Cézanne a composé des chefs-d'œuvre.

Sur son univers limité, Proust a accumulé, bien qu'il s'en défende, beaucoup de notes. Depuis longtemps, peut-être depuis *Les Plaisirs et les Jours,* il pense à un grand ouvrage, encore mal défini. Il entrevoit sa toile de fond, quelques-uns de ses personnages. Il remplit des carnets. Rien n'est plus intéressant que d'y suivre le travail du romancier. On y trouve des indications, des remarques, des phrases retenues, des traits du lan-

gage particulier d'un être ; çà et là une idée, parfois
étiquetée : *Capital,* ou même : *Capitalissime.*

CARNETS

« Capitalissime pour le dernier cahier : certaines impressions agréables de grande chaleur, de jour frais, de voyage
me revenaient. Mais où les avais-je éprouvées ? Une nuit
recouvrait tous ces noms. Je me rappelais très bien que
j'étais avec Albertine. Elle-même s'en serait-elle souvenue ?
Notre passé glisse dans l'ombre. Pourtant, voyons, ce jour
si brûlant où elle allait peindre au frais dans une cavée...
Voyons, ce n'était pas *Incarville,* mais le nom ne devait pas
être très différent... Incar... Inc... Non, j'ai beau caresser la
nuit de mes souvenirs, aucune probabilité de nom n'apparaît.

§

« Demander à Monsieur Mâle, pour Tansonville, si les
moines ont des robes d'or pour offices de Noël et de Pâques.
Litanies.

§

« *Capital :* mettre dans l'hôtel le mot que les chasseurs
emploient au lieu de *livrée,* et aussi *employés* au lieu de
domestiques.

§

« *Pour Monsieur de Guermantes :* « Je vais distiller ce
régal ».

« *Pour Françoise :* « A cause que... En *errière...* »

« Faire employer par Bloch les mots *bouquin* et *bouqui-
ner.* »

§

« *Monsieur de Norpois :* « Inutile d'annoncer *urbi et
orbi...* »

« *Monsieur de Norpois :* « Il faudrait savoir se décider
rapidement, ce qui ne veut pas dire à la légère, ni à l'aveu-
glette. »

§

« Voir au verso de l'autre page quelque chose de capitalissime pour la mort de Bergotte. Rendez-vous avec la Mort. Elle vient. Buisson en plein ciel. Penser à mettre cette dictée dans mon testament. Ne pas oublier personne...

§

« Françoise, quand elle voulait savoir quelque chose de quelqu'un, elle ne questionnait pas, mais, d'un air souriant, timide, interrogateur et malin, elle disait : « Votre oncle avait peut-être sa villa à Nice ?... Il était peut-être propriétaire ?... » de sorte qu'on était obligé de répondre *Oui* ou *Non,* sans quoi on aurait eu l'air de mentir en affirmant implicitement le *peut-être* qui n'était pas vrai.

§

« Etienne de Beaumont et même Lucien (Daudet), mais surtout le premier, quand ils font parler une dame très chic, de la plus intime parenté ou de la plus étroite familiarité, disent, quand ils racontent quelque chose, qu'elle leur dit vingt fois par phrase : « Tu comprends, mon petit Etienne... Voyons, c'est bien simple, mon petit Lucien... »

§

« *Musique :* Ce corps-à-corps final de deux motifs, où l'on aperçoit par moment une partie de l'un où émerge une partie de l'autre.

§

« *Balzac :* Rencontre de Vautrin et de Rubempré près de la Charente. Langage de Vautrin à la Montesquiou : « Ce que c'est que de vivre seul... etc... » Sens physiologique de ces paroles... Vautrin s'arrêtant pour visiter la maison de Rastignac ; *Tristesse d'Olympio* de la pédérastie.

§

« Phrase émergeant pour la première fois d'un morceau, comme une figurante que l'on n'avait pas encore remarquée.

§

« Tout est fictif, laborieusement, car je n'ai pas d'imagination, mais tout est rempli d'un sens que j'ai longtemps porté en moi, trop longtemps, car ma pensée a oublié, mon cœur s'est refroidi, et j'ai façonné difficilement pour lui ces

livre, se termine par les catleyas, est annoncée par une scène semblable, mais un peu moins parfaite :

« *Carmen*. — Swann venait, désespéré, de regarder dans le dernier restaurant où elle eût pu songer et marchait la tête perdue, sans voir, quand il la cogna presque, qui remontait en voiture devant Durand. Elle poussa un léger cri de frayeur et il monta avec elle dans sa voiture. Elle fut un moment à se remettre, pendant que la voiture les entraînait, et avait une espèce de légère suffocation de frayeur. A ce moment le cheval, effrayé par un tramway, se dressa ; ils furent déplacés ; elle poussa un nouveau cri ; il lui dit : « Ce n'est rien », la maintint de son bras, lui dit : « Il n'y a rien eu », puis : « Surtout ne parlez pas, ne « me dites rien, ne me répondez que par signes pour ne « pas vous essouffler. Cela ne vous gêne pas que je laisse « mon bras contre vous, pour vous maintenir si le cheval « avait peur ? »

« Et il serrait sa main contre le cou de son amie. Elle, qui n'était pas habituée à ces façons, dit : « Mais non, cela « ne me gêne pas. — Oh ! surtout ne parlez pas, vous allez « recommencer à suffoquer ; faites-moi signe ; comme « cela, ma main ne vous gênerait pas ? » Et il la posait sur son cou, passait ses doigts avec délicatesse, comme sur des épaules, le long de sa joue qui était comme une grosse fleur trop rousse ; de l'autre main, il caressait ses genoux et il lui dit : « Je ne vous gêne toujours pas ? » Elle haussa légèrement les épaules comme pour dire : « Vous êtes « fou ! » et, sur son petit cou, dans sa petite tête parfumée et maussade de grosse fleur rose, ses yeux clairs brillèrent comme deux larmes. Il hésita un instant, la tête penchée, les yeux fixés sur elle ; il la regarda une dernière fois, comme s'il devait ne plus jamais la revoir, et de lui-même le petit cou s'inclina, et la petite tête comme si, trop mûre, elle était tombée d'elle-même, attirée par la force qui était en lui, s'inclina lentement sur ses lèvres [1]... »

1. Texte inédit. Appartient à Madame Mante-Proust.

La Duchesse de Guermantes est, au début des *Cahiers*, comtesse, et le Narrateur, son amant, l'embrasse, ce qui serait tout à fait invraisemblable dans le livre achevé :

« L'autre soir, ramenant d'une soirée la Comtesse dans cette maison où elle habite encore, où je n'habite plus depuis des années, tout en l'embrassant, j'éloignais sa figure de la mienne, pour tâcher de la voir comme une chose loin de moi, comme une image, comme je la voyais autrefois quand elle s'arrêtait dans la rue pour parler à la laitière. J'aurais voulu retrouver l'harmonie qui unissait le regard violet, le nez pur, la bouche dédaigneuse, la taille longue, l'air triste et, en gardant bien dans mes yeux le passé retrouvé, approcher mes lèvres et embrasser ce que j'aurais voulu embrasser alors. Mais hélas ! les visages que nous embrassons, les pays que nous habitons, les morts même que nous portons ne contiennent plus rien de ce qui nous fait souhaiter de les aimer, d'y vivre, trembler de les perdre. Cette vérité des impressions de l'imagination, si précieuse, l'art qui prétend ressembler à la vie, en la supprimant, supprime la seule chose précieuse. Et en revanche, s'il la peint, il donne du prix aux choses les plus vulgaires ; il pourrait en donner au snobisme si, au lieu de peindre ce qu'il est dans la société, c'est-à-dire rien, comme l'amour, le voyage, la douleur réalisés, il cherchait à le retrouver dans la couleur irréelle — seule réelle — que le désir des jeunes snobs met sur la Comtesse aux yeux violets qui part dans sa victoria, les dimanches d'été [1]... »

Scène où se mêlent étrangement la Duchesse de Guermantes et le baiser d'Albertine.

Phénomène plus surprenant encore : Monsieur de Norpois et Monsieur de Charlus, dans les *Cahiers*, sont longtemps le même homme qui, à la fois, donne au

---

1. Texte publié dans la revue SOLEIL (Paris, 1947). L'original appartient à Madame Mante-Proust.

Narrateur (dont c'est la première apparition) le conseil d'entrer dans la diplomatie ; lui tient, comme le Baron, des propos violents ; et finit, comme dans *Sodome et Gomorrhe,* par monter dans le fiacre d'un jeune cocher ivre. Ce personnage unique qui, par caryokinèse, donnera naissance à deux des plus beaux monstres de notre littérature (Charlus et Norpois), s'appelle Monsieur de Guray, puis Monsieur de Quercy. Avec le Narrateur, Monsieur de Quercy a, dans les *Cahiers,* une conversation trop proche du réel, trop peu transposée, qui semble née d'entretiens de Marcel avec Montesquiou, et aussi avec l'ambassadeur Nisard, qui patronnait alors, sans excès de zèle, à l'Académie des Sciences Morales et Politiques, la candidature du Docteur Proust :

« Monsieur », lui dis-je, « je ne peux pas vous répondre aussi vite. Votre proposition me remplit de joie. Les conditions que vous me posez, comme ne pas aller dans le monde, par exemple, ce n'est nullement un sacrifice. Mais il y a certaines choses que je voudrais pouvoir vous dire. » Et, regardant en moi-même, j'essayais de donner une forme verbale à des choses qui s'agitaient depuis longtemps obscurément dans mon cœur. « Ainsi, Monsieur, vous voulez m'orienter vers l'histoire, vers la diplomatie, la politique, l'action. Monsieur, j'ai bien des défauts, des travers dans ma vie, de la jeunesse, de la frivolité, et tout cela, que j'essaye de dompter, m'a empêché jusqu'ici de faire ce que je voudrais, qui est d'écrire. Mais je ne voudrais pas qu'au moment où peut-être je vais triompher de moi pour me livrer à ce qui est, je crois, ma vraie destination, une profession, des travaux, des obligations que je prendrais très au sérieux si elles me venaient de vous allaient me détourner par devoir, par sérieux, par vertu, par la vie, de ce dont j'ai été détourné jusqu'ici par le mal.

— En quoi cela vous empêchera-t-il d'écrire ? Vous écrirez des ouvrages d'histoire. Est-ce que Monsieur Guizot n'écrivait pas aussi bien que vous pourrez jamais espérer écrire ?

— Mais », dis-je timidement, « mais c'est de la littérature pure que je voudrais faire, roman ou poésie, je ne sais pas encore.

— Ah ! mon pauvre monsieur », s'écria Monsieur de G..., d'une voix sifflante, ironique et sur un ton méprisant, devant ma porte où nous étions arrivés, « vous vivez à une époque où le monde est transformé en bien par les découvertes de la science, en mal par les progrès de la démocratie des autres nations et même des autres races, et par les armements, où on ne sait pas en se couchant le soir si on sera réveillé le lendemain par les coups de fusil des Prussiens, ou des ouvriers, et même par l'invasion japonaise, où on a le téléphone et le télégraphe, où on n'a plus le temps d'écrire une lettre, et vous imaginez qu'on aura le temps de lire vos livres, et vous ne trouvez rien de plus intéressant que vos petites impressions et vos petites histoires personnelles ! Ah ! mon pauvre garçon, les Français sont bien les Français, ou plutôt bien des Byzantins et des Chinois, ces Chinois qui ne sont pas capables de combattre les Japonais, moins nombreux, parce qu'ils sont menés par des « lettrés » ! Qu'il y ait beaucoup de Français comme vous, et la France disparaîtra bientôt de la carte du monde. Comment ? Vous dites que vous aimez la littérature, le roman, c'est-à-dire des contre-façons plus ou moins plates de la vie, des suppositions plus ou moins inexactes à l'endroit des réalités que peu connaissent ; moi, je vous propose de vous montrer cette vie, de vous mettre la main à la pâte elle-même, de vous faire entrer dans le dessein des peuples et le secret des rois, et vous préférez rester à tremper votre plume dans votre encrier. Pour dire quoi ? Que savez-vous de la vie ? La littérature dont vous parlez, poésie et roman, ne vaut que dans la mesure où, comme la poésie de Monsieur Déroulède par exemple, elle excite les passions généreuses, le patriotisme ; c'était le rôle de la poésie antique, de celle que Platon laissait entrer dans sa République, ou bien où, sous la forme de roman, elle fait pénétrer certaines vérités de la vie. A ce titre, je lève en faveur de Balzac, ou du moins de certains de ses livres, un peu de l'interdit que je prononce contre la littérature. Il est certain qu'un ouvrage comme *Splendeurs et misères des courtisanes*, par exemple, contient des dessous d'une vérité telle que je ne peux pas en relire certaines pages sans admiration. Mais je vous défie bien, vous, ainsi que les trois quarts des lecteurs, de deviner cette vérité. Et, au lieu des parcelles de vérité qu'il y a là dedans, moi, je vous montrerai les trésors qu'il y a dans la vie. Un oiseau-mouche empaillé peut avoir de jolies couleurs, mais je crois que c'est plus intéressant de les chasser dans la forêt vierge.

— Monsieur », lui dis-je, « vous avez l'air d'avoir raison et je sais pourtant que je n'ai pas tort. D'ailleurs, vous ne parlez ici que pour le roman réaliste, vous laissez de côté toute la poésie de la nature.

— Mais, mon cher monsieur », reprit Monsieur de Quercy avec colère, « vous ne l'avez pas, la poésie de la nature ; j'y suis aussi sensible que vous. Ces couchers de soleil, et même ces levers, que vous lisez dans les livres des poètes qui ne les ont jamais regardés, moi, je puis les voir cent fois plus belles (*sic*) quand je me promène en forêt, en automobile ou à bicyclette, ou quand je vais à la chasse, ou quand je fais de grandes randonnées à pied... O mon petit ami ! » dit-il d'une voix redevenue douce, « quelles bonnes parties nous pourrions faire ensemble si vous n'étiez pas bête. Vous verriez que cela enfonce rudement tous vos poètes.

— Monsieur, ce n'est pas la même chose. Je ne vois pas très clair dans mon sentiment, qui est pourtant très fort, mais je crois que ce qui cause notre désaccord vient d'un malentendu et que, dans les romans comme dans la poésie, vous considérez la matière, le seul sujet de l'œuvre, qui peut être en effet le même que ce (que) vous voyez en promenade ou dans la vie des passions et des couleurs. »

Il m'arrêta : « Oh ! pas de sensibilité, je vous en prie. Quel esprit confus vous avez ! Ce n'est pas votre faute. Vous êtes un produit de la splendide éducation des collèges où on enseigne la métaphysique, qui est une science contemporaine de l'astrologie et de l'alchimie. Et puis il faut vivre, et la vie est chaque jour plus chère. Supposez que vous perciez dans les lettres, tenez, je vois les choses en bien, supposez que vous soyez un jour un de nos premiers écrivains, non seulement par le talent mais par la vogue, savez-(vous) que Monsieur Bourget, avec qui je dîne quelquefois chez la Princesse de Parme et qui est un homme de bonne compagnie, est obligé de travailler autrement plus qu'un ambassadeur pour gagner un peu moins et avoir en somme une vie moins agréable que la vie d'une ambassade ? Or, à son âge, il serait ambassadeur avec son intelligence, s'il avait suivi la voie diplomatique. Il a d'agréables relations, je ne dis pas. Il en aurait davantage et, à moins qu'il n'arrive à l'Académie, il aurait une toute autre situation dans le monde. Il arrive à un âge où la droite des maîtresses de maison est une chose qu'on apprécie. Somme toute, je crois qu'il serait plus heureux comme ambassadeur.

— Monsieur », lui dis-je, « j'ai peur de ne pas savoir m'expliquer. Si c'est notre vie extérieure, notre train de maison, notre situation mondaine, les honneurs de notre vieillesse qu'on regarde comme une chose réelle, et le reste, littérature ou diplomatie, les moyens d'y parvenir, vous avez cent fois raison. Mais la vraie réalité est quelque chose d'autre, quelque chose qui est dans notre esprit et, si c'est notre vie qui n'est qu'un outil, assez indifférent en lui-même quoique indispensable pour l'exprimer, gagner cent mille francs de rente en étant ambassadeur ou en faisant son œuvre, en écrivant son livre, ne peut nullement être mis sur le même plan [1]... »

Il y a, en ces esquisses, des éléments du Proust définitif, mais il y manque le fondu, le vernis du maître et, faute grave, le thème essentiel du livre (à savoir l'irréalité du monde extérieur, la réalité du monde de l'esprit) y est exposé de manière trop explicite. Dans

---

1. Texte inédit. Appartient à Madame Mante-Proust.

l'ouvrage achevé, ce thème sera suggéré par des symboles, deviné par transparence dans le filigrane de la pâte, noyé dans la masse sonore. Ces premiers essais nous aident à mesurer l'immense travail de l'auteur. La beauté du style de Proust n'est pas l'effet d'un don heureux, mais le résultat du constant effort d'un homme de grande culture, de goût exquis et de poétique sensibilité. A chaque page des *Cahiers,* il se donne à lui-même des conseils, il se pose des questions :

« Il vaudra peut-être mieux mettre le diplomate, le financier, le Club, etc., dans la partie où Charlus va chez Jupien. Il demandera des nouvelles de la guerre. Ce sera mieux.

§

« Penser à faire dire à Monsieur de Charlus, pendant la guerre : « Mais pensez qu'il n'y a plus de valets de pied, plus de garçons de café ! Toute la sculpture masculine a disparu. C'est un vandalisme encore plus grand que la destruction des Anges de Reims. Pensez que, comme télégraphiste, j'ai vu venir, moi, me porter une dépêche... une femme ! »

§

« Avant d'arriver à ceci, il faudra arranger les choses de la manière suivante :
« *Connaissez-vous les Verdurin ?* » à peu près comme dans le brouillon, jusqu'à la page intitulée Page[1] et, dans cette page, à cette phrase : « *Est-ce qu'on peut refuser quelque chose à un amour de petite femme comme cela ?* » mettre peut-être alors : *Le salon des Verdurin n'était pas...* et tout le morceau sur le salon. Puis suivre par ceci :
« La première impression causée par Swann chez les Verdurin fut excellente. Ce que l'amour de petite femme avait dit de ses relations avait fait craindre un « ennuyeux » à Madame Verdurin. Il n'en fut rien [2]... »

1. En blanc dans le texte.
2. Texte inédit. Appartient à Madame Mante-Proust.

Ainsi l'œuvre est construite par « morceaux » qui seront ensuite plaqués dans la masse en fusion, ou juxtaposés pour former une mosaïque, suivant un dessin préétabli. En quoi Proust ressemble à plusieurs des grands artistes qu'il admirait, et il en était conscient.

« Hugo », dit-il, « faisait d'admirables poèmes sans lien entre eux et appelait cela *La Légende des Siècles*, titre en regard duquel l'ouvrage est manqué, malgré les pièces admirables qu'il renferme, mais qui est lui-même une beauté. Balzac, qui, à force de regarder ses livres avec l'œil d'un étranger qui aurait la complaisance d'un père, de trouver à l'un la sublimité de Raphaël, à l'autre la simplicité de l'Evangile, s'avise tout à coup combien ce serait plus grand, plus sublime encore, s'il faisait revenir les mêmes personnages d'un livre à l'autre, et donne ainsi à sa *Comédie Humaine* une unité qui est peut-être factice, mais qui est un dernier et sublime coup de pinceau.. »

Tout ce que nous décelons, dans les *Carnets* et *Cahiers,* des procédés de travail de Proust, permet d'affirmer, d'une part, qu'il s'est servi de propos, de gestes, de pensées, de caractères observés par lui dans la vie pour composer ses personnages, mais aussi qu'aucune « clef » précise n'ouvrirait la porte du mystérieux édifice, parce que tout personnage du livre est fait de plusieurs personnages de la vie. Les notes des *Carnets* qui disent, à propos d'une phrase : « *Pour Bergotte ou Bloch* », montrent à quel point la marge d'indétermination demeurait large puisque deux personnages, qui nous paraissent différents jusqu'à être opposés, ont pourtant, aux yeux de Proust, une zone commune, si étroite soit-elle.

Sur ce sujet des « clefs » de l'œuvre, il faut avant tout citer le témoignage de Proust lui-même. Il est contenu dans une longue dédicace du *Côté de chez Swann* à Jacques de Lacretelle, qui lui avait posé là-dessus de légitimes questions : « ... Il n'y a pas de clefs pour les personnages de ce livre, ou bien il y en a huit ou dix pour un seul... Un instant, quand elle se promène près du Tir aux Pigeons, j'ai pensé, pour Madame Swann, à une cocotte admirablement belle de ce temps-là qui s'appelait Clo Mesnil. Je vous montrerai des photographies d'elle. Mais ce n'est qu'à cette minute-là que Madame Swann lui ressemble. Je vous le répète, les personnages sont entièrement inventés et il n'y a aucune clef... »

Aucune clef... C'est vrai au sens littéral : aucun personnage du livre n'est la copie d'un être réel : « Dans un ridicule, l'artiste voit une belle généralité ; il ne l'impute pas plus à grief à la personne observée que le chirurgien ne la mésestimerait d'être affectée d'un trouble assez fréquent de la circulation... » Des personnes successives posent pour lui le même amour, de sorte que lui-même, bien souvent, ne saurait plus dire quelles sont les créatures individuelles dont, un jour, il assimila une parole, un regard. « Un livre est un grand cimetière où, sur la plupart des tombes, on ne peut plus lire les noms effacés... » Il peut sembler sacrilège de continuer à peindre, d'après une autre, un sentiment que n'inspire plus celle qui fut le modèle au temps de l'esquisse, mais, littérairement, grâce à la similitude des passions, cela est non seulement légitime, mais nécessaire. C'est un privilège de l'artiste qui lui permet « de situer où il lui plaît un souvenir béni, de mettre à la page la plus secrète de son livre la triste pensée, mauve encore et jaune comme un soir d'orage apaisé, qu'il tint si longtemps contre son cœur ». Quelquefois, il fait reine une bergère ; ailleurs, pour mieux dérouter ceux qui le lisent, il transporte dans le milieu le plus médiocre le salon d'une duchesse. Tout déguisement lui est bon.

« D'où la vanité des études où l'on essaie de deviner

de qui parle un auteur. Car une œuvre, même de confession directe, est pour le moins intercalée entre
plusieurs épisodes de la vie de l'auteur : ceux, anté-
rieurs, qui l'ont inspirée ; ceux, postérieurs, qui ne lui
ressemblent pas moins, des amours suivantes les particularités étant calquées sur les précédentes... »

Mais ces principes généraux étant établis, et que nul
n'est le modèle *unique* d'un personnage, il n'en reste
pas moins que beaucoup ont posé pour une part de ce
caractère. Les lettres de Proust montrent qu'il ne
cachait pas à ses amis, quand cela était flatteur, qu'il
s'était servi d'eux. L'esprit de la Duchesse de Guermantes est fait, pour une part, de celui de Madame
Straus ct il attribue à Oriane des « mots » que Madame
Straus avait prononcés.

Marcel Proust à Madame Straus : « Tous les mots que
je voulais dire me manquaient. J'ai cité naturellement :
« *J'allais le dire !* » — « *Cambron* » — « *Si nous pouvions
changer d'innocent...* » — « *J'ai beaucoup entendu parler
de vous* » — « *Vous me mettez dans la situation de Chimène* » — « *Vous en avez donc ?* » et encore quelques autres.
Mais il faudrait que vous me rappeliez les autres, les
mieux... »

Le portrait de Madame de Chevigné dans *Les
Plaisirs et les Jours,* son profil d'oiseau, sa voix rauque
forment le support temporel et réel de la Duchesse. La
très belle Comtesse Greffulhe a posé pour la Princesse
de Guermantes. Charlus n'est pas Robert de Montesquiou, mais la véhémence de son langage et la dureté
pittoresque de son orgueil sont empruntés aux imitations que Proust faisait du poète, cependant que l'aspect
physique est celui d'un Baron Doazan, cousin de
Madame Aubernon et « assez dans ce genre ».
On a beaucoup dit que Swann était Charles Haas,

fils d'un agent de change, « choyé dans les salons fermés, pour sa grâce, son goût et son érudition », membre du Jockey-Club, enfant chéri des Greffulhe, ami du Prince de Galles et du Comte de Paris, et qui portait, comme Swann, une brosse rousse à la Bressant. Elisabeth de Gramont fait cette juste et curieuse remarque que Haas, en allemand, veut dire *lièvre,* et que Swann, *cygne,* transpose le nom avec élégance. Il est certain que Haas a fourni des traits de Swann, mais son érudition, superficielle, fut complétée par celle d'un autre israélite, Charles Ephrussi, fondateur de la *Gazette des Beaux-Arts.* Cependant Swann apparaît avant tout comme une incarnation de Proust lui-même, ainsi qu'on le voit si clairement dans les versions des *Cahiers* où Swann, jeune, est d'abord le héros des aventures qui deviendront ensuite celles du Narrateur. Plus tard (dit Benjamin Crémieux), Proust, éprouvant le besoin de peindre deux aspects de sa nature, et à la fois son hérédité juive et son hérédité chrétienne, s'est dédoublé en deux personnages : le Narrateur Marcel et Charles Swann, ce dernier ayant à la fois son amour du monde, sa jalousie morbide, ses amitiés aristocratiques et son goût des arts. Cela est confirmé par un texte inédit des *Cahiers* :

« Monsieur Swann... tel que je l'ai connu par moi-même, tel que je l'ai surtout connu plus tard par tout ce qu'on en a raconté, c'est un des hommes *dont je me sens le plus près* et que j'aurais pu le plus aimer. Monsieur Swann était juif. Il était, quoique beaucoup plus jeune, le meilleur ami de mon grand-père, qui pourtant n'aimait pas les Juifs. C'était chez lui une de ces petites faiblesses, un de ces préjugés absurdes comme il y en a précisément chez les natures les plus droites, les plus fermes pour le bien. Par exemple, le préjugé aristocratique chez un Saint-Simon, le préjugé contre les dentistes chez certains médecins, contre les comédiens chez certains bourgeois... »

On a écrit cent fois que Bergotte était Anatole
France, et certes Bergotte, à certains moments, est
proche d'Anatole France. Il l'est à la fois par la barbiche, par le nez en colimaçon et par le style, par « les
expressions rares, presque archaïques, qu'il aimait
employer à certains moments où un flot caché d'harmonie, un prélude intérieur soulevait son style ; et
c'était aussi à ces moments-là qu'il se mettait à parler
du « vain songe de la vie », de « l'inépuisable torrent
des belles apparences », du « tournant stérile et délicieux de comprendre et d'aimer », des « émouvantes
effigies qui anoblissent à jamais la façade vénérable et
charmante des cathédrales » ; qu'il exprimait toute
« une philosophie nouvelle pour moi par de merveilleuses images dont on aurait dit que c'étaient elles qui
avaient éveillé ce chant de harpes qui s'élevait alors et
à l'accompagnement duquel elles donnaient quelque
chose de sublime... » Cela, c'est France ; mais Bergotte
est aussi Renan lorsque, rencontrant le nom d'une
célèbre cathédrale, il interrompt son récit « et, dans
une invocation, une apostrophe, une longue prière,
donne libre cours à ces effluves qui, jusqu'alors, restaient
intérieurs à sa prose ». Mais, ailleurs encore, Bergotte
est Proust lui-même, et le récit de la mort de Bergotte
est modelé sur une indigestion qu'eut Marcel en visi-
tant, avec Jean-Louis Vaudoyer, au Jeu de Paume, une
exposition de peintres hollandais.

Laure Hayman, alors septuagénaire, fut très froissée
par le portrait d'Odette de Crécy, qui tenait d'elle la
manie d'employer des mots anglais ; qui, comme elle,
habitait Rue La Pérouse ; mais Proust se défendit et,
semble-t-il, de bonne foi :

« Odette de Crécy, non seulement n'est pas vous, mais
est exactement le contraire de vous. Il me semble qu'à
chaque mot qu'elle dit cela se devine avec une force

d'évidence... J'ai mis, dans le salon d'Odette, toutes les fleurs très particulières qu'une « dame du côté de Guermantes », comme vous dites, a toujours dans son salon. Elle a reconnu ces fleurs, m'a écrit pour me remercier et n'a pas cru une seconde qu'elle fût pour cela Odette. Vous me dites... que votre « cage » (!) ressemble à celle d'Odette. J'en suis bien surpris. Vous aviez un goût d'une sûreté, d'une hardiesse ! Si j'avais le nom d'un meuble, d'une étoffe à demander, je m'adresserais volontiers à vous, plutôt qu'à n'importe quel artiste. Or, avec beaucoup de maladresse peut-être, mais enfin de mon mieux, j'ai au contraire cherché à montrer qu'Odette n'avait pas plus de goût en ameublement qu'en autre chose, qu'elle était toujours (sauf pour la toilette) en retard d'une mode, d'une génération. Je ne saurais décrire l'appartement de l'Avenue du Trocadéro, ni l'hôtel de la Rue La Pérouse, mais je me souviens d'eux comme du contraire de la maison d'Odette. Y eût-il des détails communs aux deux, cela ne prouverait pas plus que j'ai pensé à vous en faisant Odette que dix lignes, ressemblant à un Monsieur Doasan, enclavées dans la vie et le caractère d'un de mes personnages auquel plusieurs volumes sont consacrés, ne signifient que j'aie voulu peindre Monsieur Doasan. J'ai signalé, dans un article des *Œuvres Libres,* la bêtise des gens du monde qui croient qu'on fait entrer ainsi une personne dans un livre... Hélas ! est-ce que je vous surfaisais ? Vous me lisez et vous vous trouvez une ressemblance avec Odette ! C'est à désespérer d'écrire des livres. Je n'ai pas les miens très présents à l'esprit. Je peux cependant vous dire que, dans *Du côté de chez Swann,* quand Odette se promène en voiture aux Acacias, j'ai pensé à certaines robes, mouvements, etc., d'une femme qu'on appelait Clo Mesnil et qui était bien jolie, mais, là encore, dans ses vêtements traînants, sa marche lente devant le Tir aux Pigeons, tout le contraire de votre genre d'élégance. D'ailleurs, sauf à cet instant (une demi-page peut-être), je n'ai pas pensé à Clo Mesnil une seule fois en parlant d'Odette. Dans un prochain volume, Odette aura épousé un « noble », sa fille deviendra proche parente des Guermantes, avec un grand titre. Les femmes du monde ne se font aucune idée de ce qu'est la création littéraire, sauf celles qui sont remarquables. Mais, dans mon souvenir, vous étiez justement remarquable. Votre lettre m'a bien déçu... »

Diplomatie ? Peut-être, mais croire que le romancier puisse faire un caractère vivant d'une seule personne réelle, c'est montrer que l'on ignore tout de la technique du roman. Balzac pensait que, d'une part, les plus grands livres : *Manon Lescaut, Corinne, Adolphe, René,* contiennent tous des éléments d'autobiographie, mais que « la tâche d'un historien des mœurs consiste à fondre les faits analogues dans un seul tableau. Souvent, il est nécessaire de prendre plusieurs caractères pour arriver à en composer un seul, de même qu'il se rencontre des originaux où le ridicule abonde si bien qu'en les dédoublant ils fournissent deux personnages ». Telle est aussi la technique proustienne.

Ainsi, vers 1905, Marcel Proust, après vingt années de lectures, d'observations, de patientes études sur le style des maîtres, se trouvait en possession d'un fonds immense de notes, de morceaux, de portraits et d'images. Lentement, nés de ses amitiés et de ses haines, des personnages s'étaient formés en lui, se nourrissaient de ses expériences et devenaient pour lui plus vivants que des vivants. Au cours de ses longues insomnies, il avait tiré de ses souffrances et de ses faiblesses une philosophie originale qui allait lui donner, pour un roman, un sujet merveilleux et neuf. Sur ces immenses paysages sentimentaux, la lointaine lumière du paradis perdu jetait un jour oblique et doré, qui parait de poésie toutes les formes. Restait à orchestrer cette riche matière mélodique et à faire, de tant de fragments, une œuvre.

CHAPITRE VI

LA RECHERCHE DU TEMPS PERDU

> — Vous croyez à la vie éternelle dans l'autre
> monde ?
> — Non, mais à la vie éternelle dans celui-
> ci. Il y a des moments où le temps s'arrête
> tout à coup pour faire place à l'éternité.
>
> DOSTOÏEVSKY.

I

LE SUJET ET LES THÈMES

COMMENT Proust concevait-il cette œuvre « aussi longue que les *Mille et une Nuits* ou les *Mémoires* de Saint-Simon » ? Qu'avait-il à dire qui lui parût assez important pour y sacrifier tout le reste ? A ce qu'il avait publié jusqu'alors, ses amis eux-mêmes n'avaient pas compris grand'chose. On l'avait cru occupé à décrire des dames à salon, ou à étudier au microscope des sentiments infiniment petits, alors que ce disciple de Darlu et de Bergson cherchait à exprimer dans un roman, qui serait une somme, toute une philosophie.

Il a dit, dans une lettre que cite la Princesse Bibesco, que son rôle est analogue à celui d'Einstein, et il est vrai qu'il avait beaucoup des vertus du savant : la précision de l'observation, l'honnêteté devant les faits, et surtout la volonté de découvrir des lois. Ce mystique était un positiviste. Entre tous les personnages qui composaient son individu, celui qui lui paraissait avoir la vie la plus tenace était un certain philosophe « qui n'est heureux que quand il a découvert entre deux œuvres, entre deux sensations », entre deux êtres, « des parties communes ». Quelles sont ces parties communes, ces lois de l'espèce, et quels vont être les thèmes de l'immense symphonie de Proust ?

Le premier, celui sur lequel il commencera et terminera son œuvre, c'est le thème du Temps. Proust est obsédé par la fuite des instants, par le perpétuel écoulement de tout ce qui nous entoure, par la transformation qu'apporte le temps dans nos corps et dans nos pensées. « Comme il y a une géométrie dans l'espace, il y a une psychologie dans le temps. » Tous les êtres humains, qu'ils l'acceptent ou non, sont plongés dans le temps et emportés par le courant des jours. Toute leur vie est une lutte contre le temps. Ils voudraient s'attacher à un amour, à une amitié, mais ces sentiments ne peuvent surnager qu'accrochés à des êtres qui eux-mêmes se désagrègent et sombrent, soit qu'ils meurent, soit qu'ils glissent hors de notre vie, soit que nous-mêmes changions. L'oubli des profondeurs monte lentement autour des plus beaux et des plus chers souvenirs. L'heure viendra où, rencontrant une grosse dame qui nous sourira, nous chercherons en vain dans ses traits un nom que nous ne trouverons plus, jusqu'au moment où elle se nommera et où nous reconnaîtrons en elle la jeune fille que nous avons le plus aimée. Le temps détruit non seulement les êtres, mais les sociétés, les mondes, les empires. Un pays est déchiré par des passions politiques, comme la France au temps de l'Affaire Dreyfus ; les amis se brouillent, les familles se divisent ; chacun croit ses passions absolues, éternelles, mais le courant implacable emporte vainqueurs et vaincus, et tous se retrouvent vieillis, proches de la mort, apaisés par la faiblesse, autour de leurs passions refroidies et d'une lave durcie, inoffensive. Et « les maisons, les avenues, les routes sont fugitives, hélas ! comme les années ». C'est en vain que nous retournons aux lieux que nous avons aimés ; nous ne les reverrons jamais parce qu'ils étaient situés, non dans l'espace, mais dans le temps, et que l'homme qui les cherchera ne sera plus l'enfant ou l'adolescent qui les parait de son ardeur.

Le philosophe classique suppose « que notre personnalité est faite d'un noyau invariable, sorte de statue spirituelle », qui subit comme un roc les assauts du monde extérieur. Tel est l'homme de Plutarque, celui de Molière, et même celui de Balzac. Mais Proust montre que l'individu, plongé dans le temps, se désagrège. Un jour, il ne restera plus rien en lui de l'homme qui a aimé, ou qui a fait une révolution. « Ma vie m'apparut », dit Marcel, « offrant une succession de périodes dans lesquelles, après un certain intervalle, rien de ce qui soutenait la précédente ne subsistait plus dans celle qui la suivait — comme quelque chose de si dépourvu du support d'un moi individuel, identique et permanent, quelque chose de si inutile dans l'avenir, et de si long dans le passé, que la mort pourrait aussi bien en terminer le cours ici ou là, sans nullement le conclure, comme ces cours d'Histoire de France qu'en rhétorique on arrête indifféremment, selon la fantaisie des programmes ou des professeurs, à la révolution de 1830, à celle de 1848, ou à la fin du Second Empire... »

Ces nouveaux *moi* sont parfois si différents qu'ils devraient porter un autre nom. On verra, dans le roman, Swann, Odette, Gilberte, Bloch, Rachel, Saint-Loup, passant successivement sous les projecteurs des âges et des sentiments, en prendre les couleurs comme ces danseuses dont la robe est blanche, mais qui paraissent tour à tour jaunes, vertes ou bleues. « Le temps dont nous disposons chaque jour est élastique ; les passions que nous ressentons le dilatent, celles que nous inspirons le rétrécissent, et l'habitude le remplit... » Notre *moi* amoureux ne peut même pas imaginer ce que sera notre *moi* non amoureux ; notre *moi* jeune rit des passions des vieillards, qui seront les nôtres lorsque nous entrerons dans le faisceau du projecteur de la vieillesse. En vérité, « la désagrégation du moi est une mort continue », et « la stabilité de nature que nous prêtons à autrui est aussi fictive que la nôtre ».

Tel est le Proust réaliste, scientifique, qui constate et scrupuleusement enregistre la destruction des êtres par le Temps ; mais, parmi les philosophes qu'il porte en lui, il y a aussi un philosophe idéaliste, un métaphysicien malgré lui, qui n'accepte pas cette idée de la mort totale de ses personnalités successives, de la discontinuité du *moi,* parce qu'il a eu, en certains instants privilégiés, « l'intuition de lui-même comme être absolu ». Il y a antinomie entre son angoisse à sentir que tout s'écroule, et les hommes comme les choses, et lui-même comme les autres hommes, et sa certitude intime qu'il y a en lui quelque chose de permanent et même d'éternel. Cette certitude, Proust l'a éprouvée en des instants très courts où, soudain, un moment du passé devenait réel et où il découvrait que ces spectacles, ces sentiments qu'il croyait abolis devaient de toute évidence avoir été conservés en lui puisqu'ils étaient capables de réapparaître.

Nos *moi* anciens ne se perdent pas, corps et âmes, puisqu'ils peuvent revivre dans nos songes et parfois même à l'état de veille. Chaque matin, quand nous nous réveillons, après quelques instants de confusion où nous flottons encore dans le ciel des rêves, nous retrouvons notre identité ; c'est donc que nous ne l'avions jamais perdue. Proust, vers la fin de sa vie, pouvait

entendre le « tintement rebondissant, ferrugineux, interminable, criard et frais de la petite sonnette » qui,
dans son enfance, annonçait le départ de Swann. Et
c'était bien la *même* sonnette qui tintait, après tant
d'années, puisque, pour en retrouver le son exact, c'était
en lui-même qu'il était obligé de redescendre. Ainsi le
temps ne meurt pas entièrement, comme il en a l'air,
mais il demeure incorporé en nous. Nos corps, nos
esprits sont des réservoirs de temps. D'où l'idée, géné-
ratrice de toute l'œuvre de Proust, de partir à la recherche du temps qui semble perdu et qui, pourtant, est là,
prêt à renaître.

Cette recherche ne peut se faire qu'en nous. Aller
revoir les lieux que l'on a aimés, aller chercher des
souvenirs dans le monde réel sera toujours décevant.
Le monde réel n'existe pas. Nous le faisons. Lui aussi
passe sous les projecteurs de nos passions. Un homme
amoureux jugera divin un pays que tout autre trouverait hideux. Un homme passionné, qu'il soit amoureux
ou partisan, ressemble à celui qui, porteur de verres
bleus, affirmerait de bonne foi que le monde est bleu.
Aussi Proust s'intéresse-t-il assez peu à des « réalités »
qui demeurent inconnaissables et s'attache-t-il à décrire
des impressions, ce qui est la seule manière pour
l'artiste de faire connaître au spectateur le monde tel
que le voit un autre. Il n'y a pas un univers, il y en a
des millions, « presque autant qu'il existe de prunelles
et d'intelligences humaines qui s'éveillent tous les
matins ». C'est nous, c'est notre désir, notre culture qui
donnons leur forme, ou leur prix, aux êtres et aux
choses. Ce qui importe à Proust, après 1905, c'est non
le monde que l'on dit à tort « réel », celui du Boulevard Haussmann et du Ritz, mais seulement celui qu'il
retrouve dans ses souvenirs. La seule forme de constance du *moi*, c'est la mémoire. La recréation par la
mémoire d'impressions qu'il faut ensuite approfondir,

éclairer, transformer en équivalents d'intelligence est
l'essence même de l'œuvre d'art.

Donc, premier thème : *le Temps,* qui détruit.
Deuxième : *la Mémoire,* qui conserve. Mais il ne s'agit
pas de n'importe quelle forme de mémoire. Il y a une
mémoire volontaire, qui est fille de l'intelligence. C'est
celle qui nous fait monter et descendre avec méthode
les escaliers infinis du temps, en cherchant à y remettre
à leur place exacte les événements et les images. Peine
perdue que de chercher à évoquer ainsi le passé. Les
renseignements que la mémoire volontaire donne sur le
passé ne conservent rien de lui. Est-il donc mort à
jamais ? Pas nécessairement.

« Je trouve très raisonnable, dit Proust, la croyance
celtique que les âmes de ceux que nous avons perdus
sont captives dans quelque être inférieur, dans une bête,
un végétal, une chose inanimée, perdues en effet pour
nous jusqu'au jour, qui pour beaucoup ne vient jamais,
où nous nous trouvons passer près de l'arbre, entrer en
possession de l'objet qui est leur prison. Alors elles
tressaillent, nous appellent, et, sitôt que nous les avons
reconnues, l'enchantement est brisé. Délivrées par nous,
elles ont vaincu la mort et reviennent vivre avec
nous... »

Il en est ainsi de notre passé, qui continue de vivre
dans un objet, dans une saveur, dans une odeur, et si
nous pouvons quelque jour, par hasard, donner à nos
souvenirs le support d'une sensation présente, alors ils
reprennent vie comme les morts, dans Homère, quand
ils ont bu le vin des sacrifices, retrouvent un corps et
une chair.

« Ne pas oublier, écrit Proust dans un de ses *Carnets,*
qu'il est un motif qui revient dans ma vie, plus important que celui de l'amour d'Albertine, et peut-être
assimilable au chant du coq du Quatuor de Vinteuil,
finissant par l'éternel matin, c'est le motif de la ressou-

venance, matière de la vocation artistique... Tasse de thé, arbres en promenade, clochers, etc. »

Lorsque, plongeant une petite madeleine dans du thé, à l'instant même où la gorgée mêlée des miettes du gâteau touche son palais, il tressaille, attentif à ce qui se passe d'extraordinaire en lui : « Un plaisir délicieux m'avait envahi, isolé, sans la notion de sa cause. Il m'avait aussitôt rendu les vicissitudes de la vie indifférentes, ses désastres inoffensifs, sa brièveté illusoire, de la même façon qu'opère l'amour, en me remplissant d'une essence précieuse ; ou plutôt cette essence n'était pas en moi, elle était moi. J'avais cessé de me sentir médiocre, contingent, mortel. D'où avait pu me venir cette puissante joie ? »

Et, tout d'un coup, un souvenir lui apparaît, celui du petit morceau de madeleine que, le dimanche matin, quand il était enfant, sa Tante Léonie lui offrait après l'avoir trempé dans une infusion de thé ou de tilleul. « Mais, quand d'un passé ancien rien ne subsiste après la mort des êtres, après la destruction des choses, seules, plus frêles mais plus vivaces, plus immatérielles, plus persistantes, plus fidèles, l'odeur et la saveur restent encore longtemps, comme des âmes, à se rappeler, à attendre, à espérer sur la ruine de tout le reste, à porter sans fléchir, sur leur gouttelette presque impalpable, l'édifice immense du souvenir... » Dès qu'il a reconnu ce goût, toute son enfance surgit, non plus sous forme de souvenirs intellectuels et vidés de toute vigueur, mais solide, vivante et toute chargée encore des émotions qui lui donnaient tant de charme.

A ce moment, le temps est retrouvé et, du même coup, il est vaincu, puisque tout un morceau du passé a pu devenir un morceau du présent. Aussi de tels instants donnent-ils à l'artiste le sentiment d'avoir conquis l'éternité. Cette « nuance nouvelle de la joie, cet appel vers une joie supraterrestre », il ne les oubliera jamais. D'autres écrivains l'avaient pressentie (Chateaubriand, Nerval, Musset), mais aucun écrivain avant Proust n'avait pensé à faire, de tels couples sensation-souvenir, la matière même de son œuvre. Le sujet central de son roman ne sera ni la peinture d'une certaine société française à la fin du dix-neuvième siècle, ni une nouvelle analyse de l'amour (et c'est pourquoi il est bien fou de dire que l'œuvre de Proust ne survivra pas parce que cette société a disparu, ou parce que les mœurs amoureuses ont changé), mais la lutte de l'Esprit contre le Temps, l'impossibilité de trouver dans la vie réelle un point fixe auquel le *moi* se puisse accrocher, le devoir de trouver ce point fixe en soi-même, la possibilité de le trouver dans l'œuvre d'art. Voilà le thème essentiel, profond et neuf, de la *Recherche du Temps Perdu.*

II

LE PLAN DU LIVRE

Dès qu'il eut abandonné l'idée d'écrire, sur le seul personnage de Swann, un roman objectif, Proust dut entrevoir, dans une brève intuition analogue à celle qu'il décrit à la fin du *Temps retrouvé,* et tel l'architecte qui, avant même d'en commencer le dessin, imagine l'édifice qu'il veut bâtir, un vaste roman à demi autobiographique, construit, non comme les romans ordinaires en suivant l'ordre du temps spatial et social, mais selon les lois du monde de l'esprit, ou du souvenir, monde magique « où l'espace et le temps sont abolis ». On imagine qu'il dut alors penser tant aux *Praeterita* de Ruskin, à certains romans de Thomas

Hardy (*La Bien-Aimée*), et de George Eliot (*Le Moulin sur la Floss*), qu'à l'art de Wagner sur lequel on trouve, dans les *Cahiers,* de si nombreuses pages. La composition par thèmes n'est pas moins rigoureuse que la composition linéaire des romanciers classiques. La grande œuvre de Proust a, il faut le répéter, la simplicité et la majesté d'une cathédrale. Les ornements des chapiteaux, les figures des vitraux, les saints des portails, la lumière diffuse, le murmure des orgues en font un monde, mais les grandes lignes de la nef n'en demeurent pas moins claires et simples.

Marcel Proust à Jean de Gaigneron : « Et, quand vous me parlez des cathédrales, je ne peux pas ne pas être ému d'une intuition qui vous permet de deviner ce que je n'ai jamais dit à personne et que j'écris ici pour la première fois : c'est que j'avais voulu donner à chaque partie de mon livre le titre : *Porche, Vitraux de l'abside,* etc., pour répondre d'avance à la critique stupide qu'on me fait de manquer de construction dans des livres où je vous montrerai que le seul mérite est dans la solidité des moindres parties. J'ai renoncé tout de suite à ces titres d'architecture parce que je les trouvais trop prétentieux, mais je suis touché que vous les retrouviez par une sorte de divination de l'intelligence [1]... »

Cette lettre est de 1919, mais le lecteur qui lisait, en 1913, *Du côté de chez Swann,* ne pouvait comprendre le plan d'ensemble, non plus que le visiteur qui aborderait la cathédrale de Rouen par le Portail des Libraires. Au contraire, le lecteur qui, l'œuvre finie, y trouve tant de symétrie secrète, tant de détails qui d'une aile à l'autre se répondent, tant de pierres d'attente posées dès le début des travaux pour porter de futures ogives, admire que l'esprit de Proust ait conçu, comme d'un

---

1. Lettre communiquée par le Comte Jean de Gaigneron.

bloc, cet édifice géant. Tel personnage qui, dans le premier volume ne fait qu'apparaître, comme ces thèmes qui, esquissés dans un prélude, deviennent ensuite la symphonie elle-même et s'amplifient jusqu'à dominer de leurs fauves trompettes le fond sonore, va devenir l'un des protagonistes. Enfant, le Narrateur aperçoit, chez son oncle, une Dame en Rose dont il ne sait rien ; elle sera Miss Sacripant, Odette de Crécy, Madame Swann, Madame de Forcheville. Il y a, dans le petit clan des Verdurin, un peintre que tout le monde appelle « Biche » et dont rien ne permet de penser qu'il ait du talent ; il sera le grand Elstir des *Jeunes filles en fleurs*. Le Narrateur rencontre, dans une maison de passe, une fille facile offerte à tous ; elle deviendra la Rachel adorée de Saint-Loup, puis l'une des actrices les plus illustres de son temps. De même que, lorsqu'il veut amener l'une de ses métaphores prolongées, Proust prélude en glissant dans la phrase qui la précède quelques mots qui déjà annoncent la tonalité, ainsi les thèmes essentiels de l'œuvre sont indiqués dans *Swann* pour revenir, renforcés, dans le *Temps retrouvé*.

Ainsi des arches immenses s'appuient sur le premier volume et viennent retomber gracieusement dans le dernier. Au thème de la petite madeleine de *Swann* répondront, par-dessus des milliers de pages, ceux des pavés mal équarris et de la serviette amidonnée. Il nous faut indiquer ces courbes qui dessinent et portent l'œuvre. Celle-ci commence par un prélude sur le sommeil et le réveil, parce que c'est en de tels moments que la réversibilité du temps, la dissociation du *moi* et sa secrète permanence sont le plus aisément perceptibles. Choses, pays, années, tout, autour du Narrateur, tourne dans l'obscurité. Nous voici préparés à errer parmi ses souvenirs.

Alors le rideau se lève sur l'épisode de la petite madeleine, première entrée du thème de la mémoire

involontaire et de la reconstitution par elle du temps
à l'état pur. Ainsi se trouve évoquée l'enfance du Narrateur, et le monde provincial de Combray sort tout
entier de la tasse de thé où a été trempée la petite
madeleine. Les caractères essentiels de ce monde
enchanté de l'enfance, c'est : *a*) qu'il est peuplé de
génies puissants et bons, qui veillent sur la vie et la
rendent heureuse (la grand-mère, la mère) ; *b*) que
tout y semble magique et beau : lectures, promenades,
arbres, église, côté de Méséglise et côté de Guermantes ;
sonnette ferrugineuse, interminable, criarde et fraîche
de la porte qui annonce l'arrivée ou le départ de
Swann ; nymphéas de la Vivonne ; aubépines du raidillon ; ce ne sont que merveilles ; *c*) que l'enfant est
entouré de mystères ; mot et *noms* lui semblent désigner
des personnages semblables à ceux des romans et des
contes.

Le nom de Guermantes, qui est celui de la famille
aristocratique du voisinage, dont le château donne son
nom au « côté de Guermantes », évoque Geneviève de
Brabant et des beautés héraldiques ; celui de Gilberte,
fille de Swann, appelle l'amour, parce que le Narrateur
n'est pas autorisé à voir cette petite fille, Odette, femme
de Swann, mais ancienne « cocotte », n'étant pas reçue
par les familles bourgeoises et rigoristes de Combray.
Gilberte se trouve donc investie du prestige de l'inaccessible.

La vie du Narrateur va être une longue poursuite de
ce qu'il y a derrière ces noms. Il aura le désir de voir
ce que cache celui de Guermantes ; il voudra pénétrer
dans ce monde fermé et deviendra par là, pour un
temps, vulnérable au snobisme. Il poursuivra l'amour
et Gilberte, qu'il va revoir à Paris, aux Champs-Elysées,
en sera sa première expérience enfantine. Il vivra dans
l'espoir de connaître certains lieux : Balbec, Venise, et
de voir certains spectacles : par exemple une actrice

géniale, la Berma, dans *Phèdre*. Et sans le savoir, il va
chercher aussi autre chose, un état plus beau et plus
durable, un état de grâce qu'il entreverra en de très
brefs moments où il sentira qu'il a le devoir de fixer
l'instant par des mots (les trois clochers, les trois
arbres).

Ici se place un interlude, qui est comme un petit
roman isolé : *Un Amour de Swann,* reste sans doute
de l'édifice antérieur, conçu au moment où Swann
devait être le héros du livre tout entier et qui demeure,
comme parfois survit, dans la crypte d'une cathédrale
gothique, le temple païen ou l'église romane qui la
précéda dans le même lieu. Là nous apprenons ce qu'a
été, avant la naissance du Narrateur, l'amour de Swann
pour Odette. Amour malheureux (car tout amour, selon
Proust, est malheureux, et nous verrons pourquoi),
passion qui décrit cette courbe de l'enchantement à la
souffrance, et de la souffrance à l'oubli, que nous étu-
dierons plus tard. Mais Swann, comme le Narrateur, a
quelquefois le fugitif espoir d'atteindre une réalité plus
belle et plus durable. A lui aussi, ce sont des sentiments
esthétiques qui ouvrent cette porte sur une forme d'éternité ; mais comme Swann n'est pas un créateur, c'est,
non en écrivant, mais en entendant certaines musiques,
ou en voyant certains tableaux, qu'il passe au-delà du
Temps. Thème de la « petite phrase » de la Sonate de
Vinteuil, « légère, apaisante et murmurée comme un
parfum ».

Ensuite, nous revenons au Narrateur. Raconter après
lui tout le roman serait l'exercice le plus vain. Ce qui
importe, c'est d'en comprendre la construction et le
dessein. C'est, en somme, l'histoire de la découverte par
Marcel de tout ce qui était caché derrière les noms, de
son effort pour conquérir ce qu'il a tant désiré, de ses
inévitables et totales déceptions. Il a passionnément
désiré l'amour de Gilberte Swann ; il a souhaité parti-

ciper au mystère délicieux de sa vie ; or il devient le familier de Swann ; mais déjà Gilberte ne l'aime plus et, après avoir beaucoup souffert — car les enfants ont autant de peines d'amour que les adultes, — il l'oublie si complètement que, plus tard, quand il la rencontrera, jeune fille, il ne reconnaîtra même pas celle qui, au temps des Champs-Elysées, avait été tout pour lui.

Second amour : la « petite bande » des jeunes filles de Balbec. Là aussi le mystère, la curiosité lui font espérer un bonheur caché. Une fois encore, la petite bande, connue, lui paraîtra médiocre et vulgaire, et la jeune fille qu'il y avait choisie, Albertine Simonet, ne sera vraiment aimée que plus tard, lorsqu'un nouveau mystère et de nouvelles souffrances l'auront à nouveau rendue désirable.

Troisième amour : la Duchesse de Guermantes, car celle qui était à Combray l'héroïne d'un conte de fées, à Paris deviendra la propriétaire et la voisine de Marcel. Peu à peu, son désir de pénétrer dans ce monde fermé sera satisfait. Il en deviendra, comme Swann, le commensal, mais ce sera pour en reconnaître la vanité, l'égoïsme et la cruauté. Le monde, comme l'amour, n'a de prix que dans le désir — ou dans le souvenir.

Ainsi le Temps dévore peu à peu tout ce qui avait été l'espoir d'une vie et tout ce qui en faisait la grandeur. L'amour filial lui-même finit par être attaqué par le Temps, et le Narrateur, après la mort de sa grand-mère, constate avec désespoir que « les intermittences du cœur » (c'est-à-dire les périodes d'oubli) deviennent de plus en plus longues. Pendant des semaines, des mois, des années, il oublie sa grand-mère comme il avait oublié Gilberte. Les lieux eux-mêmes sont peu à peu dépoétisés. Balbec n'est plus qu'un « pays de connaissance » et « les mêmes noms de lieux, si troublants pour moi jadis que le simple *Annuaire des Châteaux*, feuilleté au chapitre du département de la

Manche, me causait autant d'émotion que l'*Indicateur
des Chemins de Fer,* m'étaient devenus si familiers que
cet Indicateur même, j'aurais pu le consulter à la
page : *Balbec-Douville par Doncières* avec la même
heureuse tranquillité qu'un dictionnaire d'adresses. Dans
cette allée trop sociale aux flancs de laquelle je sentais
accrochés, visibles ou non, une compagnie d'amis nombreux, le poétique cri du soir n'était plus celui de la
chouette ou de la grenouille, mais le « Comment va ? »
de Monsieur de Criquetot, ou le : « Kaire » de Brichot.
L'atmosphère n'y éveillait plus d'angoisses et, chargée
d'effluves purement humains, y était aisément respirable, trop calmante même... »

Venise, connue, ne sera plus la Venise de Ruskin, et
Combray même, le Combray de la Vivonne et de Misé-
glise, des lilas de Swann et du clocher de Saint-Hilaire,
perdra la magique beauté des amours enfantines. Un
jour, il s'y promènera avec Gilberte, mariée, devenue
Madame de Saint-Loup : « Et j'étais désolé de voir
combien peu je revivais mes années d'autrefois. Je
trouvais la Vivonne mince et laide, au bord du chemin
de halage. Non pas que je relevasse des inexactitudes
bien grandes dans ce que je me rappelais. Mais, séparé
des lieux qu'il m'arrivait de retraverser par toute une
vie différente, il n'y avait pas entre eux et moi cette
contiguïté d'où naît, avant même qu'on s'en soit
aperçu, l'immédiate, délicieuse et totale déflagration du
souvenir. Ne comprenant pas bien, sans doute, quelle
était sa nature, je m'attristais de penser que ma faculté
de sentir et d'imaginer avait dû diminuer pour que je
n'éprouvasse pas plus de plaisir dans ces promenades.
Gilberte elle-même, qui me comprenait encore moins
bien que je ne faisais moi-même, augmentait ma tristesse en partageant mon étonnement : « Comment ?
Cela ne vous fait rien éprouver », me disait-elle, « de
prendre ce petit raidillon que vous montiez autrefois ? »

Et elle-même avait tant changé que je ne la trouvais plus si belle, qu'elle ne l'était plus du tout... »

Ainsi, tout ce à quoi il avait cru se dissout et même se dégrade. Nous entrons dans l'enfer de *Sodome et Gomorrhe*. L'amour pour Albertine, dans la Prisonnière, n'est plus fait que de morbide curiosité. De plus en plus, Marcel se persuade que l'amour n'est que l'association d'une image de jeune fille, qui en elle-même nous eût été insupportable, avec les battements de cœur inséparables d'une attente interminable, ou d'angoisse au sujet de sa conduite et de ses mœurs. Plus douloureuses encore, et à la fin monstrueuses, les amours de Monsieur de Charlus, prince tonitruant, prestigieux et grotesque, de Sodome.

Quant à la gloire, à la mode, aux jugements des hommes, aucune de ces abstractions n'a d'existence réelle. La chanson qui ravit, une saison, Albertine sera, l'année suivante, « une vieille rengaine de Massenet ». Contrairement à ce que le Narrateur adolescent avait cru, il n'y a pas de « grande situation mondaine ». Swann, qui a été l'ami du Prince de Galles et du Comte de Paris, en arrivera à faire des frais pour Monsieur Bontemps. Bloch sera, un jour, plus invité dans le « monde-monde » que Monsieur de Charlus. « Un nom, c'est tout ce qui reste bien souvent pour nous d'un être, non pas même quand il est mort, mais de son vivant. Et nos notions actuelles sur lui sont si vagues ou si bizarres, et correspondent si peu à celles que nous avons eues de lui, que nous avons entièrement oublié que nous avons failli nous battre en duel avec lui ; mais nous nous rappelons qu'il portait, enfant, d'étranges guêtres jaunes aux Champs-Elysées, dans lesquelles, par contre, malgré que nous le lui assurions, il n'a aucun souvenir d'avoir joué avec nous... »

Que survit-il des êtres ? Odette cesse d'être belle et la Duchesse de Guermantes d'avoir de l'esprit. Bloch acquiert des manières et une certaine beauté. Monsieur de Charlus, dont le regard foudroyait l'imprudent, se transforme en un vieillard impotent, pitoyable, suppliant, qui semble solliciter l'appui de tous. Saint-Loup, bien qu'il se conduise à la guerre en héros, participe des vices de son oncle. Le Narrateur retrouve en lui-même des traits dont il riait quand il les observait chez sa Tante Léonie. Comme elle, bien que pour d'autres maux et pour d'autres raisons, il sera un malade, un reclus, avide des « potins » que lui apporteront ses visiteurs. On pense à ces vers de Hugo :

> Toutes les choses de la terre,
> Gloire, fortune militaire,
> Couronne éclatante des rois,
> Victoire aux ailes embrasées,
> Ambitions réalisées,
> Ne sont jamais sur nous posées
> Que comme l'oiseau sur nos toits !

Oui, « tout s'efface, tout se délie », et la première partie du *Temps retrouvé* n'est qu'une peinture de cette tragique et automnale corruption de toutes choses. Les êtres que le Narrateur a cru aimer sont redevenus des noms, comme ils l'étaient au début de *Swann,* mais ces noms ne cachent plus aucun beau mystère ; les buts qu'il a cherché à atteindre, atteints, se sont évanouis. La vie, telle qu'elle s'écoule, n'est que du temps perdu. C'est une matinée chez la Princesse de Guermantes, où il retrouve, grimés en vieillards lui semble-t-il, les êtres qu'il admira dans sa jeunesse, qui lui révèle plus clairement que jamais ce néant des vies humaines.

Mais c'est là aussi que par des groupes sensation-souvenir analogues à la petite madeleine (pavés inégaux qui le transportent à Venise, serviette « raide et empesée » qui soudain introduit Balbec dans la bibliothèque), puis par la rencontre de Mademoiselle de

Saint-Loup, fille de Robert et de Gilberte, « une jeune fille d'environ seize ans, dont la taille élevée mesurait cette distance que je n'avais pas voulu voir », il retrouve enfin le Temps Perdu. « Le temps incolore et insaisissable s'était, afin... que je pusse le voir et le toucher, matérialisé en elle et l'avait pétrie comme un chef-d'œuvre... pleine encore d'espérances. Riante, formée des années mêmes que j'avais perdues, elle ressemblait à ma jeunesse. »

En Mademoiselle de Saint-Loup, le côté de chez Swann a rejoint le côté de Guermantes. L'arche est complétée ; la cathédrale, achevée. Alors le Narrateur comprend ce qu'était cet appel à l'éternité des trois arbres, de la petite madeleine, de la petite phrase. Son rôle, le rôle de l'artiste, sera d'arrêter le temps en fixant de tels moments et ce qu'ils contiennent. Oui, la vie telle qu'elle s'écoule n'est que du temps perdu, mais tout peut être transfiguré, retrouvé et représenté « sous l'aspect de l'éternité qui est aussi celui de l'art ».

A ce moment, l'artiste et l'homme seront sauvés. De tant de mondes relatifs émerge un monde absolu. Dans la longue lutte de l'homme contre le Temps, c'est l'homme qui, grâce aux sortilèges et charmes de l'art, sort vainqueur.

Le sujet de la *Recherche du temps perdu,* c'est donc le drame d'un être merveilleusement intelligent et douloureusement sensible qui part, dès l'enfance, à la recherche du bonheur dans l'absolu, qui essaie sous toutes les formes de l'atteindre, mais qui se refuse, avec une implacable lucidité, à se duper lui-même comme font la plupart des hommes. Eux acceptent l'amour, la gloire, le monde à leurs cours fictifs. Proust, qui s'y refuse, est amené à chercher un absolu qui soit hors du monde et du temps. C'est cet absolu que les mystiques religieux trouvent en Dieu. Proust, lui, le cherche dans l'art, ce qui est une autre forme de mysticisme, pas très éloignée de l'autre, puisque tout art à ses origines fut religieux et que, bien souvent, la religion a trouvé dans l'art le moyen de communiquer aux hommes des vérités que l'intelligence n'atteignait qu'avec peine.

Ainsi, comme nous l'avions pressenti, son roman se confond avec sa vie, le salut de son héros avec le sien, et le livre se termine au moment où le Narrateur commence *son* livre, le long serpent se retournant ainsi sur lui-même et bouclant une boucle géante. Dès le moment où il avait écrit la première page de *Swann,* il avait décidé que la dernière se terminerait par le mot *Temps.* Et il en fut ainsi : « Si, du moins, il m'était laissé assez de temps pour accomplir mon œuvre, je ne manquerais pas de la marquer au sceau de ce Temps dont l'idée s'imposait à moi avec tant de force aujourd'hui, et j'y décrirais les hommes, cela dût-il les faire ressembler à des êtres monstrueux, comme occupant dans le Temps une place autrement considérable que celle, si restreinte, qui leur est réservée dans l'espace ; une place, au contraire, prolongée sans mesure, puisqu'ils touchent simultanément, comme des géants plongés dans les années, à des époques vécues par eux, si distantes — entre lesquelles tant de jours sont venus se placer — dans le Temps. »

On pense, quand on entend ainsi revenir, en cette fin sublime, quatre fois le mot *Temps,* on pense à Beethoven répétant, comme une affirmation et une délivrance, à la fin d'une symphonie, l'accord parfait.

Et le roman de Proust est bien, en effet, une affirmation et une délivrance. Ce que peut et doit faire le grand artiste, c'est « de soulever partiellement pour nous le voile de laideur et d'insignifiance qui nous laisse incurieux devant l'univers ». Comme Van Gogh, d'une chaise de paille, comme Degas ou Monet, d'une femme laide, font des chefs-d'œuvre, Proust a pris une vieille cuisinière, une odeur de moisi, une chambre provinciale, un buisson d'aubépines et nous a dit : « Regardez mieux ; sous ces formes si simples, il y a tous les secrets du monde. »

Le seul véritable voyage, ce n'est pas « d'aller vers de nouveaux paysages, mais de voir l'univers avec les yeux de cent autres », et ce voyage, avec Proust, nous le faisons. Dans son immense symphonie, deux thèmes s'affrontent comme dans le Septuor de Vinteuil : celui du Temps destructeur, celui du Souvenir sauveur. « Enfin, dit-il du Septuor, le motif joyeux resta triomphant ; ce n'était plus un appel presque inquiet lancé derrière un ciel vide, c'était une joie ineffable qui semblait venir du paradis, une joie aussi différente de celle de la Sonate que, d'un ange doux et grave de Bellini, jouant du théorbe, pourrait être, vêtu d'une robe d'écarlate, quelque archange de Mantegna sonnant dans un buccin. Je savais bien que cette nuance nouvelle de la joie, cet appel vers une joie supraterrestre, je ne l'oublierais plus jamais... »

Et nous savons bien, nous qui aimons Proust et qui avons trouvé dans ce livre, en apparence si triste, mais, pour ceux qui savent le lire, si exaltant, notre nourriture spirituelle, nous savons bien que cet univers enchanté, cette intelligence plus qu'humaine, ce regard qui partout où il tombe pose un chef-d'œuvre, cette poésie divine et fraternelle, nous ne les oublierons jamais.

III

LES MOYENS TECHNIQUES

Nous avons dit que le temps est retrouvé par Proust (ou par le Narrateur) en de rares moments d'illumination, où la présence simultanée d'une sensation et d'un souvenir rapproche des instants très éloignés et nous donne le sentiment de notre unité et de notre durée. Mais de tels moments sont rares, et ils sont fortuits. Ils peuvent éclairer l'artiste sur sa vocation ; ils ne lui permettraient pas d'aller voir ce qu'il y a derrière toutes choses et de ramener au jour, à chaque page de son livre, la beauté captive. Il nous faut indiquer maintenant les rites de ce culte, c'est-à-dire les moyens techniques qu'emploie l'écrivain pour donner au passé les caractères de la « présence ». Proust pense que ce miracle est possible parce que le présent lui-même est tout rempli du passé. Et voici le passage « capitalissime » où il explique sa pensée :

« Une image offerte par la vie nous apporte en réalité, à ce moment-là, des sensations multiples et différentes. La vue, par exemple, de la couverture d'un livre déjà lu a tissé dans les caractères de son titre les rayons de lune d'une lointaine nuit d'été. Le goût du café au lait matinal nous apporte cette vague espérance d'un beau temps qui jadis si souvent, pendant que nous le buvions dans un bol de porcelaine blanche, crémeuse et plissée, qui semblait du lait durci, se mit à nous sourire dans la claire incertitude du petit jour. *Une heure n'est pas qu'une heure ; c'est un vase rempli de parfums, de sons, de projets et de climats.* Ce que nous appelons la réalité est un certain rapport entre ces sensations et ces souvenirs qui nous entourent simultanément — rapport que supprime une simple vision cinématographique, laquelle s'éloigne par là d'autant plus du vrai qu'elle prétend se borner à lui — rapport unique que l'écrivain doit retrouver pour en enchaîner à jamais, dans sa phrase, les deux termes différents. On peut faire se succéder indéfiniment, dans une description, les objets qui figuraient dans le lieu *décrit* ; la vérité ne commencera *qu'au moment où l'écrivain prendra deux objets différents, posera leur rapport, analogue dans le monde de l'art à celui qu'est le rapport unique de la loi causale dans le monde de la science, et les enfermera dans les anneaux nécessaires d'un beau style,* ou même, ainsi que la vie, quand, en rapprochant une qualité commune à deux sensations, il dégagera leur essence en les réunissant l'une et l'autre pour les soustraire aux contingences du temps, dans une métaphore, et les enchaînera par le lien indescriptible d'une alliance de mots. La nature elle-même, à ce point de vue sur la voie de l'art, n'était-elle pas commencement d'art, elle qui si souvent ne m'avait permis de connaître la beauté d'une chose que longtemps après, dans une autre, midi à Combray que dans le bruit de ses cloches, la matinée de Doncières que dans le hoquet de notre calorifère à eau ? Le rapport peut être peu intéressant, les objets médiocres, le style mauvais, mais, tant qu'il n'y a pas eu cela, il n'y a rien eu... »

Prendre deux objets différents... poser leur rapport, voilà, selon Proust, l'un des secrets de l'artiste. Nous commençons à voir la beauté d'une chose quand nous apercevons derrière elle une autre chose. Marcel, enfant, avait passé longtemps devant les palais dessinés par Gabriel sans remarquer qu'ils étaient plus beaux que les hôtels environnants. « Une seule fois, un des palais de Gabriel me fit arrêter longuement ; c'est que, la nuit étant venue, ses colonnes, dématérialisées par le clair de lune, avaient l'air découpées dans du carton et, me rappelant un décor de l'opérette *Orphée aux Enfers,* me donnaient pour la première fois une impression de beauté... » Ainsi c'est le souvenir d'une chose moins belle qui fait naître, à propos d'une autre chose, l'impression de beauté. Pourquoi ? parce qu'il y a un vif plaisir d'intelligence à entrevoir, dans une analogie, l'amorce d'une loi.

Cela est vrai en particulier si le second terme de la comparaison, celui qui est aperçu comme par transparence à travers la réalité, se trouve lié à ce qu'il y a en nous de plus profond et de plus élémentaire. Les sensations du goût, de l'odorat, du toucher, bien qu'elles nous semblent moins fines que celles de la vue et de l'ouïe, et peut-être justement parce qu'elles sont moins intellectuelles, activent mieux notre imagination. Elles établissent la liaison entre le bas et le haut, entre le corps et l'esprit. Jean Pommier a montré la prédominance, chez Proust, des images empruntées au goût et aux nourritures. Un visage fatigué se brouille comme un sirop qui tourne ; au soleil couchant, l'horizon porte une bande de ciel rouge, compacte et coupante comme de la gelée de viande ; les tours du Trocadéro paraissent, sous un dernier allumement, pareilles aux tours enduites de gelée de groseille des anciens pâtissiers.

Le poète retrouve, derrière les choses, des images de plantes, d'animaux, et de grands spectacles naturels, qui ont été les premiers éléments de tout art. Les jeunes filles en fleur lui apparaissent semblables à un bosquet de roses. Le chasseur de l'hôtel de Balbec, quand, le soir, on le rentre dans le hall vitré, le fait penser à une plante de serre que l'on protège du froid. La transformation de Monsieur de Charlus en gros bourdon, de Jupien en orchidée, de Monsieur de Palancy en brochet, des Guermantes en oiseaux et des valets de pied en lévriers, évoquent les métamorphoses chantées par les poètes antiques. Ou, inversement, les fleurs deviennent des femmes. Les aubépines sont de gaies jeunes filles, étourdies, coquettes et pieuses ; les églantines ont un corsage rougissant et les pommiers de Normandie sont en toilette de bal de satin rose.

Enfin et surtout, le poète, sous les choses, découvre ce que Jung appelle les *archétypes,* les fictions mères de toute pensée humaine et les personnages des contes [1]. Au-delà de la Duchesse de Guermantes, il y a Geneviève de Brabant ; au-delà des trois arbres, le vague

---

1. Cf. JEAN POMMIER : *La Mystique de Proust* (Paris, Librairie E. Droz, 1939), *passim.*

souvenir des légendes qui, sous l'écorce, emprisonnaient un beau corps (Daphné), de sorte que leurs branches semblent des bras qui se tendent désespérément ; au-delà d'Albertine endormie, il y a le murmure de la mer et tout le mystère du monde. C'est ainsi que le mythe de Protée aide encore nos poètes à mieux chanter l'Océan aux mille formes.

Prendre deux objets différents, poser leur rapport... et les enchaîner dans les anneaux nécessaires d'un beau style. Il résulte de là que les éléments premiers d'un beau style, aux yeux de Proust, ce sont les images. Le seul moyen de poser, devant le lecteur, le rapport de deux objets, c'est la métaphore qui « emprunte d'une chose étrangère une image naturelle et sensible d'une vérité ». La métaphore doit aider l'auteur, et le lecteur, à évoquer une chose inconnue, ou un sentiment difficile à décrire, en recourant à leur similitude avec des objets connus.

Mais, pour que l'image ait sa pleine puissance d'évocation, il faut qu'elle-même ne soit pas un cliché usé ; il faut que le terme de comparaison nous soit mieux connu que celui qu'il s'agit d'évoquer. Aussi les images du grand écrivain seront-elles originales et actuelles. Il ne craindra pas de les emprunter aux disciplines les plus diverses. Proust doit quelques-unes de ses plus belles images à la physiologie et à la pathologie : « Les gens non amoureux trouvent qu'un homme d'esprit ne devrait être malheureux que pour une personne qui en valût la peine ; c'est à peu près comme s'étonner qu'on daigne souffrir du choléra par le fait d'un être aussi petit que le bacille virgule... » Ou bien il éclaire un coin de société en le comparant à un autre, qui en paraît éloigné : « Ce Président du Conseil d'il y a quarante ans faisait partie du nouveau cabinet, dont le chef lui avait donné un portefeuille, un peu comme ces directeurs de théâtre confient un rôle à une de leurs anciennes camarades, retirée depuis longtemps, mais qu'ils jugent encore plus capable que les jeunes de tenir un rôle avec finesse, de laquelle d'ailleurs ils savent la difficile situation financière et qui, à près de quatre-vingts ans, montre encore au public l'intégrité de son talent presque intact, avec cette continuation de la vie qu'on s'étonne ensuite d'avoir pu constater quelques jours avant la mort... »

Voici tout un bouquet d'images neuves, cueilli dans quelques pages de Proust, prises au hasard. La mère du Narrateur va dire à Françoise que Monsieur de Norpois l'a traitée de « chef de premier ordre », comme un ministre de la Guerre, après la revue, transmet au général les félicitations d'un souverain de passage... » Marcel, qui, à ce moment, est amoureux de Gilberte Swann et tient tout ce qui touche aux Swann pour sacré, rougit d'horreur quand son père parle de l'appartement des Swann comme d'un appartement ordinaire : « Je sentis instinctivement que mon esprit devait faire au prestige des Swann et à mon bonheur les sacrifices nécessaires et, par un coup d'autorité intérieure, malgré ce que je venais d'entendre, j'écartai à tout jamais de moi, comme un dévot la *Vie de Jésus* de Renan, la pensée dissolvante que leur appartement était un appartement quelconque, que nous aurions pu habiter... » La mère du Narrateur compare la campagne de Madame Swann, étendant ses relations sociales, à une guerre coloniale : « Maintenant que les Trombert sont soumis, les tribus voisines ne tarderont pas à se rendre... » Quand elle croisait dans la rue Madame Swann, elle nous disait en rentrant : « J'ai aperçu Madame Swann sur son pied de guerre ; elle devait partir pour quelque offensive fructueuse chez les Masséchutos, les Cyngha-lais ou les Trombert... » Enfin Madame Swann invite une dame, ennuyeuse mais bienveillante, et qui fait beaucoup de visites, parce qu' « elle savait le nombre

énorme de calices bourgeois que pouvait, quand elle
était armée de l'aigrette et du porte-cartes, visiter en
un seul après-midi cette active ouvrière... »

Une autre méthode favorite de Proust est d'évoquer
le réel par le truchement des œuvres d'art. Proust
n'était lui-même ni peintre, ni musicien, mais peinture
et musique lui donnaient de grandes joies. Il s'était lié
avec Jacques-Emile Blanche, avec Jean-Louis Vaudoyer, avec Berenson qui, tous, le guidaient vers les
chefs-d'œuvre ; il avait lu Baudelaire, Fromentin, Whistler et, naturellement, Ruskin. Lui, qui ne voyageait
presque jamais et qui sortait si peu, était capable de
se rendre à La Haye, ou à Padoue, pour y voir un seul
tableau. Les termes de référence, dans ce domaine, ne
lui manquaient pas.

Il avait commencé par aimer les peintres qu'il rencontrait dans les salons, ou dans l'atelier de Madeleine
Lemaire, et qui n'étaient pas des meilleurs. Dans son
questionnaire d'enfance, son peintre favori est Meissonier, et il a toujours eu un faible (plus tard inavoué,
mais persistant) pour Helleu, pour La Gandara. Mais
il avait connu Degas chez les Halévy, et il mêle les
impressionnistes à Helleu pour en faire Elstir, le grand
peintre de son roman. De Ruskin, il avait appris à
aimer Giotto, Fra Angelico, Carpaccio, Bellini, Mantegna. Très tôt il prit l'habitude de chercher, entre les
personnages des tableaux et ceux de la réalité, des ressemblances, d'abord par goût du général, et il lui
plaisait de retrouver toute une foule de Paris dans les
cortèges de Benozzo Gozzoli, le nez de Monsieur de
Palancy dans un Ghirlandajo, et le portrait de *Mahomet II,* par Bellini, dans le profil de Bloch ; mais aussi
parce que l'évocation d'une atmosphère connue, propre
à un grand peintre, permet au lecteur cultivé, mieux
que des pages de descriptions, de comprendre ce que
l'auteur a voulu dire.

C'est ainsi qu'un valet de pied à la mine féroce évoquera le bourreau de certains tableaux de la Renaissance, et la fille de cuisine enceinte de Combray la *Charité* de Giotto ; que la salle à manger de Swann sera sombre comme l'intérieur d'un temple asiatique peint par Rembrandt, et que les soldats aux visages rougis par le froid feront penser aux paysans joyeux et gelés de Peter Breughel. A Doncières, « dans un petit magasin de bric-à-brac, une bougie à demi consumée, en projetant sa lumière rouge sur une gravure, la transformait en sanguine, pendant que, luttant contre l'ombre, la clarté de la grosse lampe basanait un morceau de cuir, niellait un poignard de paillettes étincelantes ; sur des tableaux, qui n'étaient que de mauvaises copies, déposait une dorure précieuse comme la patine du passé ou le vernis d'un maître et faisait enfin de ce taudis, où il n'y avait que du toc et des croûtes, un inestimable Rembrandt... »

Et de même que des lieux sordides, ou les mornes couloirs d'un hôtel, peuvent être ennoblis par une lumière qui les revêt de « cette ambre dorée, inconsistante et mystérieuse » de Rembrandt, ainsi le visage, à première vue médiocre, d'Odette est paré, aux yeux de Swann, d'une irremplaçable beauté dès qu'il y reconnaît un Botticelli. Pour faire comprendre la nature de certains états amoureux, Proust recourt à Watteau : « Quelquefois... quelque chose de plus précieux se dissipe aussi, tout un tableau ravissant, de sentiments, de tendresse, de volupté, de regrets vainement estompés, tout un *Embarquement pour Cythère* de la passion dont nous voudrions noter, pour l'état de veille, les nuances d'une vérité délicieuse, mais qui s'efface comme une toile trop pâlie qu'on ne peut restituer... »

Son peintre favori, celui qu'il fera louer sans réserves par Bergotte, celui sur lequel Swann veut écrire une étude et dont Proust lui-même, dans ses lettres à Vau-

doyer, parle avec tant de ferveur, c'est Vermeer qui
sera, dans toute la *Recherche du temps perdu,* « le
criterium qui permet de distinguer les cœurs froids ».
L'homme Marcel Proust, comme son Narrateur, tient
Vermeer pour *le* plus grand peintre : « Depuis que j'ai
vu, au Musée de La Haye, la *Vue de Delft,* j'ai su que
j'avais vu le plus beau tableau du monde », écrit-il à
Vaudoyer. « Dans *Du côté de chez Swann,* je n'ai pu
m'empêcher de faire travailler Swann à une étude sur
Vermeer... Et encore je ne connais presque rien de
Vermeer... Cet artiste de dos, qui ne tient pas à être vu
de la postérité et qui ne saura pas ce qu'elle pense de
lui, est une idée poignante... » A y réfléchir, on peut
expliquer cette prédilection. Vermeer, comme Proust,
ne défigure pas la réalité, mais la transfigure et trouve
le moyen d'exprimer toute la poésie du monde dans un
petit pan de mur jaune, dans un toit d'ardoises ou dans
le turban jaune d'une femme, comme le fait Proust à
propos d'une chambre provinciale, des hoquets d'un
calorifère ou de quelques feuilles de tilleul. Les couleurs
de Vermeer ont le velouté des adjectifs de Proust. René
Huyghe, qui a étudié les affinités électives des deux
maîtres, dit : « Du réalisme, Vermeer et Proust s'écar-
tent par cette commune conviction que l'on peut rem-
placer l'imagination par la sensibilité. Ils ont tous deux
une vision *vraie,* c'est-à-dire ressentie et non imaginée,
et pourtant distincte de la vision commune, collective,
qui, pour la plupart, constitue le réalisme. »

Mais Proust se sentait aussi tout proche des impressionnistes, qui avaient fait en peinture à peu près la
même révolution que lui-même en littérature, ou que
Debussy en musique. Les nymphéas de la Vivonne
rappellent ceux de Giverny : « Çà et là, à la surface,
rougissait comme une fraise une fleur de nymphéa au
cœur écarlate, blanc sur les bords... » Déjà, dans la
Bible d'Amiens, il avait loué Monet d'avoir peint des

séries (les Meules, les Cathédrales). Il décrit la façade occidentale d'Amiens, « bleue dans le brouillard, éblouissante au matin, ayant absorbé le soleil et grassement dorée l'après-midi, rose et déjà fraîchement nocturne au couchant, à n'importe laquelle de ces heures que ses cloches sonnent dans le ciel et que Claude Monet a fixées dans des toiles sublimes où se découvre la vie de cette chose que les hommes ont faite, mais que la nature a reprise en l'immergeant en elle, une cathédrale, et dont la vie comme celle de la terre en sa double révolution se déroule dans les siècles, et d'autre part se renouvelle et s'achève chaque jour... » Et il utilise Renoir, comme aussi l'*Olympia* de Manet, pour montrer comment un grand artiste peut changer la vision de ses contemporains :

« Les gens de goût nous disent aujourd'hui que Renoir est un grand peintre du dix-huitième siècle. Mais, en disant cela, ils oublient le Temps et qu'il en a fallu beaucoup, mais en plein dix-neuvième, pour que Renoir fût salué grand artiste. Pour réussir à être ainsi reconnus, le peintre original, l'artiste original procèdent à la façon des oculistes. Le traitement par leur peinture, par leur prose, n'est pas toujours agréable. Quand il est terminé, le praticien nous dit : « Et maintenant regardez ! » Et voici que le monde (qui n'a pas été créé une fois, mais aussi souvent qu'un artiste original est survenu) nous apparaît entièrement différent de l'ancien, mais parfaitement clair. Des femmes passent dans la rue, différentes de celles d'autrefois, puisque ce sont des Renoir, ces Renoir où nous nous refusions jadis à voir des femmes. Les voitures aussi sont des Renoir, et l'eau, et le ciel : nous avons envie de nous promener dans la forêt pareille à celle qui, le premier jour, nous semblait tout, excepté une forêt, et, par exemple, une tapisserie aux nuances nombreuses, mais où manquaient justement les nuances propres aux forêts. Tel est l'univers nouveau et périssable qui vient d'être créé. Il durera jusqu'à la prochaine catastrophe géologique que déchaîneront un nouveau peintre ou un nouvel écrivain originaux... »

Le peintre qu'il a lui-même créé, Elstir, apparaît pour la première fois chez Madame Verdurin, sous le surnom de « Biche ». Il est alors un homme assez vulgaire, aux plaisanteries grossières, mais qui déjà étonne les Verdurin « parce qu'il voit du mauve dans les cheveux d'une femme ». Quand il réapparaît, dans les *Jeunes filles en fleurs,* c'est un grand impressionniste, qui cherche à peindre les choses telles qu'elles nous apparaissent au premier moment, « le seul vrai, où notre intelligence n'étant pas encore intervenue pour nous expliquer ce qu'elles sont, nous ne substituons pas à l'impression qu'elles nous ont donnée les notions que nous avons d'elles ».

Elstir (comme Proust) compose ses chefs-d'œuvre avec « des parcelles de réalité, qui toutes avaient été personnellement senties », ce qui assure l'unité du tableau, car l'objet le plus humble vaut le plus précieux, s'il est peint dans la lumière de Rembrandt ou de Monet : « La dame un peu vulgaire, qu'un dilettante en promenade éviterait de regarder, excepterait du tableau poétique que la nature compose devant lui, cette femme est belle aussi, sa robe reçoit la même lumière que la voile du bateau, et il n'y a pas de choses plus ou moins précieuses, la robe commune et la voile, en elle-même jolie, sont deux miroirs du même reflet, tout le prix est dans le regard du peintre... »

Elstir, devant ses modèles, fait un effort pour se dépouiller de son intelligence, ce qui pour lui est d'autant plus difficile que cette intelligence est richement cultivée. Ainsi travaille Proust, qui s'efforce d'observer l'amour, la jalousie, l'oubli, comme si nul n'avait jamais écrit sur ces sujets. Le dessein d'Elstir n'est pas de peindre les choses telles qu'il sait (ou croit) qu'elles

sont, mais selon les illusions optiques dont notre vision
première est faite. Il cherche les « équivoques » et l'on
ne sait plus très bien ce qui est objet réel et ce qui est
mirage, ce qui est vu dans la glace et ce qui est vu
dans l'air véritable, tout semblable en cela encore à
Proust qui, dans ses plus belles métaphores, nous amène
à douter si la salle de l'Opéra est à Paris ou au fond
des océans, si Monsieur de Charlus est un homme ou
un bourdon.

D'ailleurs, tous les arts doivent obéir aux mêmes
règles, qu'imposent les lois de la nature et les exigences
de l'esprit. Le romancier, s'il trouve beaucoup à
apprendre chez le peintre, doit aussi s'instruire chez le
musicien. Proust a-t-il bien connu la musique ? Les
professionnels, et par exemple Reynaldo Hahn, disaient
que non, mais les compositeurs connaissent la musique
comme les érudits connaissent l'histoire, d'une manière
qui n'est pas celle dont a besoin l'humanité moyenne
pour assimiler les nourritures que lui apportent l'une
et l'autre. Certainement, Proust a aimé la musique ; il
a souhaité en entendre ; au concert, et Georges de
Lauris l'a vu, à la Salle Pleyel, écouter dans l'ombre
les quatuors de Beethoven ; chez lui, quand Reynaldo
venait lui chanter de vieux airs français ou jouer vingt
fois, cent fois, une phrase dont Proust voulait extraire
tout le sens et qui était comme le *senza rigore* du
musicien.

Dans les *Carnets* et *Cahiers,* on trouve de nombreux
essais pour donner d'une phrase musicale un équivalent
littéraire : « La tempête wagnérienne, qui faisait crier
toutes les cordes de l'orchestre, comme les agrès d'un
vaisseau, au-dessus desquels s'élançait par moments,
oblique, puissante et calme comme une mouette, une
mélodie qui s'élevait puissamment... » Et sur Wagner
encore : « Dans la tempête de cette musique, le petit
air de chalumeau, le chant d'oiseau, la fanfare de

chasse étaient attirés comme ces flocons d'écume, ces pierres que le vent fait voler au loin. Ils étaient entraînés dans le tourbillon de la musique, divisés, déformés, comme ces formes de fleurs ou de fruits dont les lignes, séparées les unes des autres, simplifiées, stylisées, mariées au reste de l'ornementation, perdent leur origine première dans une décoration où un habile observateur sait seul vous dire : « C'est la fleur de l'aubépine, c'est la feuille du pommier » ; ou comme ces thèmes simples d'une symphonie, qu'on reconnaît difficilement pourvus de doubles croches, d'accompagnements, renversés, brisés, dans les morceaux suivants ; bien que Wagner, comme les artisans qui, ayant à exécuter un ouvrage en bois, tiennent à laisser paraître sa sève, ses couleurs, ses fibres, laisse persister dans le bruit agrégé maintenant à la musique un peu de sa sonorité naturelle, de son originalité native... » — ce qui est une analyse exacte et fine.

Comme il avait fait appel aux peintres pour rendre intelligibles certains aspects secrets des visages et des choses, Proust demande des analogies à la musique. Les regards de Monsieur de Charlus à Jupien sont comme des phrases interrompues de Beethoven. Le Narrateur retrouve la tristesse et le vague de la musique de *Pelléas* dans les cris des marchands d'escargots : « On les vend six sous la douzaine... » Il compare la conversation de Françoise à une fugue de Bach. Surtout il affirme que les grands musiciens nous révèlent à nous-mêmes et nous font entrer en contact avec un monde pour lequel nous ne sommes pas faits. « La musique n'est-elle pas l'exemple unique de ce qu'aurait pu être la communication des âmes ? »

Et, de même qu'il a inventé un peintre : Elstir, il crée son musicien : Vinteuil, qui est lié à Proust de manière ambiguë, mais étroite. Vinteuil est un père qui souffre du vice de sa fille (thème du conflit amour sensuel-amour filial), mais c'est aussi l'artiste créateur dont l'œuvre découvre à Swann « la présence d'une de ces réalités invisibles auxquelles il avait cessé de croire et auxquelles il se sent de nouveau la force de consacrer sa vie ». Vinteuil est l'artiste que Proust voulait être et qu'en fait il a été, étendant note par note, touche par touche, les colorations inconnues d'un univers inestimable. L'appel du Septuor est, pour le Narrateur, la preuve qu'il existe autre chose, réalisable par l'art, que le néant qu'il a trouvé dans les plaisirs et dans l'amour.

Que le second terme de la métaphore ait été emprunté à la nature ou à l'art, Proust en prépare l'entrée avec soin. De même que, lorsqu'on approche d'une zone inondée, on le reconnaît, longtemps avant de voir la nappe d'eau, au son différent des pas sur l'herbe, à je ne sais quoi de liquide dans la composition du sol, ainsi, bien avant la première phrase de la métaphore, Proust a semé çà et là des adjectifs qui l'annoncent. L'exemple classique est la soirée où l'Opéra lui apparaît comme un aquarium sous-marin :

« .,.Dans les autres *baignoires*... les blanches déités qui habitaient ces sombres séjours s'étaient réfugiées contre les parois obscures et restaient invisibles. Cependant, au fur et à mesure que le spectacle s'avançait, leurs formes vaguement humaines se détachaient mollement, l'une après l'autre, des profondeurs de la nuit qu'elles tapissaient et, s'élevant vers le jour, laissaient émerger leurs corps demi-nus et venaient s'arrêter à la limite verticale et à la *surface* claire-obscure où leurs brillants visages apparaissaient derrière le *déferlement* rieur, *écumeux* et léger, de leurs éventails de plumes, sous leurs chevelures de pourpre emmêlées de perles, que semblait avoir courbées l'ondulation du *flux ;* après commençaient les fauteuils d'orchestre, le séjour des mortels à jamais séparés du sombre et transparent royaume auquel çà et là servaient de frontière, dans leur surface *liquide* et pleine, les yeux limpides et réfléchissants des déesses *des eaux.* Car les strapontins du *rivage,* les formes des monstres de l'orchetre se peignaient dans ces yeux suivant les seules lois de l'optique et selon leur angle d'incidence... En deçà, au contraire, de la limite de leur domaine, les radieuses *filles de la mer* se retournaient à tout moment en souriant vers des *tritons* barbus, pendus aux anfractuosités de l'abîme, ou vers quelque demi-dieu *aquatique* ayant pour crâne un *galet* poli, sur lequel *le flot* avait ramené une *algue* lisse, et pour regard un disque en cristal de roche... Parfois *le flot* s'entr'ouvrait devant une nouvelle *néréide* qui, tardive, souriante et confuse, venait de s'épanouir du fond de l'ombre ; puis, l'acte fini, n'espérant plus entendre les rumeurs mélodieuses de la terre qui les avaient attirées à la surface, *plongeant* toutes à la fois, les diverses sœurs disparaissaient dans la nuit. Mais de toutes ces retraites au seuil desquelles le souci léger d'apercevoir les œuvres des hommes amenait les déesses curieuses, qui ne se laissent pas approcher, le plus célèbre était le bloc de demi-obscurité connu sous le nom de *baignoire* de la Princesse de Guermantes... »

Il y a, dans ces recherches de style et dans ces couplets filés, souvent terminés par un trait, de la préciosité, mais ils sont nécessaires pour que réussisse l'opération magique du poète. La métaphore tient, dans cette cérémonie qu'est le dévoilement d'une grande œuvre, la place qui est celle des vases sacrés dans les cérémonies religieuses. Les réalités auxquelles s'attache l'âme du croyant sont toutes spirituelles, mais, parce que l'homme est à la fois âme et corps, il a besoin de symboles matériels pour établir un lien entre lui et l'inexprimable. L'art mystérieux de Proust, comme l'avait montré jadis Arnaud Dandieu, tire une grande part de ses prestiges de l'emploi d'une sensation-fétiche pour ranimer le souvenir éternel. « L'intuition spirituelle qui est à la source de sa création doit s'exprimer dans le langage des choses matérielles [1] » L'Idée, comme le Dieu, pour atteindre l'homme, doit s'incarner.

C'était là ce qu'avait pressenti, au temps où naissait sa vocation, l'enfant qui, dans ses promenades sur les rives du Loir ou dans les plaines de Beauce, cherchait derrière tels arbres, telle touffe d'herbe, tels clochers tournants, des vérités obscures et graves. Il avait alors eu le sentiment que les choses le sollicitaient d'approfondir une pensée cachée en elles, qu'elles étaient des apparitions mythiques, rondes de sorcières ou de Nornes. L'artiste, en devenant un maître, comprenait que l'enfant avait eu raison, que toute pensée valide a sa racine dans la vie quotidienne et que le rôle de la métaphore, rôle « capitalissime », est de rendre à l'Esprit ses forces en le contraignant à reprendre contact avec la Terre, sa mère.

IV

PHILOSOPHIE DE PROUST

> L'œuvre d'art, telle que la conçoit Proust, est guidée par une exigence métaphysique.
> ALBERT BÉGUIN.

Certains ont dit : « Quoi ? ce serait là toute la conclusion de cette immense recherche ? Une madeleine rempée dans du tilleul, une serviette empesée, deux pavés inégaux, quelques instants d'extase esthétique, voilà le bonheur qui serait offert à l'homme après tant d'espoirs inspirés par l'amour, par l'ambition, par l'intelligence ? Comment admettre que la vie humaine n'ait d'autre objet que de ramener, dans les filets relevés à

---

1. NOEL MARTIN-DESLIAS : *Idéalisme de Marcel Proust* (F. Janny, éditeur. Montpellier, 1945).

si grand'peine de l'océan des douleurs, quelques belles métaphores ? » Mais ces objections sont bien moins fortes qu'elles ne paraissent. Elles perdent beaucoup de leur valeur si les coïncidences particulières (madeleine, serviette, cour pavée) ne sont que les moments miraculeux, donc rares par définition, sur lesquels est fondée une foi ; elles tombent entièrement si Proust, sur ces brefs moments de ravissement mystique, bâtit une philosophie.

Marcel Proust avait-il une doctrine de la condition humaine ? Il aurait certainement effacé le mot *doctrine,* qu'il eût jugé pédant. « Une œuvre où il y a des théories, disait-il, est comme un objet sur lequel on laisse l'étiquette du prix... » Séduit par Darlu, il s'était cru, dans son adolescence, né pour des études philosophiques, mais il avait vite été rebuté par un vocabulaire abstrait qui détachait la pensée du monde, et s'était senti mieux fait pour exposer ses idées sous forme symbolique, à propos d'objets concrets. Cela n'empêche pas que l'on ne puisse reconnaître, dans son œuvre tous les éléments d'une philosophie classique. Perception, rêves, mémoire, le *moi,* la réalité du monde extérieur, l'espace et le temps, chacun des chapitres du cours de Darlu se retrouve, animé, poétisé, dans la *Recherche du temps perdu.*

Sur la réalité du monde extérieur, Proust est, avec raison, plus proche de Platon que de Berkeley. L'homme, enchaîné dans la caverne, ne voit que les ombres, mais ces ombres sont les ombres de quelque chose. Tout art est bâti sur des impressions. Le rôle de l'artiste est de retrouver « l'impression sensible, non rectifiée par le jugement ». Mais il n'y a pas de sensation pure. Percevoir c'est toujours interpréter les ombres de la caverne et tenter de reconstruire, par l'intelligence, les objets éternellement invisibles. La pensée crée le monde à chaque instant. La vision n'est « qu'un agrégat

de raisonnements » et, comme il y a des illusions des
sens, qui naissent d'un raisonnement faux ou incomplet
(le bâton plongé dans l'eau qui semble brisé, le stéréos-
cope), il y a des illusions du sentiment (Rachel vue
par Saint-Loup, Jupien vu par Charlus).

Or parler d'illusions, c'est admettre du même coup
l'existence d'une réalité non illusoire. Proust sait qu'au-
delà de nos impressions existe un monde extérieur qu'il
faut comprendre et le jeu, chez lui incessant, entre la
sensibilité et l'intelligence, constitue ce que Benjamin
Crémieux a très justement appelé un « surimpression-
nisme ».Le peintre impressionniste ouvre nos yeux et
nous dit : « Vous voyez les bateaux du port *dans* la
ville » ; Proust, à son exemple, n'hésite pas à « faire
chanter la pluie au milieu de la chambre et tomber la
tisane en déluge dans la cour ». Mais il applique ensuite
sa prodigieuse intelligence à l'analyse de toutes les
illusions des sens, du sentiment et du raisonnement. Le
rôle de l'art aura été de faire tomber les obstacles, les
idées toutes faites qui s'interposaient entre l'esprit et le
réel. La philosophie sera ensuite une réflexion sur l'art.
« L'art se trouve ainsi sur le chemin de la métaphysique et constitue une méthode de découverte [1]. »

Comprendre une impression ou un sentiment, c'est
d'abord les voir tels qu'ils sont, puis les analyser, c'est-
à-dire les décomposer en éléments connus qui permet-
tront de les faire entrer dans des lois générales. Proust
tient, du milieu médical dans lequel il a été élevé, une
attitude toute scientifique. « Il se garde de l'esprit de
système et se borne à lier deux faits. » Il étudie ses
personnages avec la curiosité passionnée et distante d'un
naturaliste observant des insectes, ou même des végétaux. Les *Jeunes filles en fleurs* sont plus qu'une image ;
elles définissent une saison de la vie brève de la plante

---

1. Cf. Noel Martin-Deslias, *opus cit.*

humaine. Admirant leur fraîcheur, il distingue déjà les points imperceptibles qui annoncent le fruit, la maturité, puis la graine, la dessiccation : « Comme sur un plant où les fleurs mûrissent à des époques différentes, je les avais vues, en de vieilles dames, sur cette plage de Balbec, ces dures graines, ces mous tubercules que mes amies seraient un jour... » L'amour, la jalousie, la vanité sont pour lui, à la lettre, des maladies. *Un amour de Swann* est la description clinique de l'évolution complète d'un cas. A la douloureuse précision de cette pathologie sentimentale, on sent que l'observateur a éprouvé les souffrances qu'il décrit, mais, comme certains médecins courageux peuvent, séparant complètement leur *moi* souffrant de leur *moi* pensant, noter chaque jour les progrès d'un cancer, d'une paralysie, il analyse ses propres symptômes avec une héroïque technicité.

Proust professe que le monde est soumis à des lois, faute de quoi nulle science ne serait possible, et qu'il existe un certain lien entre l'intelligence humaine et l'univers. A-t-il jamais cru qu'une intelligence divine ait ordonné à la fois l'homme et l'univers ? Rien, dans son œuvre, ne permet de le penser. Henri Massis a recueilli tous les indices, tous les lambeaux de phrases qui révéleraient, chez Proust, des inquiétudes religieuses. Un personnage des *Plaisirs et les Jours* dit : « Il me semblait que je faisais pleurer l'âme de ma mère, l'âme de mon ange gardien, l'âme de Dieu... » Marcel, quand il médite sur le réveil et sur le fait, si surprenant, qu'au sortir des rêves les plus étranges nous retrouvons chaque matin notre personnalité, semble admettre que la résurrection après la mort pourrait être un phénomène de mémoire. Mais, en dernière analyse, la seule forme d'éternité à laquelle il croit sans réserves, c'est celle de l'œuvre d'art. Non que celle-ci ne soit elle-même périssable, et nous savons bien qu'un jour viendra où, sur

une planète refroidie, aucun être humain ne lira plus
Homère, Bergotte, ni Proust ; il n'en reste pas moins
qu'au moment où les poètes ont eu ces intuitions et
ces extases qui sont à l'origine de toutes les grandes
œuvres, ils ont été soustraits au temps, ce qui est la
définition même de l'éternité. L'art constitue donc une
forme de salut, et les artistes, peintres, musiciens, poètes,
jouent dans cette religion de l'art le rôle qui est celui
des saints dans le catholicisme. Entre le mysticisme de
l'artiste et celui du croyant, il n'y a aucun conflit. Les
bâtisseurs de cathédrales, les primitifs italiens, les poètes
sacrés ont uni les deux ordres de recherches. Le saint
et l'artiste sont amenés, l'un comme l'autre, après les
tentations et les luttes, à se faire une vie d'ascète.

Voilà donc la métaphysique de Proust : le monde
extérieur existe, mais il est inconnaissable ; le monde
intérieur est connaissable, mais nous échappe sans cesse
parce qu'il change ; seul le monde de l'art est absolu.
L'immortalité est possible, mais elle l'est de notre
vivant. Pourtant, lorsqu'il termine le récit de la mort
de Bergotte, où il aurait voulu voir, semble-t-il, une
préfiguration de sa propre mort, Proust ajoute :

« Mort à jamais ? Qui peut le dire ? Certes, les expériences spirites, pas plus que les dogmes religieux, n'apportent la preuve que l'âme subsiste. Ce qu'on peut dire, c'est
que tout se passe dans notre vie comme si nous y entrions
avec le faix d'obligations contractées dans une vie antérieure ; il n'y a aucune raison dans nos conditions de vie
sur cette terre pour que nous nous croyions obligés à faire
le bien, à être délicats, même à être polis, ni pour l'artiste
cultivé à ce qu'il se croie obligé de recommencer vingt fois
un morceau dont l'admiration qu'il excitera importera peu
à son corps mangé par les vers, comme le pan de mur
jaune que peignit avec tant de science et de raffinement un
artiste à jamais inconnu, à peine identifié sous le nom de
Vermeer. Toutes ces obligations qui n'ont pas leur sanction

dans la vie présente semblent appartenir à un monde
différent, fondé sur la bonté, le scrupule, le sacrifice, un
monde entièrement différent de celui-ci, et dont nous
sortons pour naître à cette terre, avant peut-être d'y
retourner revivre sous l'empire de ces lois inconnues auxquelles nous avons obéi parce que nous en portions l'enseignement en nous, sans savoir qui les y avait tracées — ces
lois dont tout travail profond de l'intelligence nous rapproche et qui sont invisibles seulement — et encore ! — pour
les sots. De sorte que l'idée que Bergotte n'était pas mort
à jamais est sans invraisemblance.

« On l'enterra, mais toute la nuit funèbre, aux vitrines
éclairées, ses livres disposés trois par trois veillaient comme
des anges aux ailes éployées et semblaient, pour celui qui
n'était plus, le symbole de sa résurrection... »

« *L'idée que Bergotte n'était pas mort à jamais est
sans invraisemblance.* » Sans invraisemblance ? Oui,
mais aussi, aux yeux de Proust, sans consistance. Toutes
les fois qu'il a tenté de concevoir l'idée d'éternité, il a
trouvé soit le mysticisme de la création, soit le mysticisme du sentiment. « Dieu, il ne le requiert pas au
dehors de lui ; il le trouve en lui, en se divinisant [1]. »
Il est permis de penser que, volontiers, il eût contre-
signé cette phrase de Gide : « Que m'importe la vie
éternelle sans la conscience, à chaque instant, de cette
éternité ? La vie éternelle peut être dès à présent toute
présente en nous. Nous la vivons dès l'instant où nous
commençons à mourir à nous-mêmes, à obtenir de nous
ce renoncement qui permet immédiatement la résurrection dans l'éternité. » Il nous faudra montrer comment,
par un progrès qui ressemble à celui de l'anachorète,
Proust est allé jusqu'à ce renoncement total ; comment
il a quitté peu à peu, sans regrets, tous les biens de la
terre ; et comment enfin il a pu lui-même appeler la
fin de sa vie douloureuse une adoration perpétuelle.

1.   Noel Martin-Deslias : *Idéalisme de Marcel Proust,* page 140

CHAPITRE VII

LA RECHERCHE DU TEMPS PERDU (II) :
LES PASSIONS DE L'AMOUR

> Chaque fois que j'avais écrit qu'Albertine
> était jolie, j'ai biffé et j'ai écrit que j'avais
> envie d'embrasser Albertine.
>
> MARCEL PROUST.

Proust a toujours pensé que les peintures, classiques ou romantiques, de l'amour, n'atteignent pas la vérité profonde et que « rien n'est plus différent de l'amour que l'idée que nous nous en faisons ». Il a donc tenté de définir avec plus d'exactitude les phénomènes de la rencontre, du choix, des effets de la présence et de l'absence et, enfin, de l'oubli allant jusqu'à l'indifférence totale (idée qui s'oppose au *Lac*, à la *Tristesse d'Olympio* des romantiques, comme aux funèbres effets du regret dans la *Princesse de Clèves*). Il nous a donné ainsi une peinture de l'amour qui est neuve, mais tragique.

I

LA NAISSANCE DE L'AMOUR

Au commencement, en toute âme d'adolescent, il y a le désir ou l'angoisse, forces qui ne s'appliquent pas encore à un objet déterminé. Le désir est le mouvement

naturel qui nous porte vers une femme qui passe ; vers
la belle fille inconnue qui, dans une gare de montagne,
verse du café au lait aux voyageurs, plus généralement,
vers le mystère. Lorsque le Narrateur aperçoit, sur la
digue de Balbec, les jeunes filles en fleurs, tiges de rose
dont le principal charme est de se détacher, comme
une frise de vierges antiques, sur les chaînons de la
mer, il les aime toutes, car il ne sait rien d'aucune
d'entre elles, et les « divines processionnaires » lui
apparaissent véritablement interchangeables. L'angoisse,
elle, s'installe dans la vie de certains êtres et, en attendant que l'amour ait fait son apparition, « elle flotte...
vague et libre, sans affectation déterminée, au service
un jour d'un sentiment, au lendemain d'un autre,
tantôt de la tendresse filiale ou de l'amitié pour un
camarade... »

Désir et angoisse sont des forces disponibles en
chacun de nous et qui cherchent un objet sur quoi
elles se puissent exercer. Nous sommes amoureux, mais
nous ne savons pas de qui. Sur le théâtre de notre âme,
une comédie amoureuse est montée, les rôles en sont
écrits dans notre tête depuis nos lectures de l'enfance,
et nous cherchons l'actrice à laquelle nous distribuerons
celui de la femme aimée.

Comment choisirons-nous « l'étoile » qui créera ou
reprendra le rôle ? Ira-t-il à celle qui était la plus digne
de le jouer ? Cela ne peut être, car, au moment où
notre désir aveugle sonde avidement, pour choisir cette
femme, le milieu qui l'entoure, comme une créature
marine, à la recherche de sa proie, explore de ses tenta-
cules les eaux sombres, il y a peu de chances pour que
la meilleure ou la plus belle passe à notre portée. On
ne choisit pas la personne qu'on aime « après mille
délibérations », d'après des qualités et convenances
diverses, mais au hasard d'impressions qui, comme on
le verra, sont souvent sans aucun rapport avec la valeur

directe de l'objet, et d'abord parce que cette personne se trouve être présente à ce moment.

Pourtant le hasard n'est pas tout à fait seul à déterminer le choix. « Une ressemblance existe », dit Proust, « tout en évoluant, entre les femmes que nous aimons successivement, ressemblance qui tient à la fixité de notre tempérament, parce que c'est lui qui choisit, éliminant toutes celles qui ne nous seraient pas à la fois opposées et complémentaires, c'est-à-dire propres à satisfaire nos sens et à faire souffrir notre cœur... » Elles sont, ces femmes, un produit de notre tempérament, une image, une projection renversée, un « négatif » de notre sensibilité.

Opposées et complémentaires... Schopenhauer avait déjà dit à peu près cela, mais il l'entendait des caractères physiques. Proust pense surtout aux traits de l'esprit et du cœur. « L'accouplement des éléments contraires est la loi de la vie, le principe de la fécondation et la cause de bien des malheurs. Habituellement, on déteste ce qui nous est semblable, et nos propres défauts, vus du dehors, nous exaspèrent... » Aussi, bien souvent, l'homme cultivé s'attache-t-il à une femme sans culture, mais qui le séduit par son naturel ; l'homme sensible, à une femme un peu dure, parce que la vue des larmes dans les yeux des autres lui est pénible ; et le jaloux, à une coquette qui pourra « satisfaire ses sens et faire souffrir son cœur ». Le Narrateur aurait pu, et probablement dû, aimer Andrée plutôt qu'Albertine : « Mais, pour que j'aimasse vraiment Andrée, elle était trop intellectuelle, trop nerveuse, trop maladive, trop semblable à moi. Si Albertine me semblait maintenant vide, Andrée était remplie de quelque chose que je connaissais trop... »

Nous cherchons l'être qui nous apportera « ce prolongement, cette multiplication possible de soi-même qui est le bonheur ». Si nous croyons qu'une femme

« participe à une vie inconnue où son amour nous ferait pénétrer, c'est, de tout ce qu'exige l'amour pour naître, ce à quoi il tient le plus, ce qui lui fait faire bon marché du reste... » Une femme éveillera un amour d'autant plus vif qu'elle participera, pour tel homme défini, à un double mystère : celui du monde, du groupe social, pour lui neuf, auquel elle appartient ; et celui des pensées inconnues qu'elle forme. Marcel est attiré vers les jeunes filles de « la petite bande » parce que leurs mouvements, leurs apparitions et disparitions, leurs plaisirs et leurs rires lui sont incompréhensibles. Plus tard, rassasié d'Albertine parce qu'il la tient chez lui prisonnière, il sera curieux du mystère des jeunes midinettes dans la beauté desquelles il fait entrer, pour une grande part, la vie inconnue qui les anime : « Les yeux qu'on voit ne sont-ils pas tout pénétrés par un regard dont on ne sait pas les images, les souvenirs, les attentes, les dédains qu'il porte ?... Cette existence, qui est celle de l'être qui passe, ne donnera-t-elle pas une valeur variable au froncement de ses sourcils, à la dilatation de ses narines ?... » Ces jolies filles tentent Marcel, plus âgé, comme Albertine le tentait jadis et pour les mêmes raisons. Elles sont, aujourd'hui, la jeune troupe dans laquelle le metteur en scène qu'est l'Amour choisira sa nouvelle étoile.

Ainsi, lorsque nous sommes amoureux d'une femme, « nous projetons simplement en elle un état de *notre* âme et, par conséquent, l'important n'est pas la valeur de la femme, mais la profondeur de l'état... » C'est ce qui fait que les amours des autres nous sont difficilement intelligibles. L'amoureux construit le personnage de la Bien-Aimée sur des données extrêmement petites et même, dit Proust, il construit d'autant mieux que la matière réelle est dépourvue de densité. Une femme neutre, silencieuse et quasi réduite à une enveloppe aimable, comme était Juliette Récamier, sera la plus

attachante, fût-ce pour des hommes exigeants comme
Chateaubriand et Benjamin Constant. Où il y a peu
de chose, on peut tout imaginer. Une statue mutilée,
qui n'a plus ni tête, ni bras, acquiert de la beauté
parce que notre imagination est une grande artiste qui
modèle alors une statue parfaite. De même une femme
silencieuse paraît facilement intelligente, car l'esprit de
son amant lui refait un esprit. Mais comment un autre
homme, qui écoute la même femme de sang-froid, ne
la jugerait-il pas sévèrement et ne s'étonnerait-il pas de
ce qu'il appellera l'aberration de son ami ? Qui ne voit
dans un être que ce qui réellement s'y trouve ne peut
comprendre les choix de l'amour, qui sont déterminés
par quelque chose qui *ne se trouve pas* dans l'objet du
choix, mais dans l'esprit de celui qui choisit. Ainsi, le
premier stade de l'amour (selon Proust), c'est un
travail de l'imagination qui, mise en mouvement par
le désir et l'angoisse, pare de tous les charmes une
inconnue et nous mène à lui distribuer le rôle de la
Bien-Aimée. Car il faut bien que ce rôle soit tenu, si
l'on veut que la comédie amoureuse soit jouée, et tout
être humain le veut.

II

LA SOUFFRANCE D'AIMER

Que sera le second stade ? *A priori,* il semble que la
vie commune de deux êtres, unis par deux malen-
tendus, et qui ont cru voir l'un dans l'autre ce qui ne
s'y trouvait pas, ne puisse être qu'un réveil pénible
et un échec. Nous nous fiançons avec une femme que
notre imagination a substituée à la vivante, mais c'est
tout de même la vivante, que nous épousons ou à
laquelle, hors mariage, nous nous attachons. La décep-

tion semble inévitable et tel est, en effet, le diagnostic de Proust. « En amour », dit-il, « le choix ne peut être que mauvais. » Il montre cruellement et, comme il eût dit lui-même, assez méchamment, combien les réalités de l'amour sont différentes de ce que nous avions imaginé.

Nous sommes, après la conquête, en présence d'un être que nous connaissons à peine : « Que connaissais-je d'Albertine ? un ou deux profils sur la mer... On aime sur un sourire, sur un regard, sur une épaule. Cela suffit ; alors, dans les longues heures d'espérance ou de tristesse, on fabrique une personne, on compose un caractère... » Notre sentiment a pu devenir très fort parce que nous l'avons nourri de nos hypothèses et de nos angoisses, mais il est bâti sur des fondations trop fragiles pour porter ce lourd édifice. En outre celle (ou celui) que nous aimons est, comme tous les êtres, inconnaissable, de sorte que, même si nous le connaissions mieux, nous ne le connaîtrions pas du tout. Après des années de vie commune, que savons-nous de nos compagnes, ou de nos compagnons ? Quelques phrases, quelques gestes, quelques habitudes. Mais les pensées secrètes qui constituent leur essence nous demeurent, par définition, inaccessibles, cependant que leurs pensées avouées sont déformées par le langage, par le désir de plaire, par l'incapacité où sont presque tous les êtres de s'expliquer. « On est toujours déçu, dit Proust, par le peu qu'il y a d'une personne réelle dans ses lettres. » Celles-ci peuvent être brillantes, tendres, émouvantes. Il est rare qu'elles expriment tout le naturel d'un caractère. L'actrice (ou l'acteur) joue son rôle ; la femme (ou l'homme) nous échappe.

Non moindre déception dans l'ordre physique. L'amoureux a imaginé une créature « d'ivoire et de corail », une immatérielle beauté semblable à celles des mauvais romans et des mauvais films. Mais la Bien-

Aimée réelle est une créature de chair, sujette aux vicis-situdes et malaises de la chair. Marcel, qui a tant attendu l'heure d'embrasser Albertine, croit, au moment où ce bonheur lui est donné, connaître enfin le goût de la rose inconnue que sont les joues de la jeune fille. « Mais, hélas ! — car, pour le baiser, nos narines et nos yeux sont aussi mal placés que nos lèvres mal faites — tout d'un coup, mes yeux cessèrent de voir ; à son tour, mon nez s'écrasant ne perçut plus aucune odeur et, sans connaître pour cela davantage le goût de rose désiré, j'appris, à ces détestables signes, qu'enfin j'étais en train d'embrasser la joue d'Albertine... »

Que si le voile de mystère, au cours de la vie com-mune, paraît se lever, il laisse presque toujours apparaître un paysage social et sentimental qui, con-trairement à notre attente, ne nous ajoute rien. Nous nous étions embarqués pour un amour dans l'espoir de découvrir des mondes inconnus, mais, comme le voya-geur qui a parcouru des océans et des continents pour connaître enfin quelque terre africaine ou polynésienne s'étonne d'y trouver des tableaux semblables à ceux qu'il connaît déjà, ainsi la petite bande, si riche de possibles merveilleux quand elle était inconnue, devient banale et même exaspérante dès qu'elle est familière. Le salon Verdurin de l'imagination, parce qu'il est le milieu d'Odette, attire Swann amoureux ; Swann, maître et mari d'Odette, se désole d'avoir épousé une femme « qui ne lui plaisait pas, qui n'était pas son genre » et qui, en somme, ne lui a rien apporté.

Il semblerait donc que la force du sentiment engen-dré par le désir ou l'angoisse ne puisse résister à la possession et à la révélation du néant de ce que nous avions prisé si haut. Mais ici intervient une autre loi proustienne : « *L'amour survit à la possession, et même grandit, lorsque le doute subsiste.* » Loi terrible, car elle implique que les passions les plus ardentes seront inspirées par des êtres qui maintiennent autour d'eux une zone inconnue, soit consciemment (et ce sera le type classique de la Coquette), soit inconsciemment (et ce sera le triomphe immoral du mensonge et de la mythomanie). « Les charmes d'une personne sont cause moins fréquente d'amour qu'une phrase du genre de celle-ci : « *Non, ce soir, je ne serai pas libre.* » Lorsque les attentes vaines se multiplient, l'imagination, fouettée par la souffrance, va si vite dans son travail, fabrique avec une rapidité si folle un amour à peine commencé, et qui restait à l'état d'ébauche depuis des mois, que, par instants, l'intelligence, qui n'a pu rattraper le cœur, s'étonne... » Proust parle longuement de ce qu'il appelle « les êtres de fuite », ceux dont le comportement, l'indifférence ou la confusion réveillent sans cesse en nous l'anxiété. La sécurité tue l'amour. « Elle nous avait promis une lettre, nous étions calmes, nous n'aimions plus. La lettre n'est pas venue, aucun courrier n'en apporte ; que se passe-t-il ? L'anxiété renaît, et l'amour. Ce sont surtout de tels êtres qui nous inspirent l'amour, pour notre désolation... Il leur ajoute une qualité qui passe la beauté même ; ce qui est une des raisons pourquoi l'on voit des hommes indifférents aux femmes les plus belles en aimer passionnément certaines, qui nous semblent laides. A ces êtres-là, à ces êtres de fuite, leur nature, notre inquiétude attachent des ailes. Et même auprès de nous, leur regard semble nous dire qu'ils vont s'envoler. La preuve de cette beauté, surpassant la beauté, qu'ajoutent les ailes est que bien souvent, pour nous, un même être est successivement sans ailes et ailé. Que nous craignions de le perdre, nous oublions tous les autres. Sûrs de le garder, nous le comparons à tous ces autres qu'aussitôt nous lui préférons. Et comme ces émotions et ces certitudes peuvent alterner d'une semaine à l'autre, un être peut, une semaine, se voir sacrifier tout ce qui plaisait ; la semaine suivante être sacrifié, et ainsi de suite pendant très longtemps... »

Telle est l'histoire du second amour de Swann pour Odette. Il s'était facilement guéri d'une première atteinte parce qu'il sentait Odette à sa dévotion. Mais un jour, arrivant chez les Verdurin et trouvant Odette partie, il ressent une souffrance au cœur : « Il tremblait d'être privé d'un plaisir qu'il mesurait pour la première fois, ayant eu jusque-là cette certitude de le trouver quand il le voulait, qui, pour tous les plaisirs, nous diminue ou même nous empêche d'apercevoir aucunement leur grandeur... » Alors Swann se met à la poursuivre, la cherche dans tous les restaurants du boulevard, interroge anxieusement tous les visages obscurs qui passent dans la nuit, « comme si, parmi les fantômes des morts, dans le royaume sombre, il eût cherché Eurydice ». Et cette poursuite même fait renaître son amour.

Notre angoisse est ainsi le plus souvent liée à la jalousie, aux mensonges de l'être aimé, mais ce n'est même pas nécessaire. Elle peut, tant l'amour est subjectif, n'avoir aucun rapport réel avec cette femme : « Quelquefois, dans ces soirées d'attente, l'angoisse est due à un médicament qu'on a pris. Faussement interprétée par celui qui souffre, il croit être anxieux à cause de celle qui ne vient pas. L'amour naît, dans ce cas, comme certaines maladies nerveuses, de l'explication inexacte d'un malaise pénible... » Mais c'est là un cas extrême. Le plus souvent, « l'amour n'est provoqué que par le mensonge et consiste seulement dans le besoin de voir nos souffrances apaisées par l'être qui nous a fait souffrir... »

Ainsi l'amour, selon Proust, ne peut donner le bonheur. L'attachement à une femme (ou à un homme) est un mauvais sort qui nous a été jeté, car, « suivant une technique infaillible, il resserre pour nous d'un mouvement alterné l'engrenage dans lequel on ne peut plus ni ne pas aimer ni être aimé ». Pour que l'attachement soit durable, il faut l'angoisse liée à l'idée d'un autre être — donc la jalousie. Et c'est pourquoi Proust dit qu'en amour notre rival heureux, autant dire notre ennemi, est notre bienfaiteur, « car, s'il n'était là pour agir comme catalyseur, le désir et le plaisir ne se transformeraient pas en amour ». La douceur d'aimer est nécessairement, inéluctablement, liée à de grandes souffrances.

III

L'INGUÉRISSABLE JALOUSIE

Ces souffrances sont-elles guérissables, et comment évolue cette maladie qu'est l'amour proustien ? Il faut distinguer plusieurs cas.

Premier cas : L'homme se trouve un jour guéri du doute, entièrement rassuré. La femme que nous aimions, que nous avons tenté de conquérir, a fini par nous appartenir, et nous sommes assurés, désormais, de ne pas la perdre, soit parce que les circonstances (vie écartée, isolement) rendent toute jalousie absurde ; soit parce qu'ayant déjà pour nous bravé le monde elle n'est pas disposée à accepter de nouveaux risques ; soit parce que la nature de cette femme, ou sa foi, ou sa philosophie, font d'elle une prisonnière volontaire. « Alors », affirme Proust, « cet amour ne peut durer. »

« Dans la mesure où les unions avec les femmes qu'on enlève sont moins durables que d'autres, la cause en est que la peur de ne pas arriver à les obtenir, ou l'inquiétude de les voir fuir, était tout notre amour, et qu'une fois enlevées à leur mari, arrachées à leur théâtre, guéries de la tentation de nous quitter, dissociées en un mot de notre émotion, quelle qu'elle soit, elles sont seulement elles-mêmes, c'est-à-dire presque rien, et, si longtemps convoitées, sont quittées bientôt par celui-là même qui avait si peur d'être quitté par elles... » Marie d'Agoult, qui avait tout quitté pour Liszt, fut délaissée par lui.

Il existe, de cette situation, un douloureux et classique exemple dans *Anna Karénine*. Wronsky a poursuivi Anna avec passion ; elle ne pourra le garder : « Car, ainsi qu'au début il est formé par le désir, l'amour n'est entretenu plus tard que par l'anxiété douloureuse... Peut-être faut-il que les êtres soient capables de vous faire beaucoup souffrir pour que, dans les heures de rémission, ils vous procurent enfin ce calme qui est apaisement de la souffrance plutôt que joie... »

Deuxième cas : La femme peut être guérie du doute, remporter une victoire totale et tout obtenir sans rien donner, si l'amoureux laisse trop clairement voir le besoin qu'il a de sa présence :

« Les relations avec une femme qu'on aime peuvent rester platoniques pour une autre raison que la vertu de la femme, ou que la nature peu sensuelle de l'amour qu'elle inspire. Cette raison peut être que l'amoureux trop impatient, par l'excès même de son amour, ne sait pas attendre avec une feinte suffisante d'indifférence le moment où il obtiendra ce qu'il désire. Tout le temps, il revient à la charge ; il ne cesse d'écrire à celle qu'il aime ; il cherche tout le temps à la voir ; elle le lui refuse ; il est désespéré. Dès lors, elle a compris que, si elle lui accorde sa compagnie, son amitié, ces biens paraîtront déjà tellement considérables à celui qui a cru en être privé qu'elle peut se dispenser de donner davantage et profiter d'un moment où il ne peut plus supporter de ne pas la voir, où il veut à tout prix terminer la guerre, pour lui imposer une paix qui aura, pour première condition, le platonisme des relations... Les femmes devinent cela et savent qu'elles peuvent s'offrir le luxe de ne se donner jamais à ceux dont elles sentent, s'ils ont été trop nerveux pour le leur cacher les premiers jours, l'inguérissable désir qu'ils ont d'elles. La femme est trop heureuse que, sans rien donner, elle reçoive beaucoup plus qu'elle n'a d'habitude quand elle se donne. Les grands nerveux croient ainsi à la victoire de leur idole. Et l'auréole qu'ils mettent autour d'elle est aussi un produit, mais, comme on voit, fort indirect, de leur excessif amour... »

Troisième cas : Mais la marche ordinaire du mal, c'est celle que décrit Proust, une première fois à propos de Swann et d'Odette ; une seconde fois à propos du Narrateur et de Gilberte ; une troisième fois à propos du Narrateur et d'Albertine. Voici alors ce qu'il observe : la jalousie demeure jusqu'au bout inséparable de l'amour, d'abord parce que l'amant sait bien qu'il n'est pas lui-même fidèle (au moins en intention) et, par conséquent, doit s'attendre à trouver chez l'autre la même faiblesse ; ensuite parce que ses exigences ne font que croître avec ses succès. Nous avons commencé par souhaiter l'attention, même fugitive, d'une femme qui nous plaisait. L'ayant obtenue, nous voulons un sourire, des mots tendres, un baiser. Ayant franchi ces degrés de l'amour, nous souhaitons la possession ; dès que celle-ci nous est accordée, nous souhaitons qu'elle soit exclusive.

Rien ne peut apaiser le jaloux parce que la jalousie, qui est exclusivement un mal intellectuel, naît de l'ignorance des pensées et des actions de l'être aimé, et c'est pourquoi, contrairement à toute logique, il y a de bien étranges dérogations, et tel consent à être trompé pourvu qu'on le lui dise. Pour d'autres, ils ne peuvent être rassurés qu'en tenant la femme qu'ils aiment dans un véritable esclavage. Le Narrateur finira par faire d'Albertine une prisonnière, mais alors même ne pourra réduire à zéro la marge d'incertitude. Il y a des intrigues amoureuses jusque dans un harem, et, de toute

manière, aucun grillage ne rend maître des pensées :
« C'est un des pouvoirs de la jalousie de nous découvrir
combien la réalité des faits extérieurs et les mouvements
de l'âme sont quelque chose d'inconnu qui prête à mille
suppositions... » La prison elle-même ne rassure donc
pas. Le Narrateur est aussi jaloux du passé d'Albertine
que de son présent ou de son avenir : « Son passé, c'est
mal dire puisque, pour la jalousie, il n'est ni passé, ni
avenir, et que ce qu'elle imagine est toujours le
présent... »

De temps à autre, le soupçon se dissipe : « La gentillesse que nous montre notre amie nous apaise, mais
alors un mot oublié nous revient à l'esprit. On nous a
dit qu'elle était ardente au plaisir ; or nous ne l'avons
connue que calme ; nous essayons de nous représenter
ce que furent ces frénésies avec d'autres ; nous sentons
le peu que nous sommes pour elle ; nous remarquons
un air d'ennui, de nostalgie, de tristesse, pendant que
nous parlons ; nous remarquons, comme un ciel noir,
les robes négligées qu'elle met quand elle est avec nous,
gardant pour les autres celles avec lesquelles, au commencement, elle nous flattait. Si au contraire elle est
tendre, quelle joie un instant !... Puis le sentiment que
nous l'ennuyons revient... Tels sont les feux tournants
de la jalousie... »

Rien de plus profondément symbolique que la page
admirable où le Narrateur regarde dormir sa maîtresse.
Le sommeil de cet esprit, où tout l'inquiète, lui apporte
une sorte de paix et réalise, dans une certaine mesure,
la possibilité de l'amour heureux :

« Seul, je pouvais penser à elle, mais elle me manquait,
je ne la possédais pas. Présente, je lui parlais, mais j'étais
trop absent de moi-même pour pouvoir penser. Quand elle
dormait, je n'avais plus à parler, je savais que je n'étais
plus regardé par elle, je n'avais plus besoin de vivre à la
surface de moi-même. En fermant les yeux, en perdant la

conscience, Albertine avait dépouillé, l'un après l'autre, ses différents caractères d'humanité, qui m'avaient déçu depuis le jour où j'avais fait sa connaissance. Elle n'était plus animée que de la vie inconsciente des végétaux, des arbres, vie plus différente de la mienne, plus étrange et qui, cependant, m'appartenait davantage. Son moi ne s'échappait pas à tous moments, comme quand nous causions, par les issues de la pensée inavouée et du regard. Elle avait rappelé à soi tout ce qui d'elle était au dehors ; elle s'était réfugiée, enclose, résumée dans son corps. En la tenant sous mon regard, dans mes mains, j'avais l'impression de la posséder tout entière que je n'avais pas quand elle était réveillée. Sa vie m'était soumise, exhalait vers moi son léger souffle. J'écoutais cette murmurante émanation, mystérieuse, douce comme un zéphyr marin, féerique comme ce clair de lune qu'était son sommeil. Tant qu'il persistait, je pouvais rêver à elle et pourtant la regarder, et, quand ce sommeil devenait plus profond, la toucher, l'embrasser. Ce que j'éprouvais alors, c'était un amour devant quelque chose d'aussi pur, d'aussi immatériel dans sa sensibilité, d'aussi mystérieux que si j'avais été devant les créatures inanimées que sont les beautés de la nature... »

Mais, hélas ! les femmes que nous aimons ne peuvent toujours dormir et le mal paraît longtemps sans remède. « J'appelle ici amour une torture réciproque », dit Proust. La mort elle-même ne guérit pas l'amant jaloux. Il continue à scruter le passé ; il tente de reconstituer ce passé qui, de plus en plus, s'enfonce dans la nuit de la tombe, et ce sera le thème de toute la première moitié d'*Albertine disparue*.

IV

LES INTERMITTENCES DU CŒUR

Ainsi l'absence et la mort elle-même ne guérissent pas l'amoureux. Mais, heureusement, la mémoire n'est pas une force constante, et l'oubli, après une longue absence, nous donne enfin le néant mental, nécessaire à notre esprit qui y retrouve ses forces. « L'oubli est un puissant instrument d'adaptation à la réalité, parce qu'il détruit peu à peu en nous le passé survivant qui est en constante contradiction avec elle... » Marcel aurait pu deviner qu'un jour il n'aimerait plus Albertine. Comme l'être qu'il aimait n'était pas un personnage réel, mais une image intérieure, un fragment de la pensée de Marcel lui-même, l'amour pouvait, pendant quelques mois ou, dans les cas les plus rebelles, pendant quelques années, survivre à la présence ; mais, n'ayant aucun soutien hors de soi, il devait un jour, comme tout être mental, se trouver hors d'usage, être remplacé, et, ce jour-là, tout ce qui l'avait attaché au souvenir d'Albertine n'existerait plus. Il n'y a d'amants inconsolables que ceux qui ne veulent pas être consolés et font de leur douleur un culte, peut-être un moyen d'évasion. Au moment de la mort d'un être aimé, sa chambre, ses vêtements sont de précieux fétiches auxquels nous nous attachons désespérément ; mais un temps viendra où nous donnerons cette chambre à un étranger, sans même y prêter attention. « Car aux troubles de la mémoire sont liées les intermittences du cœur. » Les êtres aimés meurent deux fois : la première d'une mort corporelle, qui n'atteint qu'eux et les laisse encore vivants dans notre cœur ; la seconde fois, lorsque la marée de l'oubli recouvre aussi leur souvenir.

Ce n'est pas que nous soyons devenus incapables d'aimer, mais notre désir, qui a toujours été par nature impersonnel, s'attache à des êtres nouveaux qu'eux aussi nous prendrons, tour à tour, « pour des fins absolues, en dehors desquelles nul bonheur n'est désormais possible [1]. » Plusieurs fois le Narrateur a cru qu'un seul

1. Noel Martin-Deslias, *opus cit.*

être remplissait le monde : sa grand-mère, sa mère,
Gilberte Swann, la Duchesse de Guermantes, Albertine
Simonet. Chaque fois, il a suivi le même chemin douloureux, de l'enchantement à la jalousie ; chaque fois
aussi, le temps a fait son œuvre et l'oubli est intervenu.
Parce que nous avions aimé des personnages fictifs
qu'avait créés, ou au moins ornés, la puissance d'inven-
tion poétique de celui qui crut tant les aimer, il est
facile aussi de les dépouiller de ces prestiges de projecteur, de ces vives couleurs de théâtre ; le temps et
l'indifférence font que nous voyons soudain les êtres
que nous aimons tels qu'ils sont. Marcel perçoit l'égoïsme de Gilberte, la dureté de la Duchesse de Guermantes, la vulgarité d'Albertine. Le rôle cesse de leur être
distribué. Il devient disponible pour quelque comé-
dienne nouvelle, plus jeune, ou simplement plus favo-
risée par les circonstances, et qui ne peut manquer de
surgir au moment où nous aurons besoin d'elle.

La guérison se fait en plusieurs temps. D'abord, au
moment où l'être aimé disparaît de notre vie, nous
sentons mal l'intensité de la perte. Nous la connaissons
par l'intelligence, mais l'intelligence est une très petite
force ; nous n'y *croyons* pas. C'est plus tard que les
êtres sensibles éprouvent l'horreur de la perte. Les
autres ne la sentent jamais ; ils sont repris par le monde
extérieur, qui nie et exclut l'objet de leur souvenir.
« C'est pourquoi bien peu de gens sont capables d'un
grand chagrin. » Mais ceux pour qui la vie intérieure
compte plus que le monde extérieur vivent avec leurs
souvenirs et, même quand le temps a semblé effacer
ceux-ci, parfois tantôt dans un rêve, tantôt parce
qu'une image présente a évoqué les images passées, ils
sont envahis soudain par leur ancienne passion. Le
souvenir alors remonte à la surface « avec ses harmoniques », accompagné « des douceurs et des enchante-

ments perdus [1]. » Ainsi Marcel revoit en rêve la grand-mère qui l'a tant aimé ; ainsi, parfois, nous croyons voir, pendant l'éclair d'une douloureuse et poignante hallucination, passer le cher fantôme des amours oubliées.

Ainsi l'homme va de désir en désir, de douleur en douleur, d'extase en extase, de déception en déception, de regret en regret, d'oubli en oubli, jusqu'au jour où l'amour est enfin sublimé par les effets de l'âge et où des émotions, esthétiques ou autres, l'emportent sur lui.

V

DE L'INVERSION

Proust a été l'un des premiers, parmi les grands romanciers, qui aient osé donner à l'inversion la place qu'elle occupe en fait dans les sociétés modernes, et que les auteurs antiques lui reconnaissaient sans ambages. Balzac seul, avant lui, avait peint sérieusement Sodome dans le cycle de *Vautrin* et esquissé un aspect de Gomorrhe dans la *Fille aux yeux d'or*. Proust, balzacien passionné, avait étudié ces précédents avec sa coutumière intelligence, et l'on trouve, dans les *Cahiers* inédits, ce remarquable passage :

« A propos de ce qui est au verso, quand je dirai le mot *inverti*, je mettrai en note : « Balzac, avec une audace que « je voudrais bien pouvoir imiter, emploie le seul terme qui « me conviendrait : « Oh ! j'y suis », dit Fil-de-Soie, « il a « un plan, il veut revoir sa *tante*, qu'on doit exécuter bien- « tôt. » Pour donner une vague idée du personnage que les « reclus, les argousins et les surveillants appellent une *tante*,

1. NOEL MARTIN-DESLIAS.

« il suffira de rapporter ce mot magnifique du directeur
« d'une des maisons centrales au feu Lord Durham, qui
« visita toutes les prisons pendant son séjour à Paris... Le
« Directeur désigna du doigt un local, en faisant un geste
« de dégoût : « Je ne mène pas ici Votre Seigneurie », dit-
« il, « car c'est le quartier des *tantes.* » — « Hao ! » fit
« Lord Durham, « et qu'est-ce ? — C'est le troisième sexe,
« Mylord. » (BALZAC : *Splendeurs et Misères des courtisanes.*)

« Ce terme conviendrait particulièrement dans mon
ouvrage où, les personnages auxquels il s'appliquerait étant
presque tous vieux, et presque tous mondains, il le serait
dans les réunions mondaines où ils papotent, magnifiquement habillés et ridiculisés. Les tantes ! Rien que dans le
mot, on voit leur solennité et toute leur toilette ; rien que
dans ce mot qui porte jupes, on voit dans une réunion
mondaine leur aigrette et leur ramage de volatiles d'un
genre différent [1]... »

Balzac était loin d'avoir exploité à fond le prodigieux gisement de matière romanesque que constitue
une forme d'amour qui peut rapprocher, de manière si
étonnante, des hommes que tout, dans leur vie sociale,
politique ou spirituelle, sépare. Proust pensait qu'il
fallait pousser bien plus loin ces études et décrire les
cheminements secrets d'une franc-maçonnerie interna-
tionale plus unie que celle du Grand-Orient :

« ... car elle repose sur une identité de goûts, de besoins,
d'habitudes, de dangers, d'apprentissage, de savoir, de
trafic, de glossaire, et dans laquelle les membres même qui
souhaitent de ne pas se connaître, aussitôt se reconnaissent
à des signes naturels ou de convention, involontaires ou
voulus, qui signalent un de ses semblables au mendiant
dans le grand seigneur à qui il ferme la portière de sa voi-

---

1. Texte inédit. Appartient à Madame Mante-Proust.

ture ; au père dans le fiancé de sa fille ; à celui qui avait voulu se guérir, se confesser, qui avait à se défendre, dans le médecin, dans le prêtre, dans l'avocat qu'il est allé trouver ; tous obligés à protéger leur secret, mais ayant leur part d'un secret des autres que le reste de l'humanité ne soupçonne pas et qui fait qu'à eux les romans d'aventures les plus invraisemblables semblent vrais, car dans cette vie romanesque, anachronique, l'ambassadeur est l'ami du forçat ; le prince, avec une certaine liberté d'allures que donne l'éducation aristocratique et qu'un petit bourgeois n'aurait pas, en sortant de chez la duchesse, s'en va conférer avec l'apache ; partie réprouvée de la collectivité humaine, mais partie importante, soupçonnée là où elle n'est pas, étalée, insolente, impunie là où elle n'est pas devinée, comptant des adhérents partout, dans le peuple, dans l'armée, dans le temple, au bagne, sur le trône ; vivant enfin, du moins un grand nombre, dans l'intimité caressante et dangereuse avec les hommes de l'autre race, les provoquant, jouant avec eux à parler de son vice comme s'il n'était pas sien, jeu qui est rendu facile par l'aveuglement et la fausseté des autres, jeu qui peut se prolonger des années, jusqu'au jour du scandale où ces dompteurs sont dévorés ; jusque-là obligés de cacher leur vie, de détourner leurs regards d'où ils voudraient se fixer sur ce dont ils voudraient se détourner ; de changer le genre de bien des adjectifs dans leur vocabulaire, contrainte sociale légère auprès de la contrainte intérieure que leur vice, ou ce qu'on nomme improprement ainsi, leur impose, non plus à l'égard des autres mais d'eux-mêmes, et de façon qu'à eux-mêmes il ne leur paraisse pas un vice [1]... »

A traiter ce sujet interdit, ou relégué aux enfers des bibliothèques, il y avait, pour le romancier, un risque et même des dangers. Le sérieux de son œuvre, la beauté de son langage ne pouvaient le protéger qu'auprès des lecteurs dignes de lui, mais des milliers d'autres,

---

1. Texte inédit. Appartient à Madame Mante-Proust.

et jusque parmi les écrivains et les critiques, allaient le juger et l'abandonner au seul énoncé du titre et du thème. Marcel Proust le savait et s'attendait à perdre la plupart de ses amis lorsqu'apparaîtrait le véritable Charlus. Mais il tenait le respect de la vérité pour la plus grande vertu de l'artiste ; il avait observé le rôle immense joué par l'amour aberrant ; et il éprouvait un irrésistible besoin de s'exprimer sur ce problème avec sincérité. Il était loin, très loin, de vouloir un succès de scandale. Le lecteur qui chercherait dans son œuvre des descriptions scabreuses ou des scènes libertines serait déçu. Le roman de Proust est, malgré les sujets traités, infiniment plus chaste que, par exemple, les *Confessions* de Rousseau, où il entre tant de complaisance pour une trouble volupté. Parmi ses habitants de Sodome, on ne trouve point de Casanova, et rien, chez ses Gomorrhéennes, ne rappelle le charme équivoque des *Chansons de Bilitis*. Son livre n'est ni plus choquant, ni plus sensuel qu'un ouvrage de Fabre ou de Jean Rostand sur les amours de telle espèce animale. Non qu'il veuille réduire la vie humaine à la bestialité ; nous avons vu au contraire qu'il indique, et qu'il suit lui-même les chemins de la délivrance, mais, quand il observe les manifestations du désir, Proust le fait en naturaliste. L'homme-femme s'attache à un homme « comme le volubilis jette ses vrilles là où se trouve une pioche ou un râteau ». Monsieur de Charlus se dirige vers le giletier Jupien « comme le bourdon vers l'orchidée que lui seul peut féconder ». Observé par un expérimentateur objectif, l'inverti apparaît comme un être déterminé dès l'enfance. Il y a en lui, à son insu, des éléments qui le définissent :

« Quand on est jeune, on ne sait pas plus qu'on est homosexuel qu'on ne sait qu'on est poète, qu'on est snob, qu'on est méchant. Un snob n'est pas un homme qui aime les snobs, mais un homme qui ne peut voir une duchesse sans la trouver charmante ; un homosexuel n'est pas un homme qui aime les homosexuels, mais un homme qui, voyant un chasseur d'Afrique, aimerait en faire son ami. Or l'homme est d'abord un être centrifuge qui s'ignore, qui se fuit, qui s'attache hors de soi à la contemplation de ses songes et croit recevoir son impulsion du dehors... Ses regards sont fixés loin de lui, sur la spirituelle duchesse, sur le brave chasseur d'Afrique, par les charmes desquels ses goûts artistes préfèrent penser qu'il est régi, plutôt que par quelque défaut ridicule du caractère, ou quelque défectuosité du tempérament. Ce n'est que quand la révolution de la pensée autour du *moi* est accomplie, quand l'intelligence de l'homme, sortie de lui-même, le voit du dehors, comme un autre, que les mots : « Je suis snob, je suis homosexuel », se formulent à sa pensée, sans s'échapper toutefois de ses lèvres — car il a, dans l'intervalle, acquis assez d'hypocrisie pour tenir un langage qui donnera beaucoup mieux le change sur ses véritables sentiments que les confidences qu'il faisait d'abord trop imprudemment, quand il ignorait leur sens [1]... »

Certains invertis, lorsqu'ils commencent à comprendre qu'ils sont différents de la majorité des hommes :

« ... fuient, par mépris et dégoût, la société des gens du commun, abrutis par les femmes ; interprètent à la lumière de leur idée fixe les grands livres du passé et, s'ils trouvent dans Montaigne, dans Gérard de Nerval, dans Stendhal, une phrase d'une amitié un peu ardente, persuadés qu'ils aiment en eux des frères, qui s'ignoraient peut-être et qui n'ont manqué que de quelqu'un comme eux pour leur faire voir clair dans leur âme, s'ils ont un jeune ami intelligent, ils ne cherchent pas à le préserver de la contagion du vice, mais à le convertir à une doctrine faite seulement pour de libres esprits, les exhortent à l'amour pour les hommes comme d'autres font à l'anarchie, au sionisme, à l'anti-patriotisme, à la désertion [1]... »

---

1. Textes extraits des *Cahiers inédits* de Marcel Proust. Ceux-ci appartiennent à Madame Mante-Proust.

D'autres, au contraire, adoptent contre eux-mêmes et contre leurs instincts le point de vue des « normaux » et, accablés de remords, brûlés de désir, se réfugient dans la solitude :

« Et celui qui reste est seul dans sa tour, comme Grisélidis, n'ayant d'autre plaisir que d'aller quelquefois à la station voisine demander un renseignement au nouveau chef de gare ; ou descend à la cuisine, envoie nerveusement le chef en courses à la ville, tenant à recevoir en personne la dépêche des mains du télégraphiste, ou à faire observer lui-même au garçon boucher que le gigot de la veille n'était pas assez tendre. Puis le chef de gare change de poste. Il s'informe où il est parti, à l'autre bout de la France. Il ne pourra plus aller lui demander l'heure du train, le prix des premières. S'il n'avait peur de lui paraître ridicule, importun, il irait se fixer dans la ville où il est maintenant en service — et rentre dans son château en pensant avec tristesse que la vie est mal arrangée qui ne permet pas aux jeunes gens, qui en auraient l'envie, de se fiancer à un chef de gare. Il vit seul et triste ; les soirs où le trop-plein de ses désirs l'enivre de folie et d'audace, il remet dans son chemin un ivrogne, ou arrange la blouse d'un aveugle...

« ... Qui n'a vu au bord de la mer, seuls sur la grève, de ces êtres douloureux et beaux qui eussent fait les délices d'une femme, mais qui, merveilleuses Andromèdes attachées au rocher de leur vice, regardent l'horizon jour après jour dans l'espoir que sur ces eaux bleues qui sont encore celles où navigue... quelque Argonaute vienne les enlever, sans jamais avoir été guidé ni conseillé par personne, essuyant les querelles de leur entourage, se mettant déjà à seize ans du rouge sur les lèvres et du noir sur les yeux, restant la nuit au balcon de leur chalet, respirant une branche de fleurs, écoutant chaque flot venir se briser à leurs pieds l'un après l'autre ; et à d'autres moments il en est d'autres, qu'on a toujours rencontrés une fois dans sa vie, dans la salle des pas-perdus d'une gare, de ces êtres délicats à visage maladif, à l'accoutrement bizarre, jetant sur la foule un regard indifférent en apparence, mais qui cherchent en réalité s'il ne s'y rencontrerait pas enfin l'amateur, bien difficile à trouver, du plaisir si singulier, si difficile à « placer » qu'ils offrent, et pour qui ce regard, même dissimulé pour tous les autres dans les apparences d'un paresseux dédain... lui sera un signe de ralliement suffisant pour qu'il se mette aussitôt en mouvement de ce côté, filant avec prestesse du guichet d'enregistrement vers la salle d'attente des grandes lignes. Il n'y a là personne parlant la même langue, langue vénérable et presque sacrée par son étrangeté, son antiquité, sa cocasserie, que peut-être un pauvre qui fera semblant de l'aimer pour gagner le prix de sa chambre... De même que peut-être ce pauvre qui, pour se chauffer une heure dans une salle du Collège de France, fit semblant de s'intéresser à une langue à peine moins courante... et où le maître qui (l'enseigne) n'a d'auditeurs, en dehors de ce vagabond, que son garçon de salle et son futur successeur. C'est en vain que, dans sa frêle apparence et sous ses précieuses couleurs, le jeune pauvre malade regarde avec mélancolie la foule où son œil n'aperçoit rien qui puisse lui convenir. Comme certaines fleurs où l'organe de l'amour est si mal placé qu'elles risquent de se flétrir sur leurs tiges avant d'avoir été fécondées. L'amour mutuel est chez eux soumis à des difficultés spéciales, ajoutées encore à celles qui existent pour tout le monde (si bien) qu'on peut dire qu'une telle rencontre, si rare pour la plupart des êtres, devient pour eux à peu près impossible. Mais aussi, si elle se produit — ou du moins si la nature leur fait croire qu'elle se produit, en habillant à la façon de certains entremetteurs un être qui fera commerce de leur plaire en authentique soldat, ou en naïf ouvrier, qui serait rentré tout droit à la caserne ou à l'atelier s'il n'avait été ébloui par la vue de l'âme-sœur, — combien leur bonheur est plus grand encore que celui de l'amoureux normal ! Ayant la notion de ces éliminations que comportent pour eux les hasards habituels de l'amour, ils sentent que cet amour n'est pas, comme l'autre, né de l'instant, n'est pas le caprice d'une minute, qu'il faut qu'il

ait ses racines plus profondes dans la vie, dans le tempérament, peut-être dans l'hérédité ; l'être qui vient à eux leur
vient de plus loin que de la minute présente ; il leur était
fiancé dès son enfance ; il leur appartenait déjà avant de
naître ; il se dirigeait du fond des limbes, des astres où
sont nos âmes avant leur incarnation. Cet amour-là, plus
que l'autre, seraient-ils tentés de croire, est le véritable
amour. Car, parmi les harmonies spéciales et préétablies
qu'il implique, il est toujours plus qu'un caprice : une
prédestination [1]... »

Et de même que l'inversion, dans la jeunesse, prend
deux formes, l'une militante et l'autre honteuse, on
trouve aussi, chez l'homme mûr, deux sous-embranche-
ments : l'inverti à peu près guéri et en apparence
« normalisé » — et celui qui, vieillissant et cynique,
accepte d'acheter ce que l'amour sincère d'un jeune
homme ne lui donne plus.

« ... Chez certains, bien rares, le mal n'est pas congéni-
tal ; mais, en ce cas superficiel, il peut guérir. Quelquefois
même il tient à une difficulté de faire l'amour avec une
femme, qui tient à une infirmité anatomique. Or on guérit
certains asthmes en détruisant des adhérences que le malade a dans le nez ; d'autres fois, il a pour cause un dégoût
des femmes, une répulsion causée par leur odeur, par la
qualité de leur peau ; répulsion qui peut être vaincue,
comme certains enfants qui se trouvent mal en voyant des
huîtres ou du fromage et finissent par les aimer beaucoup ;
mais le plus souvent ceux qui sont nés avec le goût des
hommes meurent ainsi. En apparence, leur vie peut changer ; leur vice n'apparaît plus dans leurs habitudes cou-
rantes ; mais rien ne se perd ; un bijou caché se retrouve
toujours ; quand la quantité d'urines d'un malade diminue,
il sue davantage, mais il faut toujours que l'excrétion se
fasse. Un homosexuel semble guéri ; contrairement aux

1. Textes extraits des *Cahiers inédits* de Marcel Proust. Ceux-ci
appartiennent à Madame Mante-Proust.

lois de la physique morale, la quantité de force sensuelle qui avait semblé anéantie, c'est simplement qu'elle est transférée ailleurs. Un jour cet inverti perd son jeune neveu et, à son inconsolable douleur, vous comprenez que c'était dans cet amour, chaste peut-être, qu'avaient passé les désirs qui n'étaient nullement détruits et qui se retrouvent au total, comme dans un budget une somme qu'on a seulement, par virement, portée à un autre exercice...

« ... Il faut pourtant faire cette réserve que, dans ce cas, il y a aussi un phénomène d'attention, l'amour agissant à la manière d'une distraction puissante qui rend moins nécessaires des habitudes dont le besoin est en partie imaginaire et grandi par l'oisiveté. Or, à cet égard, une grande ambition politique, une vocation religieuse, une œuvre artistique à accomplir peuvent pendant quelque temps, souvent des années, détourner l'esprit des images voluptueuses qui poussaient l'homosexuel à la recherche de plaisirs quotidiens [1]... »

Tels sont, au temps de l'âge mûr, les homosexuels guéris, ou qui le paraissent. Pour les autres s'ouvre l'Enfer où Marcel Proust conduit le Baron de Charlus : c'est la maison de Jupien. L'idéal de Charlus serait d'être aimé par un homme très viril qui, justement parce que viril, ne l'aime pas, de sorte que le malheureux se voit réduit à acheter l'illusion de ce que la réalité ne pourra jamais lui donner. Les jeunes hommes qui accepteront de se prostituer à un Charlus seront nécessairement d'une espèce dangereuse, et c'est pourquoi le Baron, et plus tard Saint-Loup, auront ce regard toujours inquiet qui guette l'irruption sur la scène de leur vie, de l'irrémédiable scandale, et cette brusquerie de gestes, de mouvements, qui paraît une élégance et n'est que l'esquisse d'une évasion. Inquié-

1. Textes extraits des *Cahiers inédits* de Marcel Proust. Ceux-ci appartiennent à Madame Mante-Proust.

tude accrue parce que les invertis se reconnaissent toujous entre eux, comme les dieux dans Homère, comme deux compatriotes qui se retrouvent à l'étranger, « comme dans une petite ville, se lient le notaire et le professeur de seconde, qui aiment tous deux la musique de chambre, les ivoires du Moyen Age », et parce que, tout en s'agglomérant, ils ne s'aiment pas.

Proust a observé et analysé bien d'autres traits de l'inverti : le mariage avec une femme d'aspect viril et qui, peut-être par amour et divination de ce que souhaite l'époux, se fait de plus en plus hommasse (c'est le cas de Madame de Vaugoubert) ; les qualités charmantes de délicatesse et de goût que lui donnent le côté féminin de sa nature ; son invincible besoin de parler au féminin des hommes qui lui plaisent :

« On eût été bien étonné si l'on avait noté les propos furtifs que Monsieur de Charlus avait échangés avec plusieurs hommes importants de cette soirée. Ces hommes étaient deux ducs, un général éminent, un grand écrivain, un grand médecin, un grand avocat. Or les propos avaient été : « A propos, avez-vous vu le valet de pied, je parle « du petit qui monte sur la voiture ? Et chez notre cousine « Guermantes, vous ne connaissez rien ? — Actuellement, « non. — Dites donc, devant la porte d'entrée, aux voitures, « il y avait une jeune personne blonde, en culotte courte, « qui m'a semblé tout à fait sympathique. Elle m'a appelé « très gracieusement ma voiture ; j'aurais volontiers pro- « longé la conversation. — Oui, mais je la crois tout à « fait hostile... »

Il note aussi l'intérêt porté par le monde de Sodome à celui de Gomorrhe :

« Baudelaire... voulait d'abord appeler tout le volume, non pas *Les Fleurs du Mal,* mais *Les Lesbiennes...* Comment a-t-il pu s'intéresser si particulièrement aux Lesbiennes que d'aller jusqu'à vouloir donner leur nom comme

titre à tout son splendide ouvrage ? Quand Vigny, irrité
contre la femme, l'a expliquée par les mystères de l'allaite-
ment :

> *Il rêvera toujours à la chaleur du sein,*

par la physiologie particulière à

> *La femme, enfant malade et douze fois impur,*

par sa psychologie :

> *Toujours ce compagnon dont le cœur n'est pas sûr...*

on comprend que, dans son amour déçu et jaloux, il ait
écrit : « *La femme aura Gomorrhe et l'homme aura Sodome.* » Mais, du moins, c'est en irréconciliables ennemis
qu'il les pose loin l'un de l'autre.

> *Et, se jetant de loin un regard irrité,*
> *Les deux sexes mourront chacun de son côté.*

« Il n'en est nullement de même pour Baudelaire :

> *Car Lesbos entre tous m'a choisi sur la terre*
> *Pour chanter le secret de ses vierges en fleur,*
> *Et je fus, dès l'enfance, admis au noir mystère...*

« Cette « liaison » entre Sodome et Gomorrhe que, dans
les dernières parties de mon ouvrage (et non dans la première *Sodome* qui vient de paraître), j'ai confié à une
brute, Charles Morel (ce sont, du reste, les brutes à qui ce
rôle est d'habitude réparti), il semble que Baudelaire s'y
soit de lui-même « affecté » d'une façon toute privilégiée.
Ce rôle, combien il eût été intéressant de savoir pourquoi
Baudelaire l'avait choisi, comment il l'avait rempli. Ce qui
est compréhensible chez Charles Morel reste profondément
mystérieux chez l'auteur des *Fleurs du Mal...* »

On peut voir, dans le Journal de Gide [1], comment
Proust expliquait ce mystère, et qu'il affirmait recon-

---

1. ANDRÉ GIDE : *Journal*, pages 693-694 (Bibliothèque de la
Pléiade, Gallimard, Paris, 1939).

naître en Baudelaire un uraniste impénitent, mais l'explication vaut pour Proust lui-même, si particulièrement intéressé par Lesbos, bien plus encore que pour Baudelaire. La jalousie aiguë qu'inspirent au Narrateur les relations d'Albertine avec d'autres femmes doit être interprétée comme une transposition de la jalousie qu'éprouve un inverti envers les autres hommes, cependant qu'il considère les « passades » avec des femmes de celui qu'il aime comme des épisodes regrettables, qui lui inspirent de la répulsion, du dégoût, mais n'ont pas la même importance sentimentale.

VI

EFFETS DE L'INVERSION DANS LE ROMAN

Il reste à parler de l'effet de l'inversion sur l'artiste et, singulièrement, sur le romancier. Si elle permet à celui-ci de mieux connaître Vautrin ou Charlus, ne lui interdit-elle pas la connaissance directe des femmes ? Transposer Albert en Albertine, en ne conservant d'Albert, comme l'a dit Proust à Gide, que les éléments les plus gracieux, n'est-ce pas risquer de composer une Albertine trop peu féminine ? Cette objection n'est que partiellement valable. Voici pourquoi :

a) Proust, nous l'avons vu, a fort bien connu un grand nombre de femmes. Il a, dès l'adolescence, cru aimer plusieurs jeunes filles ; il a eu pour amies une Marie Scheikevitch, une Louisa de Mornand, une Geneviève Straus, une Anna de Noailles et dix autres avec lesquelles il entretint des correspondances ininterrompues. Il se plaisait dans la société des femmes ; elles le tenaient pour un ami souhaitable et délicieux.

b) Ce qu'il cherche à peindre, ce sont les effets de

l'amour dans l'âme du Narrateur ou, plus généralement, dans l'esprit de celui qui aime. Il importe donc assez peu de savoir ce qu'était réellement l'objet aimé, puisque l'essence même de l'amour, selon Proust, c'est que l'objet aimé n'existe pas, sinon dans l'imagination de l'amant.

Néanmoins, la transposition entraîne certaines invraisemblances : 1°) Le séjour d'Albertine chez un célibataire, la séquestration acceptée par les siens sont difficiles à admettre si Albertine est une jeune fille de famille bourgeoise. A l'époque où se passe l'épisode, c'est-à-dire avant la guerre de 1914, ce séjour eût été absolument inconcevable.

2°) Proust a négligé, dans sa peinture de l'amour, ce que sont les instincts particuliers de la femme, la nature toute différente de sa sensualité, son besoin d'attachement et de durée. Il aurait été incapable d'écrire tant le *Lys dans la Vallée* que les *Mémoires de deux jeunes mariées*. Il est vrai que la forme même de son livre lui imposait de ne peindre, de l'intérieur, aucun personnage autre que le Narrateur (et Swann, qui est une projection du Narrateur).

3°) Sa peinture de l'amour est plus désespérante que celle d'amours normales, fût-elle l'œuvre d'un pessimiste. Parce qu'il était un anxieux (et je reprends ici son propre diagnostic), il a interprété cette anxiété en termes de jalousie. Jusque dans *l'Enfer* de Barbusse, il y a quelques cris de bonheur qui sont absents de l'enfer proustien, ce qui s'explique par les raisons qu'il donne lui-même : clandestinité des amours dites « contre nature », difficulté du choix, vénalité, position en porte-à-faux dans une société hostile.

Il faudrait étudier, pour les opposer à *Sodome et Gomorrhe,* les Sonnets de Shakespeare, le *Corydon* de Gide, et certains textes de Wilde qui peignent « les aspects dionysiaques de l'uranisme », mais, si le tableau de Proust est incomplet, il est exact et il contribue à éclairer, pour le lecteur profane, ce phénomène « si mal compris, si inutilement blâmé ». En outre, l'étude des invertis apportait à Proust, qui voulait montrer que tout, en amour, est travail de l'imagination, la plus saisissante illustration. Il est déjà surprenant, dans les amours hétérosexuelles, de voir la Beauté fuir soudain « le visage de la femme que nous n'aimons plus pour venir résider dans le visage que les autres trouvent le plus laid, mais il est plus frappant encore de la voir, obtenant tous les hommages d'un grand seigneur qui délaisse aussitôt une belle princesse, émigrer sous la casquette d'un contrôleur d'omnibus ».

On a dit qu'il eût été plus courageux de prêter au Narrateur les mœurs de Charlus et de ne pas transposer Albert en Albertine. Proust a répondu qu'il lui fallait, pour être lu et compris, tenir compte de son public. Comme le médecin des yeux dit au patient qui vient le consulter : « Regardez vous-même si vous y voyez mieux avec ce verre-ci, avec celui-là, ou avec cet autre », le romancier qui veut amener son lecteur à comprendre cette idée capitale : l'irréalité de ce qu'on appelle réalité doit lui présenter d'abord une image de cette réalité que le patient puisse accepter pour telle. Que des yeux différents aient besoin, pour redresser l'image, de verres différents, ne change rien aux principes de l'optique ; que des êtres différents aient besoin, pour éprouver le désir ou la jalousie, d'illusions différentes ne change rien aux lois de l'amour.

Quant à l'idée que l'amour est toujours un échec et une sombre fatalité, elle n'est pas due chez Proust à la seule inversion ; Ramon Fernandez a montré qu'elle était, dans la France de ce temps, commune à la littérature et à la chanson populaire. On peut trouver, parmi les succès de music-hall de cette époque, des textes qui, *mutatis mutandis,* rappellent les thèmes de

Swann et, à une époque antérieure, dans Murger, Fernandez a découvert une chanson de Musette qui résume, avec un singulier et facile bonheur, la triste sagesse de Swann :

> Ce n'est plus qu'en fouillant les cendres
> Des beaux jours qui sont révolus
> Qu'un souvenir pourra nous rendre
> La clef des paradis perdus...

Si l'on remarque aussi que les romans de Boylesve, de Bourget, de France montraient alors, comme l'avait fait jadis Racine, « le renforcement de la passion par l'incompréhension réciproque des êtres », on verra que le pessimisme amoureux de Proust était loin d'être isolé.

Cela ne veut pas dire que ce pessimisme soit justifié. L'erreur fondamentale de Proust, quant aux plaisirs de l'amour, c'est de les analyser et de les réduire à leurs éléments. Or il en est du plaisir et du sentiment comme du mouvement : on ne peut le décomposer sans l'annuler. Proust est le Zénon de l'amour. Le baiser d'Albertine se trouve anéanti par le raisonnement comme la vitesse de la flèche. L'amour ne rattrapera jamais la jalousie, comme Achille ne rattrapera jamais la tortue, mais Zénon, comme Proust, se trompe. Achille rattrapera la tortue ; il est des femmes dignes d'être aimées ; et l'amour actuel peut donner autant et plus de joies que l'amour virtuel ou passé.

VII

GRANDEUR DE L'AMOUR

Si Proust décrit implacablement les ravages de l'amour, ce serait une erreur de penser qu'il n'en voit pas la grandeur. Il montre que l'amour est une illusion, mais une illusion qui enrichit notre vie, et il le fait « sans malveillance et sans aigreur, sans aucun pessimisme systématique, sans renoncer le moins du monde pour son compte à tous les enchantements du sentir, sans rien ignorer de ce que peut embrasser le rêve, en étendant plutôt qu'en appauvrissant les ressources de l'âme [1] ». Oui, l'amour est le plus souvent un mensonge, conscient ou inconscient, envers nous-mêmes, mais qui a pour objet de nous agrandir. C'est « le vouloir obscur de persévérer dans notre être qui nous amène à magnifier ce que nous aimons ». Et, en fait, ne constatons-nous pas qu'un homme ou une femme, envahis par un grand amour, valent infiniment mieux, malgré toutes leurs fautes, que ceux qui n'ont jamais aimé ?

Nous nous mentons peut-être à nous-mêmes quand nous majorons l'homme (ou la femme) que nous aimons, mais ce mensonge a pour objet, et pour effet, de nous agrandir. « Les êtres nous sont d'habitude si indifférents que, quand nous avons mis en l'un d'eux de telles possibilités de souffrance et de joie, pour nous il nous semble appartenir à un autre univers ; il s'entoure de poésie ; il fait de notre vie comme une étendue émouvante où il sera plus ou moins rapproché de nous... » En réveillant en Swann des émotions qui avaient été celles de l'adolescence, Odette refait de lui un être plus jeune. Le clair de lune, la beauté des choses le touchent comme ils l'avaient ému jadis : « Car Swann en trouvait aux choses depuis qu'il était amoureux comme au temps où, adolescent, il se croyait artiste ; mais ce n'était plus le même charme ; celui-ci, c'est Odette seule qui le leur conférait. Il sentait

1. Jacques Rivière.

renaître en lui les inspirations de sa jeunesse qu'une vie frivole avait dissipées, mais elles portaient toutes le reflet, la marque d'un être particulier ; et, dans les longues heures qu'il prenait maintenant un plaisir délicat à passer chez lui, seul avec son âme en convalescence, il redevenait peu à peu lui-même... »

Et puis l'amour est cause de grandes souffrances, et « par la souffrance seule nous entrons au royaume des cieux ». L'homme trop heureux, trop sûr de lui, est inhumain. Comment comprendrait-il les vies des autres qui, presque toutes, sont pétries de douleur ? Comment irait-il chercher au fond des êtres, sous les apparences de la beauté, du pouvoir, de l'éloquence, cette réalité profonde et douloureuse qui est leur essence ? Seuls l'amour et la jalousie peuvent nous ouvrir les portails de l'intelligence. Car toutes les souffrances morales se ressemblent, et l'angoisse qu'éprouve Marcel, le jour où il attend en vain que sa mère monte l'embrasser, est analogue à celle de Swann lorsqu'il cherche en vain Odette. L'amour fait de nous le frère de milliers d'hommes et « nous invite à partager avec l'ami les souffrances du passé et les terreurs de l'avenir ». Aimer aide à discerner, à différencier. Sans amour, nous ne cherchons guère à comprendre les autres. « L'amour, c'est l'espace et le temps rendus sensibles au cœur... Le bonheur est salutaire pour le corps, mais c'est le chagrin qui développe les forces de l'esprit... »

L'amour, en nous forçant à aller jusqu'au fond d'un soupçon, d'un caractère, nous fait prendre les choses au sérieux ; il arrache « les mauvaises herbes de l'habitude, du scepticisme, de la légèreté, de l'indifférence ». C'est la raison pour laquelle la société d'une jeune fille quelconque, mais que l'on aime, peut être infiniment plus saine pour l'esprit, l'éveiller à des idées beaucoup plus hautes que celles d'un homme de génie. « Ce qu'il s'agit de faire sortir, d'amener à la lumière, ce sont nos sentiments, nos passions... Une femme dont nous avons besoin tire de nous des sentiments autrement profonds, autrement vitaux, qu'un homme supérieur qui nous intéresse... » C'est parce qu'Albertine aurait probablement eu grand'peine à comprendre ce que le Narrateur écrivait sur elle qu'elle était pour lui une compagne infiniment plus enrichissante qu'Andrée. Non seulement elle le féconde par le chagrin, mais elle le contraint à penser, par le simple effort pour imaginer ce qui diffère de soi.

En particulier, l'amoureux devient plus sensible à tous les arts. Parce qu'il a entendu avec Odette la petite phrase de Vinteuil, ce thème devient pour Swann « l'air national de leur amour ». A ce que l'affection pour Odette de Crécy pouvait avoir d'un peu court et de décevant, « la petite phrase venait ajouter, amalgamer son essence mystérieuse ». C'était pour Swann, dont les yeux portaient à jamais la trace indélébile de la sécheresse de sa vie, un grand repos, une mystérieuse rénovation « que de dépouiller son âme de tous les secours du raisonnement et de la faire passer seule dans le couloir, dans le filtre obscur du son... »

« Il commençait à se rendre compte de tout ce qu'il y avait de douloureux, peut-être même de secrètement inapaisé, au fond de la douleur de cette phrase, mais il ne pouvait pas en souffrir. Qu'importait qu'elle lui dît que l'amour est fragile ? Le sien était si fort ! Il jouait avec la tristesse qu'elle répandait, il la sentait passer sur lui, mais comme une caresse, qui rendait plus profond et plus doux le sentiment qu'il avait de son bonheur... »

Ainsi l'amour sensuel peut être transformé en amour des arts, en poésie, en héroïsme. Il nous pousse non seulement aux plus grands sacrifices pour l'être que nous aimons, mais, parfois, jusqu'au sacrifice de notre désir lui-même. Il est bien, au double sens de tyran et d'éveilleur d'esprits, le *maître* des dieux et des hommes. Si Proust a montré que ce maître est dur, il n'a pas nié qu'il ne fût le seul et, en somme, bienfaisant.

Sa faiblesse est de n'avoir connu ni le mariage, ni les aventures les plus normales du cœur. Il n'en reste pas moins vrai qu'il a singulièrement approfondi notre connaissance des passions. Ceux qui craignent la vérité, ceux qui préfèrent s'en tenir au mirage de l'amour romantique, ceux qui se contentent des horizons limités de leurs écrivains familiers, ceux-là ne trouveront rien dans Proust. « Je vois clairement les choses qui sont dans ma pensée jusqu'à l'horizon, dit-il, mais celles-là seules qui sont de l'autre côté de l'horizon, je m'attache à les décrire... » Il y a des êtres qui se refusent à voir les choses qui sont de l'autre côté de l'horizon. Pour ceux-là, cette œuvre n'est pas faite. Mais les âmes courageuses qui osent affronter les aventures du cœur ; mais tous ceux, hommes et femmes, qui veulent se connaître tels qu'ils sont, et non pas tels qu'ils devraient être ; mais tous ceux qui aiment la vérité plus que le bonheur, et qui ne croient pas au bonheur sans la vérité, ceux-là chercheront dans cette épreuve, dans cette souffrance qu'est l'acceptation du monde neuf et dur de Proust, des chemins difficiles vers un amour plus beau.

CHAPITRE VIII

LA RECHERCHE DU TEMPS PERDU (III) :
L'HUMOUR

STENDHAL disait que, le roman étant construit, il y faut ajouter les ridicules. Proust emploie un mot plus fort et pense que toute grande œuvre doit contenir une part de grotesque. Une œuvre courte, tragédie ou nouvelle, peut soutenir, de l'exposition au dénouement le ton pathétique. Encore Shakespeare ne le veut-il pas. Mais dans un long roman, comme dans la vie, le comique doit apporter des moments de correction et de détente. Tolstoï lui-même, si grave, introduit dans *Anna Karénine* l'avocat chasseur de mites et les amours frivoles d'Oblonsky. Balzac a son comique, parfois lourd (les calembours de Bixiou, l'accent de Nucingen), mais nécessaire. La vie est tissée de scènes comiques, mêlées à des scènes tragiques, ou, plus exactement, elle peut être considérée, dans les mêmes événements, sous un aspect comique et sous un aspect tragique. Proust, bien qu'il ait été l'un des grands analystes de la douleur, ou plutôt parce qu'il l'a été, savait aussi observer les travers et les folies des hommes. La comédie humaine le fascinait et le divertissait. Mais, avant de parler du comique dans son œuvre, il faut tenter de définir, après tant d'autres, la nature et la signification du comique.

I

NATURE DU COMIQUE ET DE L'HUMOUR

Qu'est-ce que le comique ? Bergson a répondu : un châtiment social, une révolte du groupe contre la raideur de certains individus, une révolte de la vie contre le côté mécanique des pensées et des actions. Cela est vrai en partie, mais n'explique pas tous les effets comiques. Je dirai plutôt que l'objet du comique est de « dégonfler » certaines formes du sérieux qui nous oppriment et, en leur enlevant de leur importance, de nous rassurer. C'est ce qui explique que l'homme se plaise à rire de ce qui l'effraie : la mort, la maladie, les médecins, les femmes, l'amour, le mariage, le gouvernement, les grands de ce monde. Le soldat américain, pendant la guerre, riait du sergent parce qu'il en avait peur ; l'Anglais rit des préséances et traditions, parce qu'il y croit ; Proust rira des snobs et du monde, parce qu'il les a longtemps redoutés.

Pour « dégonfler » et affaiblir le sérieux, le comique dispose de plusieurs armes : l'attaque directe, qui est la satire ; l'ironie, qui consiste à dire le contraire de ce qu'on veut faire entendre, procédé qui rassure le lecteur timide parce que les propos sacrilèges ne sont pas tenus ouvertement ; l'esprit, qui attire l'attention sur la forme plutôt que sur le fond ; et, enfin, l'humour, qui imite les êtres et les choses dont il veut se moquer, et les reproduit, non pas tout à fait tels qu'ils sont, mais en les déformant très légèrement. L'humoriste, disait Meredith, marche derrière sa victime en imitant tous ses gestes. Le réalisme de son attitude, la précision de ses imitations, l'exactitude des détails qu'il donne, tout nous trompe et nous enchante. Proust reproduit les propos de Monsieur de Norpois, de Legrandin, de

Monsieur de Charlus, en feignant de n'y rien changer, mais il leur aura donné cet imperceptible coup de pouce qui laisse dans la glaise la marque de l'artiste et souligne les ridicules.

L'humour implique beaucoup plus de modestie que l'esprit. Puisqu'il imite sa victime, l'humoriste accepte de lui ressembler. Souvent, il se moque de lui-même et se donne, dans ses récits, un rôle naïf et maladroit (le Narrateur met fort longtemps à comprendre ce que sont les desseins véritables de Charlus). Le rire que provoque l'humour naît de ce que notre esprit est d'abord effrayé par l'apparition, dans un texte, de ce qu'il craint le plus : la mort, la folie, la hauteur des grands ; puis vite apaisé par une évidente exagération. La solennité de Monsieur de Norpois, si nous le rencontrions dans un salon, commencerait par nous intimider, mais le vide et le creux de ses propos balancés sont tels que la crainte ferait bientôt place à la gaieté.

Proust, dès l'adolescence, eut à la fois le sens de l'humour et le sens du comique. Par la première partie de *Swann,* nous sommes introduits dans une famille où les ridicules, qui ne manquent jamais, sont notés sans méchanceté, mais avec drôlerie. La scène des deux tantes, qui croient remercier Swann par allusions, est évidemment un souvenir d'enfance. Le manque de sens d'orientation de la mère, sa fierté quand son mari la ramène soudain, par des chemins inattendus, à la petite porte du jardin, font partie d'une tendre comédie familiale. Dans les lettres à Madame Straus, on voit Proust aiguiser dans le monde sa puissance de moquerie. Ses *Carnets* sont remplis de notes sur des ridicules observés, en particulier de langage, qu'il attribue, au moment où il les entend, à tel personnage du livre en gestation, ou, parfois, à plusieurs, entre lesquels il choisira plus tard.

Il est rare que Proust note un « mot », au sens pari-

sien de « mot d'esprit », sinon ceux de Madame Straus,
qu'il réservera pour la Duchesse de Guermantes, mais
il faut remarquer que, vers la fin du livre, il se demandera si l'intelligence de ceux qui ont l'esprit des Guermantes (et Swann en a subi la contagion) n'est pas,
en définitive, inférieure à celle d'un Brichot. Ceux des
personnages de son roman qui (à part la Duchesse)
font des mots d'esprit sont des imbéciles : Cottard,
Forcheville, Bloch père, et il faut bien penser que
Proust tenait l'esprit de « mots » pour un signe de
médiocrité, tandis qu'il a été humoriste avec délices,
et sans doute le plus grand écrivain français qui ait
employé, avec un constant bonheur, cette forme impas-
sible du comique.

II

LES THÈMES COMIQUES

Les thèmes comiques de Proust seront, à la fois, les
thèmes permanents qui ont toujours effrayé, donc
diverti les hommes, et ceux qui sont propres à son
temps, à son milieu et à sa personne.

Le premier des thèmes permanents, et le plus fort,
c'est la Danse Macabre. Toujours l'auteur comique a
tiré parti du contraste entre le désarroi où nous plonge
l'idée de la mort et l'automatisme de la vie qui nous
fait, en présence du plus affreux des drames, continuer
les mêmes actions et prononcer les mêmes phrases.
Tolstoï s'est servi de cet effet dans la *Mort d'Ivan
Illitch* et aussi dans *Guerre et Paix* (mort du vieux
Prince Bezoukhow). Proust montre les stratagèmes
auxquels recourt l'égoïsme du Duc de Guermantes
pour s'abriter contre la mort des autres et contre les
effets qu'un deuil de famille pourrait avoir sur sa vie.

Un soir où le Duc et la Duchesse doivent aller à un bal costumé qui les amuse, leur cousin Amanien d'Osmond est mourant. Or, « mourant », cela est fort bien ; mais, si Amanien allait jusqu'à mourir, il faudrait renoncer au bal. Le plan du Duc est donc de faire prendre des nouvelles rapidement avant la mort, c'est-à-dire avant le deuil forcé :

« Une fois couvert par la certitude officielle qu'Amanien était encore vivant, il ficherait le camp à son dîner, à la soirée du Prince, à la redoute où il serait en Louis XI et où il avait le plus piquant rendez-vous avec une nouvelle maîtresse, et ne ferait plus prendre de nouvelles avant le lendemain, quand les plaisirs seraient finis. Alors on prendrait le deuil s'il avait trépassé dans la soirée... »

Aussi le Duc demande-t-il avec inquiétude si Jules, le valet de pied qu'il a envoyé chez son cousin, est revenu :

« Il arrive à l'instant, Monsieur le Duc. On s'attend d'un moment à l'autre à ce que Monsieur le Marquis ne passe.

— Ah ! il est vivant ! » s'écria le Duc avec un soupir de soulagement. « On s'attend ! On s'attend ! Satan vous-même. Tant qu'il y a de la vie, il y a de l'espoir... On me le peignait déjà comme mort et enterré. Dans huit jours, il sera plus gaillard que moi.

— Ce sont les médecins qui ont dit qu'il ne passerait pas la soirée. L'un voulait revenir dans la nuit. Leur chef a dit que c'était inutile. Monsieur le Marquis devrait être mort. Il n'a survécu que grâce à des lavements d'huile camphrée.

— Taisez-vous, espèce d'idiot ! » cria le Duc au comble de la colère. « Qui est-ce qui vous demande tout ça ? Vous n'avez rien compris à ce qu'on vous a dit.

— Ce n'est pas à moi, c'est à Jules.

— Allez-vous vous taire ? » hurla le Duc, et, se tournant vers Swann : « Quel bonheur qu'il soit vivant ! Il va reprendre des forces peu à peu. Il est vivant après une crise pareille ! C'est déjà une excellente chose. On ne peut pas tout demander à la fois. Ça ne doit pas être désagréable, un petit lavement d'huile camphrée. » Et le Duc, se frottant les mains : « Il est vivant, qu'est-ce qu'on veut de plus ? Après avoir passé par où il a passé, c'est déjà bien beau. Il est même à envier d'avoir un tempérament pareil. Ah ! les malades, on a pour eux des petits soins qu'on ne prend pas pour nous. Il y a, ce matin, un bougre de cuisinier qui m'a fait un gigot à la sauce béarnaise, réussie à merveille, je le reconnais, mais justement à cause de cela, j'en ai tant pris que je l'ai encore sur l'estomac. Cela n'empêche qu'on ne viendra pas prendre de mes nouvelles, comme de mon cher Amanien. On en prend même trop. Cela le fatigue. Il faut le laisser souffler. On le tue, cet homme, en envoyant tout le temps chez lui... »

Ainsi le mondain refuse de donner à la Mort le pas sur les devoirs du monde. Le médecin, lui, la considère comme un incident professionnel. Dans l'un des passages les plus tristes du livre, l'agonie de la grand-mère, l'humoriste à l'œil implacable qu'est Marcel Proust esquisse un croquis fin, mesuré, mais profondément comique, du Professeur Dieulafoy, introducteur de la Mort et chef d'un protocole funèbre :

« A ce moment, mon père se précipita ; je crus qu'il y avait du mieux ou du pire. C'était seulement le Docteur Dieulafoy qui venait d'arriver. Mon père alla le recevoir dans le salon voisin, comme l'acteur qui doit venir jouer. On l'avait fait demander non pour soigner, mais pour constater, en espèce de notaire. Le Docteur Dieulafoy a pu en effet être un grand médecin, un professeur merveilleux ; à ces rôles divers où il excella, il en joignait un autre dans lequel il fut, pendant quarante ans, sans rival ; un rôle aussi original que le raisonneur, le scaramouche ou le père noble, et qui était de venir constater l'agonie ou la mort. Son nom, déjà, présageait la dignité avec laquelle il tiendrait l'emploi, et, quand la servante disait : « Monsieur Dieulafoy », on se croyait chez Molière. A la dignité de l'attitude concourait, sans se laisser voir, la souplesse d'une taille charmante. Un visage en soi-même trop beau était amorti par la convenance à des circonstances douloureuses. Dans sa noble redingote noire, le Professeur entrait, triste sans affectation, ne donnait pas une seule condoléance qu'on eût pu croire feinte et ne commettait pas non plus la plus légère infraction au tact. Aux pieds d'un lit de mort, c'était lui et non le Duc de Guermantes qui était le grand seigneur. Après avoir regardé ma grand-mère sans la fatiguer, et avec un excès de réserve qui était une politesse au médecin traitant, il dit à voix basse quelques mots à mon père, s'inclina respectueusement devant ma mère, à qui je sentis que mon père se retenait pour ne pas dire : « Le Professeur Dieulafoy ». Mais déjà celui-ci avait détourné la tête, ne voulant pas importuner, et sortit de la plus belle façon du monde, en prenant seulement le cachet qu'on lui remit. Il n'avait pas eu l'air de le voir, et nous-mêmes nous demandâmes un moment si nous le lui avions remis, tant il avait mis de la souplesse d'un presti-digitateur à le faire disparaître, sans pour cela perdre rien de sa gravité plutôt accrue de grand consultant à la longue redingote à revers de soie, à la belle tête pleine d'une noble commisération. Sa lenteur et sa vivacité montraient que, si cent visites l'attendaient encore, il ne voulait pas avoir l'air pressé. Car il était le tact, l'intelligence et la bonté même... »

Humour féroce et caressant. De Molière à Jules Romains, les médecins ont été parmi les personnages favoris des auteurs comiques, parce que leur pouvoir et leur science inspirent à tous les hommes quelque secrète terreur. Proust, fils et frère de médecins, a été tantôt respectueux pour la médecine et tantôt sévère pour les médecins. Il a créé le Docteur Cottard, à la fois imbécile et grand clinicien. Il a écrit que « la méde-cine ignore le secret de la guérison, mais s'est assuré l'art de prolonger les maladies » ; que « la médecine est un compendium des erreurs successives et contradictoires des médecins » ; mais aussi que « croire à la médecine serait la suprême folie si n'y pas croire n'en était pas une plus grande ».

La Muse Comique, non moins que les médecins, se doit de railler le malade imaginaire, parce que celui-ci exerce sur la vie de ceux qui l'entourent et le soignent des chantages et une tyrannie qui appellent une réaction. Dès le début du *Côté de chez Swann,* nous rencontrons la Tante Léonie qui, depuis la mort de son mari, l'Oncle Octave, n'a plus voulu quitter d'abord Combray, puis sa maison, puis sa chambre, puis son lit près duquel, sur une table « qui tenait à la fois de l'officine et du maître-autel... au-dessus d'une statuette de la Vierge et d'une bouteille de Vichy-Célestins, on trouvait des livres de messe et des ordonnances de médicaments, tout ce qu'il fallait pour suivre, de son lit, les offices et son régime, pour ne manquer ni l'heure de la pepsine, ni celle des Vêpres... »

Ici l'humour est indulgent, comme celui de Dickens, parce que le personnage demeure inoffensif et divertissant. Proust devient plus dur lorsqu'il touche à son thème favori : le snobisme. Que Proust ait lui-même au temps de son adolescence, manifesté certains symptômes de snobisme est ici sans importance. La parfaite lucidité de l'auteur comique, non seulement n'est pas incompatible avec l'expérience d'un sentiment, mais la suppose. Le « sens de l'humour » consiste à railler *en* soi-même ce qui mérite d'être raillé. Molière a connu les tourments d'Alceste et, sans doute, ceux d'Arnolphe. C'est une raison pour qu'il en parle mieux. Le dédoublement, chez l'auteur comique, est une nécessité.

Le snobisme est l'un des thèmes essentiels du comique, parce que nous souffrons tous de ses effets. Les sociétés humaines sont divisées en groupes, en classes qui s'étagent, en hiérarchies multiples, complexes et parfois contradictoires. D'où une cascade de snobismes. Le mépris et la fierté sont parmi les plus grands plaisirs des hommes. Or il y a toujours quelque raison d'être fier ou de mépriser. Dans l'émigration française, à Coblentz, les émigrés de 1790 méprisaient ceux de 1791, qui eux-mêmes se refusaient à connaître ceux de 1793. Aux Etats-Unis, les Américains de première génération étaient « snobés » par ceux de deuxième ou de troisième génération. Chacun de ces snobismes engendre des offenses, des rancunes. C'est l'une des fonctions de la Muse Comique que de fustiger ces formes futiles, mais nocives, du contentement de soi.

Le snobisme, dans l'œuvre de Proust, apparaît sous des aspects très divers. Il y a celui des hommes (ou des femmes) qui, souhaitant d'appartenir à une coterie, ayant réussi à entrebâiller la porte, se sentent peu sûrs de leur position et sont prêts, pour ne pas l'affaiblir, à renier leurs anciens amis. C'est le cas de Legrandin, qui a l'air, avec sa lavallière à pois, ses yeux limpides et ses propos charmants, d'un poète, et qui ne pense en fait qu'à son désir, violent et insatisfait, de connaître la Duchesse de Guermantes et toute la noblesse du canton. Legrandin, lorsque nulle comtesse ou marquise n'est en vue, se montre fort aimable envers le père du Narrateur, mais, s'il est avec un châtelain du voisinage, feint d'ignorer ce roturier. Salue-t-il une femme de l'aristocratie ? c'est avec une animation, un zèle extraordinaires :

« ... Legrandin fit un profond salut, avec un renversement secondaire en arrière, qui ramena brusquement son dos au delà de la position de départ... Ce redressement rapide fit refluer, en une sorte d'onde fougueuse et musclée, la croupe de Legrandin, que je ne supposais pas si charnue ; et, je ne sais pourquoi, cette ondulation de pure matière, ce flot tout charnel, sans expression de spiritualité et qu'un empressement plein de bassesse fouettait en tempête, éveillèrent tout à coup dans mon esprit la possibilité d'un Legrandin tout différent de celui que nous connaissions... »

Lorsqu'il se trouve en conversation avec cette grande dame, et que passent Marcel et son père, Legrandin est déchiré, car, d'une part, il hésite à refuser de reconnaître des voisins avec lesquels il est en bons termes, mais, d'autre part, ne veut pas que la châtelaine découvre qu'il les connaît. D'où ce passage admirable :

« ... Il passa contre nous, ne s'interrompit pas de parler à sa voisine et nous fit, du coin de son œil bleu, un petit signe en quelque sorte intérieur aux paupières et qui, n'intéressant pas les muscles de son visage, put passer parfaitement inaperçu de son interlocutrice ; mais, cherchant à compenser par l'intensité du sentinmet le champ un peu étroit où il en circonscrivait l'expression, dans ce coin d'azur qui nous était affecté, il fit pétiller tout l'entrain de la bonne grâce, qui dépassa l'enjouement, frisa la malice ; il subtilisa les finesses de l'amabilité jusqu'aux clignements de la connivence, aux demi-mots, aux sous-entendus, aux mystères de la complicité ; et, finalement, exalta les assurances d'amitié jusqu'aux protestations de tendresse, jusqu'à la déclaration d'amour, illuminant alors pour nous seuls, d'une langueur secrète et invisible à la châtelaine, une prunelle enamourée dans un visage de glace... »

Deuxième spécimen : le snobisme d'aristocrates authentiques, appartenant à une noble famille, mais d'une branche cadette, et que les camouflets ont redressés « comme ces arbres qui, nés dans une mauvaise position, au bord d'un précipice, sont forcés de croître en arrière pour garder leur équilibre ». Telle est Madame de Gallardon :

« ... Obligée, pour se consoler, de ne pas être tout à fait l'égale des autres Guermantes, de se dire sans cesse que c'était par intransigeance de principes et fierté qu'elle les voyait peu, cette pensée avait fini par modeler son corps et par lui enfanter une sorte de prestance qui passait, aux yeux des bourgeoises, pour un signe de race et troublait quelquefois d'un désir fugitif le regard fatigué des hommes de cercle. Si l'on avait fait subir à la conversation de Madame de Gallardon ces analyses qui, en relevant la fréquence plus ou moins grande de chaque terme, permettent de découvrir la clef d'un langage chiffré, on se fût rendu compte qu'aucune expression, même la plus usuelle, n'y revenait aussi souvent que « chez mes cousins de Guermantes », « chez ma tante de Guermantes », « la santé d'Elzéar de Guermantes », « la baignoire de ma cousine de Guermantes... »

Troisième spécimen : le snobisme des Guermantes eux-mêmes, si sûrs de leur suprématie mondaine qu'ils confondent toute l'humanité dans une égale bienveillance, issue d'un égal mépris. Ils attachent peu d'importance aux relations aristocratiques, parce qu'ils les ont toutes ; ils jugent sévèrement le désir de fréquenter la haute société, mais éprouvent encore un étrange bonheur à recevoir des Altesses, à parler de leurs alliances royales et aussi, au moins pour la Duchesse, à juger, avec une autorité que ne justifie nulle compétence, des œuvres de l'esprit. Les Guermantes, qui ont d'abord été pour le Narrateur des personnages de féerie, deviennent assez vite des caractères de comédie, par le naïf contentement d'eux-mêmes qui pousse le Duc à citer et à provoquer les « mots » de la Duchesse, et celle-ci à jouir de cette mise en scène.

Enfin, au sommet de l'échelle des valeurs mondaines, perchent les Altesses Royales, comme la Princesse de Parme, la Princesse de Luxembourg, qui veulent être aimables, mais le sont de si haut et avec tant de condescendance qu'elles semblent avoir peine à distinguer un être humain d'un animal et que l'une d'elles,

voulant montrer sa bienveillance, tend un pain de
seigle à la grand-mère du Narrateur comme des
visiteurs le pourraient offrir à la biche du Jardin
d'Acclimatation.

Mais le snobisme bourgeois n'est pas moins justi-
ciable de la Muse Comique que celui de l'aristocratie.
Madame Verdurin a le snobisme de l'antisnobisme.
Elle a formé un groupe social, un salon, qui a, comme
celui de la Duchesse de Guermantes, ses élus et ses
exclus :

« ...Pour faire partie du « petit noyau », du « petit groupe », du « petit clan » des Verdurin, une condition était
suffisante, mais elle était nécessaire : il fallait adhérer
tacitement à un *Credo* dont l'un des articles était que le
jeune pianiste protégé par Madame Verdurin cette année-
là, et dont elle disait : « Ce ne devrait pas être permis de
savoir jouer du Wagner comme ça ! » enfonçait à la fois
Planté et Rubinstein, et que le Docteur Cottard avait plus
de diagnostic que Potain. Toute « nouvelle recrue » à qui
les Verdurin ne pouvaient pas persuader que les soirées des
gens qui n'allaient pas chez eux étaient ennuyeuses comme
la pluie se voyait immédiatement exclue. Les femmes
étant, à cet égard, plus rebelles que les hommes à déposer
toute curiosité mondaine et l'envie de se renseigner par
soi-même sur l'agrément des autres salons, et les Verdurin
sentant, d'autre part, que cet esprit d'examen et ce démon
de frivolité pouvait, par contagion, devenir fatal à l'ortho-
doxie de la petite église, ils avaient été amenés à rejeter
successivement tous les « fidèles » du sexe féminin... »

Le point culminant de la satire du snobisme par
Proust, c'est l'épisode dit « de la marquise ». La grand-
mère du Narrateur a baptisé ainsi la tenancière d'un
petit pavillon ancien, grillagé de vert, qui tient lieu,
aux Champs-Elysées, de chalet de nécessité. La « marquise » est une personne au museau énorme, enduit de
plâtre grossier, qui porte sur sa perruque rousse un

petit bonnet de dentelle noire. Elle est bienveillante, mais hautaine, et elle écarte avec un impitoyable mépris les visiteurs qui lui déplaisent : « Et puis », dit-elle, « je choisis mes clients, je ne reçois pas tout le monde dans ce que j'appelle mes salons. Est-ce que ça n'a pas l'air d'un salon, avec mes fleurs ? Comme j'ai des clients très aimables, toujours l'un ou l'autre veut m'apporter une petite branche de beau lilas, de jasmin, ou des roses, ma fleur préférée... » Et la grand-mère du Narrateur, qui a entendu la conversation, commente : « C'était on ne peut plus Guermantes et petit noyau Verdurin. »

Une seule phrase, mais qui, plus qu'une diatribe de moraliste, dégonfle le sérieux du snobisme parce qu'elle montre que la vanité et le mépris sont les choses du monde les plus répandues et qu'il n'est pas d'homme ou de femme si déshérités qu'ils ne puissent encore exclure quelqu'un.

III

MÉTHODES ET PROCÉDÉS

Le procédé favori de l'humoriste, c'est l'imitation. Dickens, pour se moquer des avocats de son temps, compose, dans *Pickwick,* une plaidoirie qui est presque vraisemblable, mais où, çà et là, de perfides exagérations soulignent ce qu'il veut railler. Proust était un parfait imitateur. C'est un art difficile, car il exige, non seulement que l'imitateur sache reproduire la voix et les gestes de sa victime, mais qu'il sache retrouver aussi les particularités du langage de celle-ci et la démarche de sa pensée. Parler comme Charlus ou Norpois n'est rien, si l'on ne sait penser, rédiger comme Charlus ou Norpois. Or c'est à quoi Proust excellait. Plutôt qu'à l'analyse d'un caractère en phrases abstraites, il se plaisait à le mettre en scène et à le laisser parler.

Considérez par exemple l'étonnant personnage du vieux diplomate. Proust ne nous dit jamais : « Voici comment pensait Monsieur de Norpois. » Mais les longs discours qu'il lui prête nous permettent de comprendre le mécanisme de cette pensée. L'essence, ou plutôt le ressort du style Norpois, c'est que le diplomate ne veut rien dire qui puisse l'engager ou le compromettre. Il balance donc si exactement ses phrases qu'elles s'annulent les unes les autres et qu'en arrivant à la fin d'une de ses périodes on découvre qu'il n'a exactement rien dit de positif. Ajoutez quelques formules traditionnelles de chancellerie, l'habitude de désigner les puissances par le nom d'un bâtiment affecté aux services diplomatiques : le Quai d'Orsay, Downing Street, la Wilhelmstrasse, le Pont aux Chantres ; et aussi celle de faire un sort aux moindres nuances et de chercher dans un adjectif le secret d'une politique, vous aurez reconstitué le ton Norpois. Ce caractère qui, lors de sa première entrée, peut faire illusion au lecteur comme il impressionne le Narrateur, est comique parce qu'il n'y a derrière cette imposante façade qu'un vide absolu, qu'une fausse finesse et quelques sentiments élémentaires : une ambition qui survit à l'âge et un désir assez touchant de faire plaisir à Madame de Villeparisis.

Interpellé pendant l'Affaire Dreyfus par Bloch, qui veut savoir si le diplomate est dreyfusard ou non, et l'interroge sur le Colonel Picquart, Monsieur de Norpois arrive, par deux périodes contradictoires, à ramener la somme de ses propos, comme il fait toujours, à zéro :

« Bloch cherchait à pousser Monsieur de Norpois sur le Colonel Picquart.

— Il est hors de conteste, répondit Monsieur de

Norpois, « que sa déposition était nécessaire. Je sais qu'en soutenant cette opinion j'ai fait pousser à plus d'un de mes collègues des cris d'orfraie, mais, à mon sens, le gouvernement avait le devoir de laisser parler le Colonel. On ne sort pas d'une pareille impasse par une simple pirouette, ou alors on risque de tomber dans un bourbier. Pour l'officier lui-même, cette déposition produisit, à la première audience, une impression des plus favorables. Quand on l'a vu, bien pris dans le joli uniforme des chasseurs, venir, sur un ton parfaitement simple et franc, raconter ce qu'il avait vu, ce qu'il avait cru, dire : « Sur mon honneur de soldat » (et, ici, la voix de Monsieur de Norpois vibra d'un léger tremolo patriotique), « telle est ma conviction », il n'y a pas à nier que l'impression a été profonde.

— Voilà, il est dreyfusard, il n'y a plus l'ombre d'un doute, pensa Bloch.

— Mais, ce qui lui a aliéné entièrement les sympathies qu'il avait pu rallier d'abord, cela a été sa confrontation avec l'archiviste Gribelin, quand on a entendu ce vieux serviteur, cet homme qui n'a qu'une parole » (et Monsieur de Norpois accentua avec l'énergie des convictions sincères les mots qui suivirent), quand on l'entendit, quand on le vit regarder dans les yeux de son supérieur, ne pas craindre de lui tenir la dragée haute et de dire de lui, d'un ton qui n'admettait pas de réplique : « Voyons, mon Colonel, vous savez bien que je n'ai jamais menti ; vous savez bien qu'en ce moment, comme toujours, je dis la vérité », le vent tourna. Monsieur Picquart eut beau remuer ciel et terre dans les audiences suivantes, il fit bel et bien fiasco.

— « Non, décidément, il est antidreyfusard, c'est couru », se dit Bloch. »

C'est une erreur que d'écrire que Proust se plaît à « la reproduction photographique des tics, des paroles, des argots, des fautes de français de tous les personnages ». Tout art comporte un choix et une stylisation. Monsieur de Norpois, dans la vie, ne serait pas toujours si parfaitement Norpois. Legrandin est plus Legrandin que le Legrandin réel ne put jamais l'être. Dans les

interminables propos des êtres humains, le romancier
guette ceux qui sont révélateurs, comme le peintre est
à l'affût d'une expression qui trahit la nature profonde :

« ...Comme un géomètre qui, dépouillant les choses de
leurs qualités sensibles, ne voit que leur substratum linéaire,
ce que racontaient les gens m'échappait, car ce qui m'intéressait, c'était, non ce qu'ils voulaient dire, mais la manière
dont ils le disaient, en tant qu'elle était révélatrice de leur
caractère ou de leurs ridicules... Les êtres les plus bêtes, par
leurs gestes, leurs propos, leurs sentiments involontairement
exprimés, manifestent des lois qu'ils ne perçoivent pas,
mais que l'artiste surprend en eux... »

L'évolution, dans le temps, du vocabulaire d'un
personnage est à la fois un élément de comique et un
moyen d'analyse. Albertine, au moment où le Narrateur la rencontre, parle comme une écolière. Elle
admire, avec des yeux étincelants, la composition de
son amie Gisèle qui, ayant eu pour sujet dans un
examen : *Sophocle écrit, des Enfers, à Racine pour le
consoler de l'échec d'Athalie,* a commencé ainsi la lettre
de Sophocle :

« Mon cher ami, excusez-moi de vous écrire sans avoir
l'honneur d'être personnellement connu de vous, mais
votre nouvelle tragédie d'*Athalie* ne montre-t-elle pas que
vous avez parfaitement étudié mes modestes ouvrages ?
Vous n'avez pas mis de vers que dans la bouche des protagonistes, ou personnages principaux du drame, mais vous
en avez écrit, et de charmants, permettez-moi de vous le
dire sans cajolerie, pour les chœurs, qui ne faisaient pas
trop mal, à ce qu'on dit, dans la tragédie grecque, mais
qui sont en France une véritable nouveauté. De plus, votre
talent si délié, si fignolé, si charmeur, si fin, si délicat, a
atteint à une énergie dont je vous félicite... J'ai tenu à
vous envoyer toutes mes congratulations, auxquelles je

joins, mon cher confrère, l'expression de mes sentiments distingués. »

Voilà la première Albertine. Plus tard, quand le Narrateur la revoit, Albertine emploie des mots si nouveaux pour elle qu'il en déduit de grands changements. Elle dit : « *Sélection... C'est à mon sens... Laps de temps...* »

« C'est *à mon sens* ce qui pouvait arriver de mieux... J'estime que c'est la meilleure solution, la solution élégante. »
« C'était si nouveau, si visiblement une alluvion, laissant soupçonner de si capricieux détours à travers des terrains jadis inconnus d'elle, que, dès les mots *à mon sens,* j'attirai Albertine et, à *j'estime,* je l'assis sur mon lit. »

Il désire l'embrasser, mais n'ose pas encore. Une dernière découverte philologique le décide. Parlant d'une fille de la petite bande : « Oui », dit Albertine, « elle a l'air d'une petite mousmé. » *Mousmé* paraît au Narrateur révélateur, sinon d'une initiation extérieure, au moins d'une évolution interne. On peut désormais embrasser Albertine.

Parfois l'imitation proustienne nous paraît aller jusqu'à la caricature, jusqu'à la charge. Tel semble être le cas du langage tenu par le Docteur Cottard. Au temps d'*Un Amour de Swann,* Cottard ne possède qu'un vocabulaire si limité qu'il prend au pied de la lettre toutes les expressions figurées, admire la façon dont Madame Verdurin les emploie, puis s'y risque avec une brusque timidité et souvent à contretemps. Plus tard, devenu professeur illustre, son langage demeure vulgaire, mais s'est enrichi au point de devenir une mosaïque de locutions toutes faites :

« En tout cas », dit-il, « que les Guermantes aillent ou

non chez Madame Verdurin, elle reçoit, ce qui vaut mieux, les d'Sherbatoff, les d'Forcheville, et *tutti quanti*, des gens de la plus haute volée, toute la noblesse de France et de Navarre, à qui vous me verriez parler de pair à compagnon. D'ailleurs ce genre d'individus recherche volontiers les princes de la science », ajouta-t-il avec un sourire d'amour-propre béat, amené à ses lèvres par la satisfaction orgueilleuse, non pas tellement que l'expression jadis réservée aux Potain, aux Charcot, s'appliquât maintenant à lui, mais qu'il sût enfin user comme il convenait de toutes celles que l'usage autorise, et qu'après les avoir longtemps piochées, il possédait à fond... »

Mais ce n'est pas là une caricature. « La vulgarité magistrale de l'homme » est soulignée avec une cruelle, mais scrupuleuse vérité.

Caricature, le langage de Bloch jeune, chargé d'images homériques qu'il applique aux événements les plus simples ? Non, déformation légère d'absurdités communes à des milliers d'adolescents cultivés. Les lettres de Proust nous ont montré que lui-même passa par une telle période. Et quand Bloch, pour avoir l'air de savoir l'anglais, prononce (à tort) *laïft* au lieu de *lift*, et *Venaïce* au lieu de *Venise*, cela peut être aussi un souvenir personnel, cuisant et amusé.

Les seules caricatures un peu trop poussées, trop insistantes, sont celles de la fille de Françoise et du directeur de l'hôtel de Balbec, dont les lapsus, d'abord divertissants, deviennent ensuite fatigants :

« Le Directeur était venu en personne m'attendre à Pont-à-Couleuvre, répétant combien il tenait à sa clientèle titrée, ce qui me fit craindre qu'il m'anoblît jusqu'à ce que j'eusse compris que, dans l'obscurité de sa mémoire grammaticale, *titrée* signifiant simplement *attitrée*. Du reste, au fur et à mesure qu'il apprenait de nouvelles langues, il parlait plus mal les anciennes. Il m'annonça qu'il m'avait logé tout en haut de l'hôtel.

« J'espère », dit-il, « que vous ne verrez pas là un man-
« que d'impolitesse ; j'étais ennuyé de vous donner une
« chambre dont vous êtes indigne, mais je l'ai fait rapport
« au bruit, parce que, comme cela, vous n'aurez personne
« au-dessus de vous pour vous fatiguer le *trépan* (pour
« *tympan*). Soyez tranquille, je ferai fermer les fenêtres
« pour qu'elles ne battent pas. Là-dessus, je suis *intolérable*
(ces mots n'exprimant pas sa pensée, laquelle était qu'on
le trouverait toujours *inexorable* à ce sujet, mais peut-
être bien celle de ses valets d'étage)...

« Il m'apprit, avec beaucoup de tristesse, la mort du
bâtonnier de Cherbourg : « C'était un vieux *routinier* »,
dit-il, (probablement pour *roublard*), et me laissa entendre
que sa fin avait été avancée par une vie de *déboires,* ce qui
signifiait *débauches*. « Déjà, depuis quelque temps, je
« remarquais qu'après le dîner il *s'accroupissait* dans le
« salon (sans doute pour *s'assoupissait*). Les derniers
« temps, il était tellement changé que, si l'on n'avait pas
« su que c'était lui, à le voir, il était à peine *reconnaissant*
« (pour *reconnaissable,* sans doute). » Compensation heureuse : le premier président de Caen venait de recevoir la
cravache de commandeur de la Légion d'Honneur. »

Texte qui surprend jusqu'au moment où l'on se
rappelle, d'abord, que Balzac et Dickens imitent bien
plus lourdement (l'accent du Baron de Nucingen, les
plaisanteries de Gaudissart), ensuite que les variations
du sens des mots, leur manque de précision et de
stabilité, leurs fortunes diverses dans les esprits, se ratta-
chent à la philosophie de la relativité et du néant de
la réalité, qui est celle de Proust.

Un second procédé commun à Proust et à Dickens,
et qui confirme partiellement la thèse de Bergson sur
la signification du comique, c'est de tirer des effets
amusants du côté mécanique de l'être humain, ou de
la ressemblance qu'il a parfois avec des animaux, des
végétaux ou des minéraux. Le soir où Proust décrit la

salle de l'Opéra comme un immense aquarium, comme une grotte marine où de blanches Néréides flottent au fond des baignoires, il ajoute :

« Le Marquis de Palancy, le cou tendu, la figure oblique, son gros œil rond collé contre le verre du monocle, se déplaçait lentement dans l'ombre transparente et paraissait ne pas voir le public de l'orchestre plus qu'un poisson qui passe, ignorant de la foule des visiteurs curieux, derrière la cloison vitrée d'un aquarium. Par moments, il s'arrêtait, vénérable, soufflant et moussu, et les spectateurs n'auraient pu dire qu'il souffrait, dormait, nageait, était en train de pondre, ou respirait seulement... »

Et cette transformation d'un homme en poisson est comique, comme un tour de prestidigitateur bien réussi.

Un troisième procédé a été emprunté par Proust à Anatole France plutôt qu'à Dickens. C'est celui qui consiste à tirer des effets comiques du contraste entre le ton d'un morceau solennel, et pastiché quelque peu d'Homère ou de Bossuet, et la nature du sujet. Parler gravement sur des thèmes frivoles, ou magnifiquement d'objets ou de personnages médiocres, fait naître cette surprise qui est l'essence du comique. Proust (comme Aristophane) aime à filer tout un couplet lyrique pour le terminer par une chute rapide vers une réalité triviale.

Un premier exemple, un peu trop précieux et que le goût de la grand-mère eût, je crois, désapprouvé, décrit une conversation téléphonique :

« Nous n'avons, pour que ce miracle s'accomplisse, qu'à approcher nos lèvres de la planchette magique et à appeler — quelquefois un peu trop longtemps, je veux bien — les vierges vigilantes dont nous entendons chaque jour la voix sans jamais connaître le visage et qui sont nos anges gardiens dans les ténèbres vertigineuses dont elles surveillent jalousement les portes ; les toutes-puissantes par qui les absents surgissent à notre côté, sans qu'il soit permis de les apercevoir ; les Danaïdes de l'invisible qui sans cesse vident, remplissent, se transmettent les urnes des sons ; les ironiques Furies, qui, au moment que nous murmurions une confidence à une amie, avec l'espoir que personne ne nous entendait, nous crient cruellement : « J'écoute ! » ; les servantes toujours irritées du Mystère, les ombrageuses prêtresses de l'Invisible ; les demoiselle du téléphone ! »

Autre exemple, où l'effet est le même, mais obtenu de manière un peu différente, puisque le trivial des cris de Paris et la poésie de la musique sacrée s'y mêlent tout au long des phrases, et que le couplet se termine sur le thème religieux et non sur le thème populaire :

« Certe, la fantaisie, l'esprit de chaque marchand ou marchande introduisaient souvent des variantes dans les paroles de toutes ces musiques que j'entendais de mon lit. Pourtant un arrêt rituel, mettant un silence au milieu du mot, surtout quand il était répété deux fois, évoquait constamment le souvenir des vieilles églises. Dans sa petite voiture conduite par une ânesse, qu'il arrêtait devant chaque maison pour entrer dans les cours, le marchand d'habits, portant un fouet, psalmodiait : « Habits, marchand d'habits, ha...bits », avec la même pause entre les deux dernières syllabes d'*ha-bits* que s'il eût entonné en plain-chant : *Per omnia sœcula sœculo...rum,* ou : *Requiescat in pa...ce,* bien qu'il ne dût pas croire à l'éternité de ses habits et ne les offrît pas non plus comme linceuls pour le suprême repos dans la paix. Et de même, comme les motifs commençaient à s'entre-croiser dès cette heure matinale, une marchande des quatre saisons, poussant sa voiturette, usait pour sa litanie de la division grégorienne :

> *A la tendresse, à la verduresse.*
> *Artichauts tendres et beaux.*
> *Arti...chauts*

bien qu'elle fût vraisemblablement ignorante de l'antipho-
naire et des sept tons qui symbolisent : quatre les sciences
du quadrivium, et trois celles du trivium... »

Comme Anatole France aussi, Proust tire parti du
respect traditionnel, instinctif et pieux, qu'a tout
Français pour les classiques de sa langue, en appliquant
des vers de Racine à des situations incongrues. C'est
ainsi que Françoise, après le départ d'Eulalie, qu'elle
déteste, dira : « Les personnes flatteuses savent se faire
bien venir et ramasser les pépettes ; mais, patience ! le
Bon Dieu les punit toutes par un beau jour », avec le
regard latéral et l'insinuation de Joas, pensant exclusivement à Athalie quand il dit :

Le bonheur des méchants comme un torrent s'écoule...

Autre exemple, où la dissonance classicisme-trivialité
est accentuée par celle qui allie des vers consacrés aux
femmes à des sentiments homosexuels :

« Pour cette ambassade, dont le jeune personnel vint
tout entier serrer la main de Monsieur de Charlus, Monsieur de Vaugoubert prit l'air émerveillé d'Elise s'écriant
dans *Esther* :

Ciel ! quel nombreux essaim d'innocentes beautés
S'offre à mes yeux en foule et sort de tous côtés !
Quelle aimable pudeur sur leur visage est peinte... »

Et, dans l'hôtel de Balbec :

« Dès le hall — ce qu'au dix-septième siècle on appelait
les Portiques, — « un peuple florissant » de jeunes chasseurs se tenait, surtout à l'heure du goûter, comme les

jeunes Israélites des chœurs de Racine. Mais je ne crois pas
qu'un seul eût pu fournir même la vague réponse que Joas
trouve pour Athalie, quand celle-ci demande au prince
enfant : « Quel est donc votre emploi ? » car ils n'en
avaient aucun. Tout au plus, si l'on avait demandé à
n'importe lequel d'entre eux, comme la nouvelle Reine :
« Mais tout ce peuple enfermé dans ce lieu, à quoi s'occu-
pe-t-il ? » aurait-il pu dire : « Je vois l'ordre pompeux de
ces cérémonies et j'y contribue. » Parfois, un des jeunes
figurants allait vers quelque personnage plus important,
puis cette jeune beauté rentrait dans le chœur et, à moins
que ce ne fût l'instant d'une détente contemplative, tous
enlaçaient leurs évolutions inutiles, respectueuses, décora-
tives et quotidiennes. Car, sauf leur jour de sortie, « loin
du monde élevés » et ne franchissant pas le parvis, ils
menaient la même existence ecclésiastique que les lévites
dans *Athalie* et, devant cette « troupe jeune et fidèle »
jouant aux pieds des degrés couverts de tapis magnifiques,
je pouvais me demander si je pénétrais dans le Grand
Hôtel de Balbec ou dans le Temple de Salomon... »

IV

LES MONSTRES

Enfin il importe, pour épuiser toutes les directions
dans lesquelles on pourrait suivre ce grand sujet, de
remarquer combien est mal délimitée la frontière entre
le comique et le monstrueux. Nous avons remarqué que
l'homme rit toutes les fois qu'au choc de surprise, provoqué par des actions ou des paroles extraordinaires,
succède un sentiment de sécurité, qui naît soit de l'inno-
cuité des ridicules observés, soit de la constatation
amusée qu'ils font partie de la nature humaine telle
que nous la pouvons observer en nous-mêmes. Ce sentiment de sécurité cesse d'exister lorsque les actions

(ou les paroles) passent les limites habituelles de la folie humaine et lorsque nous nous trouvons en présence d'un phénomène inusité, antisocial et, par sa valeur même, terrifiant. Ce passage à la limite se produit pour Monsieur de Charlus qui, dans les premières scènes où il paraît, nous amuse par son orgueil, mais qui, plus tard, devient un monstre.

C'est un fait important que, dans les très grandes œuvres romanesques, il y a presque toujours un ou plusieurs monstres et que ces personnages, à la fois surhumains et inhumains, sont ceux qui dominent l'œuvre et lui donnent une incomparable unité. Tel est le cas de Vautrin dans Balzac ; tel est celui de Charlus dans Proust. Le monstre ouvre des fenêtres sur de mystérieuses profondeurs, parce que nous ne pouvons le comprendre entièrement. Il nous dépasse, ne fût-ce qu'en horreur, et pourtant il y a en lui des éléments qui sont aussi en nous. En d'autres circonstances, nous aurions pu devenir ce qu'il est ; cette idée nous effraie et nous fascine. Les monstres donnent au roman des dessous inexplorés qui vont au sublime.

Autour de personnages monstrueux, Shakespeare seul, avant Proust, avait pour nous orchestré de si magiques dissonances. Cet humour, qui prend la forme de couplets précieux, cette servitude des corps qui ramène sur terre les esprits, ces allégories, ces images ravissantes, qui se terminent en bouffonneries, ces jeux féeriques de la lumière, tout ici évoque l'univers shakespearien. Proust comme Shakespeare a été jusqu'au fond de la douleur humaine, mais, comme Shakespeare, il l'a surmontée par l'humour et, comme Shakespeare, il a retrouvé, avec le Temps, la sérénité. La *Recherche du temps perdu* se termine un peu comme la *Tempête* de Shakespeare. Le jeu est fini ; l'Enchanteur a livré son secret ; le voici qui remet dans leurs boîtes ses marion-nettes qu'il nous a montrées une dernière fois, toutes givrées, à la matinée du Prince de Guermantes ; le voici qui nous dit, comme Prospero : « Nous sommes faits de la même étoffe que les songes, et notre petite vie est bouclée par le sommeil... » Les Guermantes et les Verdurin s'évanouissent en fumée ; la sonnette de Swann tinte une dernière fois à la petite porte du jardin et, tandis que s'achèvent les dernières phrases sur le Temps, l'on croit entendre, dans les arbres que baigne la lune, très loin, à peine perceptible, le rire de Marcel, ce rire de collégien qui pouffe derrière sa main fermée, mais adouci, devenu le rire d'un très vieil enfant auquel la vie a enseigné, avec la douleur, la pitié.

CHAPITRE IX

OÙ L'AMATEUR DEVIENT UN MAÎTRE

> Les beaux livres sont écrits dans une sorte
> de langue étrangère. Sous chaque mot, chacun
> de nous met son sens, qui est souvent un
> contre-sens. Mais, dans les beaux livres, tous
> les contre-sens qu'on fait sont beaux.
> MARCEL PROUST.

I

LA NAISSANCE DE SWANN

VERS 1911, se croyant près d'achever son grand
ouvrage, Marcel Proust dut se demander avec
angoisse s'il trouverait un éditeur. Ses rapports
avec les journaux et revues n'avaient jamais été heureux. Desservi par sa réputation de riche amateur, qui
mettait en défiance à la fois les professionnels et les
purs, il n'avait dû qu'à l'amitié de Calmette de forcer
les portes du *Figaro*. Le *Temps* lui avait refusé deux
articles. Son étude sur Ruskin avait fait longtemps
antichambre chez Ganderax, directeur de la *Revue de
Paris,* « galant homme qui a fini », dit Proust dans une
lettre à Jean-Louis Vaudoyer, « partagé entre l'amitié
que lui inspirait ma personne et l'horreur que lui
causaient mes écrits, par les refuser *par devoir de conscience.* Et pourtant, Ruskin étant mort dans l'intervalle, le manuscrit « détestable comme littérature »
s'était soudain trouvé « admirable comme actualité ».

Aucun autre critique n'étant disponible pour écrire sur Ruskin, Ganderax, pris en ce dilemme de laisser sa revue sans nécrologie de ce grand homme « ou de faire paraître», dit Proust, « ce qui a été ensuite ma préface à la *Bible d'Amiens,* préféra encore le premier désastre. Et la raison que, pour tous ces écrits, il me donna uniformément, tristement, affectueusement, de ses refus, était « qu'il n'avait pas assez de temps à lui pour les *refaire* et les *récrire...* »

Proust à Madame Straus : « Je ne dis pas cela *contre* Monsieur Ganderax, qui a d'immenses qualités, un homme vraiment d'un format qui n'est plus très usité, qu'on verra de moins en moins et que, pour ma part, je préfère à ceux de maintenant. Mais pourquoi écrit-il ainsi ? Pourquoi, quand on a dit « 1871 », ajouter « l'année abominable entre toutes » ? Pourquoi Paris est-il aussitôt qualifié « la grand'-ville » ; Delaunay, « le maître peintre » ? Pourquoi faut-il que l'émotion soit inévitablement « discrète », et la bonhomie « souriante », et les deuils « cruels », et encore mille autres belles choses que je ne me rappelle pas ? On n'y penserait pas si précisément Ganderax, quand il corrige les autres, ne croyait servir la langue française. Il le dit dans votre article : « Les petites notes marginales que j'écris pour l'illustration et la défense de la langue française... » Pour l'illustration, non. Pour la défense, non plus. Les seules personnes qui défendent la langue française (comme l'armée pendant l'Affaire Dreyfus), ce sont celles qui l'attaquent [1]... »

Mais si Marcel Proust avait eu grand-peine à publier quelques chroniques ou études, combien plus difficile allait être pour lui l'édition d'un long ouvrage qui, dès cette première version, devait se composer de douze à quinze cents pages, suivant la justification adoptée. Proust aurait voulu le donner au public en une seule

---

1. Texte inédit. Collection de Madame René Sibilat.

fois, pour produire un effet de masse, et aussi parce que la fin (qui, dès ce moment, s'appelait : *Le Temps retrouvé*) permettait seule de comprendre la composition rigoureuse de l'édifice. Mais la mode était aux romans courts et quel éditeur eût accepté de prendre un tel risque ?

Proust espéra d'abord que Calmette, ami de Fasquelle, obtiendrait de celui-ci qu'il éditât la *Recherche du temps perdu*. Une négociation commença et, au début, parut réussir. Fasquelle parlait de trois volumes, publiés à intervalles de six mois ; Proust acceptait, bien qu'à regret, car il n'avait « aucune certitude de vivre le lendemain » et pensait à trois titres : *Du côté de chez Swann* (ou peut-être : *Le Temps perdu*) ; — *Le Côté de Guermantes* ; — *Le Temps retrouvé*. A Louis de Robert, romancier qu'il estimait et qui avait été l'un des seuls à reconnaître dans *Les Plaisirs et les Jours* plus que du talent, il écrivait :

« J'ai travaillé, vous le savez peut-être, depuis que je suis malade, à un long ouvrage que j'appelle roman parce qu'il n'a pas la contingence de Mémoires (il n'y a dedans de contingent que ce qui doit représenter la part du contingent dans la vie) et qu'il est d'une composition très sévère, quoique peu saisissable parce que complexe. Je suis incapable d'en dire le genre. Certaines parties se passent à la campagne, et d'autres dans certains mondes, et d'autres dans d'autres mondes ; certaines sont familiales et beaucoup d'une terrible indécence. Ce livre, Calmette, à qui il est dédié, m'a promis de le faire éditer par Fasquelle, et nous n'en avons plus reparlé parce que c'était convenu (convenu entre Calmette et moi, je ne sais s'il en avait parlé d'avance à Fasquelle). Seulement il est arrivé ceci : mon roman est si long (quoiqu'à mon sens très concis) qu'il aurait trois volumes de quatre cent pages ou, mieux, deux de sept cents et cinq cents. On m'a dit (pas Calmette, que je n'ai pas encore revu) qu'il était inutile de demander à Fasquelle de faire paraître un ouvrage en deux ou trois volumes, qu'il *m'imposerait* des titres différents pour chaque volume et un intervalle entre leur publication. Cela m'ennuie beaucoup, mais on me dit qu'ailleurs ce serait la même chose. D'autre part, je suis malade, très malade, et par conséquent pressé de paraître, et Fasquelle a l'avantage... qu'il publiera (j'espère !) le livre immédiatement. Mais voici qu'on me dit aussi qu'il examine sévèrement les ouvrages, qu'il demande des modifications, qu'il faut que rien ne nuise à *l'action.* Vous qui avez une grande expérience de tout cela (moi, je n'ai jamais publié qu'un livre illustré, chez Calmann-Lévy, éditeur pour lequel mon ouvrage actuel serait trop indécent) et des traductions au *Mercure,* que me conseillez-vous ? Croyez-vous que Calmette portant mon livre à Fasquelle, celui-ci le publiera tel quel, avec ses développements lyriques, sans y toucher ? (je me résignerais à scinder l'ouvrage en deux parties, mais, la préparation du sujet étant fort lente, il y aurait un immense avantage à ce que le premier roman pût avoir sept cents, ou six cent cinquante pages, comme les pages, très serrées, de l'*Education*)... »

Et ce post-scriptum pathétique :

« Ne jugez pas trop d'après vous-même, qui avez écrit un livre admirable qui n'est pas un roman. Vous étiez déjà connu. Moi, je le suis de quelques très peu nombreux écrivains. Et, de la plupart, je suis *entièrement inconnu.* Quand des lecteurs, chose rare, m'écrivent au *Figaro* après un article, on envoie les lettres à Marcel Prévost, dont mon nom semble n'être qu'une faute d'impression... »

Mais Calmette (et Proust, toujours si prompt à craindre un malentendu ou une brouille, analysa chaque parole et chaque pensée, pour deviner les causes de ce refroidissement), Calmette montra peu de zèle, et Fasquelle peu d'enthousiasme. Que chachaient ces retards ? Fasquelle était-il fâché contre Calmette, et Marcel Proust une victime expiatoire ? Celui-ci le craignit. Jean Cocteau écrivit à Edmond Rostand qui, auteur à succès, édité par Fasquelle, avait sur celui-ci grande influence. Rostand, confrère généreux, intervint. Fasquelle ne refusa pas le livre, mais, comme Proust l'avait craint, demanda des retouches. Cela était fait pour terrifier et indigner un auteur qui « retouchait » depuis six ans.

Cependant Proust avait, timidement, fait quelques avances à la N. R. F., qui eût été, à ses yeux, sa véritable maison spirituelle. Elles avaient été accueillies sans chaleur, en partie, croyait-il, parce que la dédicace à Calmette déplaisait, mais surtout parce qu'aux yeux de ce très estimable groupe Proust était un mondain dont le manuscrit, entrouvert, feuilleté, exhalait « une odeur de duchesses ».

Proust à la N. R. F. : « J'ai bien envie... de vous dire ce qu'il y a de choquant dans le deuxième volume pour que, si cela vous semblait impubliable, vous n'ayez pas besoin de lire le premier. A la fin du premier volume (troisième partie), vous verrez un Monsieur de Fleurus (ou de Guray, j'ai plusieurs fois changé les noms) dont il a été vaguement question comme amant supposé de Madame Swann. Or, comme dans la vie, où les réputations sont souvent fausses et où on met longtemps à reconnaître les gens, on verra, dans le deuxième volume seulement, que le vieux monsieur n'est pas du tout l'amant de Madame Swann, mais un pédéraste. C'est un caractère que je crois assez neuf, le pédéraste viril, épris de virilité, détestant les jeunes gens efféminés, détestant à vrai dire tous les jeunes gens, comme sont misogynes les hommes qui ont souffert par les femmes. Ce personnage est assez épars, au milieu de parties absolument différentes, pour que ce volume n'ait nullement un air de monographie spéciale comme le *Lucien* de Binet-Valmer, par exemple... De plus, il n'y a pas une exposition crue. Et, enfin, vous pouvez penser que le point de vue métaphysique et moral prédomine partout dans l'œuvre. Mais, enfin, on voit ce vieux monsieur lever un concierge et entretenir un pianiste. J'aime mieux vous prévenir d'avance de tout ce qui pourrait vous décourager... »

André Gide ouvrit le manuscrit au hasard et tomba sur une phrase où le Narrateur décrivait sa Tante Léonie, « tendant à mes lèvres son triste front pâle et fade... où les vertèbres transparaissaient comme les pointes d'une couronne d'épines ou les grains d'un rosaire ». Des vertèbres sur un front... Gide donna un avis défavorable [1].

A peine les pourparlers venaient-ils d'être rompus de ce côté que survint un événement « détestable ».

Proust à Madame Straus : « Par le fait même que je rompais de l'autre côté, je me résignais aux retouches que me demandait Fasquelle. Or j'ai reçu avant-hier une lettre de lui, où il me dit purement et simplement qu'il ne peut se charger d'éditer cet ouvrage (le tout entremêlé de compliments, mais enfin formellement négatif, et il n'y a plus à y revenir ; d'ailleurs, il m'a fait renvoyer mon manuscrit)... Hélas ! je crois que j'avais raison de supposer que Calmette n'avait eu aucune promesse de Fasquelle et que c'est pour cela que Calmette m'avait d'abord évité. En tout cas, cela n'a plus d'intérêt, et il va falloir recommencer de nouveaux stages ailleurs, ce qui est bien ennuyeux. N'y pensez plus et nous en reparlerons quand je vous enverrai l'ouvrage, dussé-je me faire imprimeur pour qu'il paraisse. — Vous savez que je désire donner un petit souvenir à Calmette (qui a tout de même été *très gentil*, mais n'a pas compris que ne rien faire eût été mieux que faire à demi). Avez-vous une idée de quelque chose qui pourrait lui être utile, au jeu, par exemple ? (Une bourse ? Porte-cigarettes ? Mais fume-t-il ? Un jeu de bridge ?) Comme je n'ai plus besoin de lui, cela n'a rien d'indélicat de lui donner maintenant. Comme je suis ruiné, je ne voudrais

---

1. Cf. Jean Mouton : *Le Style de Marcel Proust,* page 99.

pas mettre plus de mille à quinze cents francs. Mais si cela doit lui faire *grand* plaisir et coûter le double, je le ferai avec joie... »

Madame Straus approuva le porte-cigarettes. Marcel le fit faire chez Tiffany, en moire noire, avec un chiffre en brillants : « C'est extrêmement simple, très joli, et coûte un peu moins de quatre cents francs... » Mais tout, en cette aventure, tournait mal ; le lendemain du jour où il apporta au *Figaro* son présent pour Calmette, le Congrès devait élire un nouveau Président de la République, et Calmette ne pensait qu'au Congrès.

Proust à Madame Straus : « Il *ne m'en a jamais remercié,* au point que je ne sais pas s'il l'a jamais vu ! Je le lui ai porté enveloppé, il a fait un geste évasif et je l'ai posé sur son bureau. Je lui ai dit que c'était si peu de chose que j'osais à peine, etc. Je le disais parce que, comme je pensais qu'il verrait, au contraire, que c'était très précieux, cela ajouterait à ma magnificence la noblesse de la dédaigner. Il m'a dit : « J'espère que ce sera Poincaré. » J'ai dit : « Tant pis », et j'ai regardé mon paquet. Son regard a suivi le mien, mais, en rencontrant le paquet, mû par une sorte de force centrifuge, s'en est aussitôt détourné et a fixé tout autre chose. Il y a eu un instant de silence, puis il m'a dit : « Cependant il est possible que ce soit Deschanel. » Puis nous avons parlé de Pams et, voyant qu'il ne me parlait ni de Fasquelle, ni de porte-cigarettes, je me suis levé et je suis parti, persuadé que le lendemain j'allais recevoir un mot : « Cher Ami, mais c'est un bijou de prix », mais je n'ai reçu aucun mot, ni le lendemain, ni jamais... »

Fasquelle et la N. R. F. s'étant mis hors du jeu, Proust, découragé, se résignait à faire publier son livre à compte d'auteur : « Non seulement je paierais les frais, mais, malgré cela, je voudrais intéresser l'éditeur aux bénéfices, s'il y en avait, non par générosité, mais

pour qu'il ait le désir que le livre réussisse... » Toute
sa correspondance de cette période est émouvante, à la
fois par l'incroyable difficulté qu'un grand écrivain
trouve à faire imprimer un chef-d'œuvre et par son
désir tenace d'atteindre, non plus seulement la poignée
d'amis qui a lu *Les Plaisirs et les Jours,* mais « les gens
qui prennent le train, qui lisent en wagon ».

Sur le conseil de Louis de Robert, qui craignait que,
publiant à compte d'auteur, Proust ne se classât lui-
même comme un amateur, Marcel envoya encore son
manuscrit à Ollendorff, à qui Louis de Robert écrivit,
de son côté, qu'il s'agissait non d'un dilettante, mais
d'un écrivain de grande classe. Quinze jours plus tard,
Louis de Robert recevait cette réponse de Monsieur
Humblot, directeur de la maison Ollendorff : « Cher
ami, je suis peut-être bouché à l'émeri, mais je ne puis
comprendre qu'un monsieur puisse employer trente
pages à décrire comment il se tourne et retourne dans
son lit, avant de trouver le sommeil. J'ai beau me
prendre la tête entre les mains... » Cette fois, Proust
fut profondément et légitimement blessé :

« Je trouve la lettre de Monsieur Humblot (que je vous
renvoie ci-jointe) absolument stupide. J'ai en effet essayé
d'envelopper mon premier chapitre (je suppose que c'est
de cela qu'il veut parler, car j'avoue que je ne me suis pas
reconnu) dans des impressions de demi-réveil dont la
signification ne sera complète que plus tard, mais que j'ai
en effet poussées aussi loin que ma pénétration, hélas !
médiocre, l'a pu. Il est bien entendu que le but, dans ce
cas, est non pas de dire qu'on se retourne dans son lit, ce
qui en effet demande moins de pages, mais que ce n'est
que le moyen de cette analyse. Fasquelle n'avait pas été
de cet avis, car, dans cette lettre dont je ne peux assez
déplorer la destruction, il disait : « Quel malheur que vous
ne vouliez pas faire un volume avec le seul chapitre de
cette enfance maladive, qui est infiniment curieuse et
remarquable ! » Evidemment, la partie où il y a tant d'in-

décences est plus mouvementée. Mais sans doute Monsieur Humblot n'est(-il) pas allé jusque-là. Hélas ! plus d'un lecteur sera aussi sévère que lui. Mais ces gens-là ont-ils jamais lu vraiment Barrès, par exemple ? J'en doute fort. Et Maeterlinck ? Si, en cachant le nom de l'auteur, on envoyait à Monsieur Humblot la *Colline inspirée* de l'un et la *Mort* de l'autre, je crois qu'il « élaguerait » tant qu'il n'en resterait pas grand'chose et qu'il aurait beau « se prendre la tête dans ses mains »... »

Mais très vite, Proust retrouva la sérénité de l'artiste qui sait que son œuvre est belle : « Qu'est-ce que cela fait ? Dites-vous bien que c'est le cas pour presque tout le monde. J'ai vu les articles de France, déjà célèbre pourtant, et dont le génie limpide semblait sourire, indifférent, à tout lecteur, refusés au *Temps* comme illisibles, remplacés à la dernière heure par n'importe quoi ; et la *Revue des Deux Mondes* trouvant son roman de *Thaïs* si mal écrit qu'après lui avoir demandé la permission d'interrompre la publication elle déclara, en tout cas, ne pas pouvoir la laisser à la place habituelle du feuilleton. Les mêmes organes se disputent aujourd'hui la prose de France, qui est exactement la même, et je vous assure qu'il ne suppose pas que c'est parce qu'il a plus de talent... »

Après ce nouvel échec, Proust n'hésita plus à publier à compte d'auteur. Son ami René Blum, frère de Léon, homme souriant à la moustache blonde tombante, qui avait du goût, de la bonté naturelle, et que Marcel avait rencontré vers 1900 chez Antoine et Emmanuel Bibesco, connaissait Bernard Grasset, éditeur neuf, sans grands capitaux, mais jeune, intelligent, avec la plus noble passion de son métier, et qui vers le même temps venait de découvrir Giraudoux. Proust demanda à Blum d'intervenir et d'aller vite : « Je travaille depuis longtemps à cette œuvre ; j'y ai mis le meilleur de ma pensée ; elle réclame maintenant un tombeau qui soit achevé avant que le mien soit rempli... Ne me dites pas : « Mais, cher ami, Grasset sera enchanté de vous éditer à ses frais... » Je suis très malade, j'ai besoin de certitude et de repos... » René Blum s'entremit aussitôt et, en février 1913, le manuscrit fut remis à Bernard Grasset. Maître, là, de ses décisions, puisqu'il couvrait les frais, Proust souhaitait publier un premier volume de sept cents pages, sans alinéas, même pour les dialogues : « Cela fait entrer davantage les propos, disait-il, dans la continuité du texte... » Louis de Robert parvint à le convaincre de limiter le premier volume à cinq cents pages et d'accepter quelques rares alinéas. Le titre d'un chef-d'œuvre semble aux fidèles si nécessaire, il fait tellement partie de leur univers, qu'ils ont peine à penser qu'il fut choisi après de longues délibérations.

Proust à Louis de Robert : « Je voudrais un titre tout simple, tout gris. Le titre général, vous le savez, est : *A la recherche du temps perdu.* Est-ce que vous auriez une objection, pour le premier volume en deux (si Grasset admet l'étui avec deux volumes) contre : *Charles Swann ?* Mais, si je fais un seul volume de cinq cents pages, je ne suis pas pour ce titre, car le dernier portrait de Swann n'y sera pas, et alors mon livre ne remplirait pas les promesses du titre. Aimeriez-vous : *Avant que le jour soit levé ?* (moi pas). J'ai dû renoncer à : *Les Intermittences du cœur* (titre primitif), à *Les Colombes poignardées*, à *Le Passé intermittent*, à *L'Adoration perpétuelle*, à *Le Septième Ciel*, à *A l'ombre des jeunes filles fleurs*, titres qui, d'ailleurs, seront des chapitres du troisième volume. Je vous ai dit, n'est-ce pas, que *Du côté de chez Swann* était à cause des deux « côtés » qu'il y avait à Combray. Vous savez, on dit cela à la campagne : « Allez-vous du côté de chez Monsieur Rostand ?... »

« P.-S. — Aimeriez-vous comme titre : *Jardins dans une tasse de thé,* ou *L'Age des noms,* pour le premier ? Pour le deuxième : *L'Age des mots ?* Pour le troisième : *L'Age*

des choses ? Ce que je préférerais, c'est : *Charles Swann,*
mais en indiquant que ce n'est pas tout Swann : *Premiers
crayons de Charles Swann.* »

Enfin, le 12 novembre 1913, le *Temps,* par un long
article d'Elie-Joseph Bois, annonça pour le lendemain
la publication, chez Bernard Grasset, de la *Recherche
du temps perdu.* C'était Marie Scheikevitch, amie de
Proust et très liée avec Adrien Hébrard, directeur du
Temps, qui avait obtenu cette rare faveur. Bois avait
trouvé l'écrivain couché dans « la chambre aux volets
toujours clos ». Proust lui avait dit son regret d'avoir
dû morceler son œuvre : « On n'édite plus d'ouvrages
en plusieurs volumes. Je suis comme quelqu'un qui a
une tapisserie trop grande pour les appartements actuels
et qui a été obligé de la couper... » Le Boulevard
Haussmann avait fourni cette très proustienne image.
Après quoi il expliqua que son livre serait un essai de
psychologie dans le temps où les personnages, par leurs
changements, donneraient le sentiment du temps
écoulé : « Mon livre serait peut-être comme un essai
d'une suite de *romans de l'Inconscient ;* je n'aurais
aucune honte à dire de *romans bergsoniens* si je le
croyais, mais ce ne serait pas exact. »

Bien qu'il eût, dans l'interview du *Temps,* exprimé
sa reconnaissance envers Calmette, à qui *Swann* était
dédié, Marcel, qui veillait sur la naissance de son livre
avec une paternelle anxiété, se disait un peu triste de
constater que le *Figaro,* journal ami, mettait peu de
zèle à servir son roman. *Marcel Proust à Robert Dreyfus :* « Je suis loin de chercher à ce qu'on parle de moi.
Mais cette œuvre est vraiment importante... Si vous
faisiez faire un écho, je souhaiterais que les épithètes
« fin », « délicat » n'y figurent, pas plus que le rappel
des *Plaisirs et les Jours.* Ceci est une œuvre de force... »
Rien n'est plus vrai, mais peu de lecteurs, même parmi

ceux qui l'aimaient alors, surent le voir. On loua sa
minutie ; il n'était fier que des lois générales par lui
découvertes et exposées : « Mon œuvre n'est pas
microscopique, elle cst télescopique », disait-il.

Le *Figaro* racheta généreusement son péché d'omis-
sion. Il publia, non seulement un écho de Robert
Dreyfus et une critique de Francis Chevassu, mais, en
première page, une longue chronique de Lucien
Daudet, qui avait été « sublimement gentil » et avait
écrit l'article que Proust eût souhaité écrire lui-même.
Seulement, avec la compétence rustique et florale de
la famille Daudet, il faisait remarquer à l'auteur, dans
une lettre privée : 1°) qu'on ne mange pas un poulet
le jour où on le tue ; 2°) que la verveine et l'héliotrope
ne fleurissent pas en même temps que l'aubépine.
Marcel tenta de se justifier en décrivant ses conscien-
cieuses recherches dans la *Flore* de Gaston Bonnier qui,
disait-il, lui avait appris déjà qu'il ne fallait pas mettre
sur les haies de Combray, dans le même mois, des
aubépines et des églantines.

Marcel Proust à Lucien Daudet : « Mon cher petit,
je me réveille à peu près mourant et je m'entends
appeler dans le *Figaro* par vous, comme les morts à ce
Jugement Dernier que vous avez autrefois représenté,
et je me soulève dans mon lit comme au portail de
Notre-Dame les morts réveillés par l'archange... »
Cependant, Jacques-Emile Blanche, autre archange,
claironnait dans l'*Echo de Paris,* Maurice Rostand dans
Comœdia, Souday dans le *Temps.* « Souday consacre
le premier », dit Léon Pierre-Quint, « ce qui, très peu
d'années après, sera une espèce de révélation ». A la
vérité, l'article avait été demandé à Souday par
Hébrard, son directeur, cette fois encore sur les instan-
ces de Marie Scheikevitch. Les critiques ont de ces
chances heureuses.

Mais, à ces trompettes archangéliques, le public ne

répondait guère. Les amis répétaient, avec raison, le mot « génie ». Les lecteurs demeuraient rebelles : « C'est, disaient-ils, l'opinion de quelques gens du monde sur un autre homme du monde. » Ceux qui connaissaient l'auteur de vue, et qui lisaient ces articles élogieux, disaient : « Marcel Proust ? le petit Proust du Ritz ? » et haussaient les épaules. Anatole France, qui avait reçu *Swann* avec cette dédicace : « Au premier maître, au plus grand, au plus aimé », avoua qu'il ne pouvait le lire et plus tard, à Madame Alphonse Daudet, qui aimait le livre et lui parlait de l'auteur, répondit : « Je l'ai connu et j'ai préfacé, je crois, une de ses premières œuvres. C'est le fils d'un médecin hygiéniste au ministère de l'Intérieur. Malheureusement, il paraît qu'il est devenu neurasthénique au dernier degré : il ne quitte pas son lit. Ses volets sont clos toute la journée et l'électricité toujours allumée. Je ne comprends rien à son œuvre. Il était agréable et plein d'esprit. Il avait un sens aigu de l'observation. Mais j'ai cessé de le fréquenter très vite [1]... »

« Quant à Robert de Montesquiou, écrit Madame de Clermont-Tonnerre, rien ne le fit se départir du rôle transcendental et protecteur qu'il avait adopté, une fois pour toutes, envers Marcel... « Je ne sais, disait-il, si ce jeune homme irréparable donnera, un jour, sa mesure dans une œuvre, suivant une expression dont on abuse ; j'avoue ne pas le croire parce que sa mesure consiste peut-être précisément à n'en pas avoir. Il est l'auteur d'un livre touffu, inextricable, pour lequel il a, tout d'abord, trouvé un joli titre : *A la recherche du temps perdu,* mais il lui en a substitué un autre, extravagant et mauvais... Il a écrit la plus caractéristique des phrases qui m'aient été consacrées par des

1. Cité par MARCEL LE GOFF, dans *Anatole France à La Béchellerie,* pages 331-332 (Albin Michel, Paris, 1947).

contemporains. La voici : « Vous vous élevez au-dessus
de l'inimitié, comme le goéland au-dessus de la tempête,
et vous souffririez d'être privé de cette pression ascen-
dante... » Aux yeux de Montesquiou, Proust n'existait
que par les louanges qu'il avait données à Montesquiou.

Pour l'auteur, il eut, après la naissance de *Swann*, le
sentiment d'un échec : « Le mot *triomphateur* m'a fait
amèrement sourire *(grâce à Dieu, mon malheur passe
mon espérance)*. Si vous me voyiez, je n'ai guère l'air
d'un homme triomphant. » Certains compliments
d'amis auxquels il avait envoyé *Swann* prouvaient,
hélas ! que ceux-ci ne l'avaient pas lu. *Marcel Proust
à Madame Gaston de Caillavet :* « Je vous remercie de
ce que vous me dites de mon livre. J'ai eu tellement
d'ennuis depuis que je l'ai écrit et j'ai si peu pensé à
lui que peut-être je l'ai tout à fait oublié, et que c'est
moi qui me trompe en croyant que je n'y ai parlé nulle
part de « première communion fervente et désillusion-
née », ni même de première communion du tout. Mais
je crois plutôt que c'est vous qui confondez. En tout
cas, *felix culpa,* comme disait Renan, puisque cela me
vaut cette évocation de vos propres souvenirs de
première communion, qui ont pour moi tant de poésie !
Je vous remercie encore de votre gentille réponse dont
la diligence double la gentillesse. Si vous ne me trouvez
pas trop pédant, les Romains disaient : *Qui cito dat
bis dat,* celui qui donne vite donne deux fois... [1] »

Mais la partie, pensait-il, n'était pas encore jouée.
En Juin 1914, à Madame Straus, qui avait la « gentillesse » de souhaiter revoir des personnages auxquels elle
s'était d'autant plus intéressée que Marcel lui avait dit
qu'elle jouerait un rôle dans la suite de l'ouvrage, il
annonçait le second volume, déjà en épreuves chez
Grasset : « Ne vous laissez pas rebuter ; je crois que

---

1. Lettre inédite.

certaines parties douloureuses et amoureuses ne vous déplairont pas trop. Il y a une rupture, et aussi une scène où une même femme est vue par deux hommes dont l'un l'aime et l'autre ne l'aime pas, et où il semble qu'il y ait un peu de douleur et d'humanité. Mais je suis honteux de parler de moi de cette façon... »

Dès ce premier volume, Grasset, soutenu par Louis de Robert, essaya d'obtenir pour *Swann* le prix Goncourt. L'amitié de Léon Daudet rendait le projet un peu moins chimérique, et Proust s'accrocha tout de suite à cet espoir, parce qu'il souhaitait éperdument avoir de nombreux lecteurs. Vanité ? Pouvait-on sérieusement en accuser un homme qui, si longtemps, avait accepté l'isolement et l'obscurité ? Non, naturelle angoisse d'un écrivain qui sait la qualité de ce qu'il a semé et qui fait tout ce qui est en son pouvoir pour protéger une plante encore si fragile. Craignant que le prix ne lui échappât parce qu'il passait pour être riche, ou au moins fort à son aise, il écrivait de tous côtés qu'il était ruiné. « Vous me répliquâtes que cela ne faisait rien à l'affaire, car j'étais malgré tout d'une famille riche ; que j'avais été pas mal dans le monde ; que, même sans argent, je ferais figure de riche... » En effet, au cours des discussions préliminaires, il fut à peine question de lui et il n'eut pas le Prix Goncourt 1913.

D'autres suffrages, auxquels il tenait davantage, allaient lui venir : c'étaient ceux de la N. R. F. Ce groupe, dont l'estime était convoitée par lui autant que jadis l'attention des jeunes filles de Balbec, l'avait « snobé », lors du premier contact, par puritanisme de lettres. Un roman de Rive Droite, comme l'a dit Fernandez, avait mis cette maison de Rive Gauche en défiance. Cependant après la publication, Gallimard et Rivière donnèrent le livre à Henri Ghéon, afin que celui-ci fît une note pour la *Nouvelle Revue Française*. Ghéon fut « emballé » et le dit à Rivière avec feu. Celui-ci alerta Gide, qui, à première lecture, avait seulement flairé le manuscrit, et obtint qu'il le lût entièrement. Gide, conquis, écrivit à Proust avec une sincérité toute gidienne : « Depuis quelques jours, je ne quitte plus votre livre ; je m'en sursature avec délices ; je m'y vautre. Hélas ! pourquoi faut-il qu'il me soit si douloureux de tant l'aimer ?... Le refus de ce livre restera la plus grave erreur de la N. R. F. et (car j'ai cette honte d'en être beaucoup responsable) l'un des regrets, des remords les plus cuisants de ma vie... Et, maintenant, il ne me suffit pas d'aimer ce livre. Je sens que je m'éprends pour lui et pour vous d'une sorte d'affection, d'admiration, de prédilection singulières [1]... » Proust répondit : « Mon cher Gide, j'ai souvent éprouvé que certaines joies ont pour condition que nous ayons été d'abord privés d'une joie de moindre qualité... Sans le refus, sans les refus répétés de la N. R. F., je n'aurais reçu votre lettre... La joie de (la) recevoir... passe infiniment celle que j'aurais eue à être publié par la N. R. F. » Mais cette dernière satisfaction elle-même lui était maintenant offerte. Le Conseil de la N. R. F., « à l'unanimité et d'enthousiasme », se disait prêt à éditer ses deux autres volumes. *Proust à Gide :* « C'est l'honneur que j'ai le plus ambitionné ; vous le savez... mais mon (traité) me donnât-il toute liberté, je ne crois pas que j'en userai par peur d'être peu gentil vis-à-vis de Grasset... »

Dans ses numéros de Juin et de Juillet 1914, la *Nouvelle Revue Française* publia de longs extraits du *Côté de Guermantes* (dont les remaniements ultérieurs allaient faire, en réalité, des passages d'*A l'ombre des*

---

1. Lettre publiée par Léon Pierre-Quint dans *Comment parut « Du côté de chez Swann »* (Kra), page 140.

jeunes filles en fleurs.) Gallimard renouvelait avec insistance l'offre de publier ce livre et tous les suivants ; Fasquelle manifestait son repentir ; Grasset, à qui Proust, se résignant à n'être pas gentil, avait enfin communiqué son désir de passer chez Gallimard, disait son chagrin. Ainsi, l'auteur qu'avaient rejeté tant d'éditeurs devenait l'auteur que tous les éditeurs se disputaient. En août 1914 éclata la guerre qui, entre autres conséquences, amena une fermeture temporaire de la maison Grasset. Proust en fit prétexte à reprendre sa liberté. Ne devait-il pas, disait-il à Grasset, défendre son œuvre ? *Marcel Proust à Bernard Grasset :* « Dans votre firmament, mon œuvre n'est qu'un grain de sable. Pour moi, elle est tout. Je ne sais si je vivrai assez pour la voir enfin parue et il est assez habituel qu'avec l'instinct de l'insecte dont les jours sont comptés je me hâte de mettre à l'abri ce qui est sorti de moi et me représentera... » Grasset, fort généreusement, céda, et *Du côté de chez Swann* « émigra chez Gallimard ». Quant à la suite de la *Recherche du temps perdu,* la guerre en retarda la parution de cinq années. Cela lui donna le temps de proliférer.

II

EFFETS DE LA GUERRE SUR LE ROMAN DE PROUST

L'attitude la plus constante de Proust devant la guerre fut celle des Français de Saint-André des Champs. *Marcel Proust à Paul Morand :* « Je ne vous parle pas de la guerre. Je l'ai, hélas ! assimilée si complètement que je ne peux pas l'isoler. Je ne peux pas plus parler des espérances et des craintes qu'elle m'inspire qu'on ne peut parler des sentiments qu'on éprouve si profondément qu'on ne les distingue pas de soi-même. Elle est moins, pour moi, un objet, au sens philosophique du mot, qu'une substance interposée entre moi-même et les objets. Comme on aimait en Dieu, je vis dans la guerre... » L'homme Marcel Proust ne parla jamais du front, des armées, que dans les termes alors consacrés, en partie parce qu'il avait toujours accepté le cérémonial et les conventions de son temps, en partie parce qu'il était « particulièrement sensible au sentiment de l'honneur et même du point d'honneur ». Mais si le citoyen et l'homme du monde se montraient délibérément conformistes, le romancier observait, sans indulgence ni mensonge, les passions collectives, qui ressemblent tant à celles des individus, et notait les déformations, à ces hautes températures, des êtres, des classes et des nations. Dans les caractères des personnages du roman, la guerre produisait des mutations brusques. Saint-Loup devenait le héros qu'il avait toujours été sans le savoir ; Brichot, de la critique littéraire, passait à la critique militaire ; Monsieur de Charlus se souvenait de ses ancêtres bavarois ; Madame Verdurin, par des surenchères de chauvinisme, se hissait jusqu'au monde-monde.

A Lucien Daudet, Proust signalait les hypocrites *louchonneries* des gens de l'arrière, les tuniques « très guerre » des femmes et leurs hautes guêtres « rappelant celles de nos chers combattants ». Il était irrité par la sottise des chroniqueurs qui ne parlaient que « Boches », *Kultur,* se refusaient à entendre *Tristan* ou la *Tétralogie* et ne voulaient plus qu'on apprît l'allemand. « A part un ou deux, les littérateurs qui, en ce moment, croient « servir » en écrivant, parlent bien mal de tout cela... Du reste, tous ces hommes importants sont ignorants comme des enfants. Je ne sais si vous avez lu un article du Général O... sur l'origine du mot *boche,* qui, selon lui, remonte au mois de septembre dernier, quand nos soldats, etc. Il faut que, lui aussi, n'ait jamais causé qu'avec des « gens bien » ; sans cela, il saurait comme moi que les domestiques, les gens du peuple ont toujours dit : « Une tête de Boche », « C'est un sale Boche ». Je dois dire que, de leur part, c'est souvent assez drôle (comme dans l'admirable récit du mécanicien de Paulhan). Mais quand les Académiciens disent « Boche », avec un faux entrain, pour s'adresser au peuple, comme les grandes personnes qui zézayent quand elles parlent aux enfants... c'est crispant. »

Autour de lui, la guerre frappait de tous côtés. Son frère, Robert, médecin-major à Verdun, fut bientôt blessé et cité. Reynaldo était au front, courageux, « avec un côté *Mort du Loup* » qui inquiétait son ami. Bertrand de Fénelon (le *Nonelef* des *Ocsebib*), « l'être le plus intelligent, bon et brave », avait été tué le 17 décembre 1914. Gaston de Caillavet était mort le 13 janvier 1915.

Marcel Proust à Madame Gaston de Caillavet : « Au milieu de tous les chagrins qui, véritablement, m'accablent... la pensée de Gaston ne m'a jamais quitté un jour, et je ne peux m'habituer à l'idée que la vie, dont il aurait tant pu jouir, lui a été retirée en pleine jeunesse. Je revois vos fiançailles, votre mariage, et l'idée que vous êtes veuve, vous qui, pour moi, êtes toujours la jeune fille d'autrefois, me déchire le cœur ! Je ne sais si je pourrai vous voir, ce qui serait pour moi d'une bien grande douceur. Je passe un conseil de revision la semaine prochaine ; dans mon état de santé, c'est une fatigue extrême à laquelle je suis obligé de me préparer par beaucoup de repos, et, après (à supposer que je ne sois pas « pris », ce que j'ignore), je serai certainement malade. Mais enfin, si je peux trouver un peu de force un jour, et surtout que mes crises quotidiennes finissent assez tôt, je vous ferai aussitôt téléphoner. C'est si amer pour moi de pleurer Gaston tout seul que cela me fera du bien auprès de vous. J'ai tellement pensé à sa fille dont il était si fier, à votre chère Mademoiselle Simone, que je ne sais plus du tout si je lui ai écrit, tant je lui ai écrit de fois en pensée. Si je ne l'ai pas fait (et je l'ai fait, mais la lettre a dû rester dans le fouillis d'à côté de mon lit), dites-lui qu'elle peut mettre bout à bout bien des lettres qu'elle a reçues sans faire autant de pensée constante pour elle qu'il y en a dans mon cœur... »

Il tenta d'aller voir ses amies :

« ...Ayant pu me lever hier soir (vendredi), j'ai fait téléphoner. On n'a pas répondu. A tout hasard, je suis venu, mais, le temps de me préparer, l'heure avait passé ; il était onze heures moins vingt (ou moins un quart) quand je suis arrivé devant la triple porte en arceaux. Tout était noir, partout, à tous les étages. J'ai laissé ronfler une heure le moteur, pour voir si un rideau s'écarterait et, aucun mouvement ne s'étant produit, je n'ai pas osé sonner, pensant que vous étiez peut-être couchées... Je n'étais pas venu devant le 12 (Avenue Hoche) depuis un soir où j'avais accompagné Gaston, très tard. Ce soir-là, j'avais été très ému en revoyant cet hôtel qui me rappelait tant de souvenirs. Mais qu'était cette émotion à côté de celle qui m'a bouleversé hier soir ? Maintenant, ce ne sont plus seulement des souvenirs émouvants, c'est un deuil inconsolable. Maintenant, je ne sais pas quand je pourrai de nouveau me lever et sans doute serez-vous repartie. Et peut-être est-ce mieux ainsi. Pour moi, *les morts vivent.* Pour moi, cela est vrai pour l'amour, mais aussi pour l'amitié. Je ne peux pas expliquer cela dans une lettre. Quand tout mon *Swann* aura paru, si jamais vous le lisez, vous me comprendrez. Je vous ai écrit l'autre jour ; j'espère que vous avez eu ma lettre ; je ne sais ce qui se passe, une fois qu'on a quitté ma chambre, restant couché. Je pense tendrement à vous, à votre fille, à Gaston [1]... »

Marcel bien que depuis longtemps rayé des cadres de l'armée pour maladie chronique, devait à nouveau passer des conseils de revision. Son état n'était pas

1. Lettres inédites.

douteux, mais « les examens sont souvent rapides et imparfaits. Reynaldo a assisté à la visite suivante : « Qu'avez-vous ? — Je suis cardiaque. — Non ! bon « pour le service armé. » Et le malade tombe raide mort. Il est fort possible que la même scène se reproduise pour moi. Mais, dans ce cas-là, ce qui me tuera, ce ne sera certainement pas l'émotion de partir. Ma vie au lit, depuis en somme déjà douze ans, est trop triste pour que je la regrette... » Ce qu'il craignait était surtout l'heure des visites médicales, qui risquait de le priver des seuls moments où il pût dormir. Par une curieuse erreur, il reçut une convocation pour trois heures trente du matin, aux Invalides. Inadvertance de scribe, mais qui parut à Proust la plus naturelle du monde et la plus heureuse.

Sous les Taubes et les Zeppelins, il continua sa vie d'oiseau nocturne. Le soir, au milieu du bruit des sirènes, il emmenait chez Ciro's des amis comme Jacques Truelle, jeune diplomate qui avait bien parlé de *Swann,* et c'était une belle conversation, Proust mêlant les personnages historiques à ceux des romans : « Il associait le Maréchal de Villars au Colonel Chabert ou au Général Mangin, le Docteur Cottard au *Médecin de campagne,* Madame de Guermantes à Madame de Maufrigneuse. Vous le deviniez fatigué d'avoir vu tant de monde et vous vouliez partir. Il vous répondait : « En effet, je suis mort, mais comme c'est ennuyeux : nous n'avons rien dit du Cardinal Fleury et des d'Espard. Il faudra revenir bientôt, et nous parlerons d'eux, ou d'Albertine, puisque vous vous y intéressez... »

On le ramenait jusqu'à sa porte et, sur le seuil encore, il parlait de ses personnages à la manière de Balzac, avec détachement : « Mais non, disait-il, ne croyez pas que la Duchesse de Guermantes soit bonne. Elle peut être capable de quelques gentillesses par hasard, et encore... » Et une autre fois, plus tard (à

Guiche) : « La Duchesse de Guermantes ressemble un peu à la poule coriace que je pris jadis pour un oiseau de paradis... En faisant d'elle un puissant vautour, j'empêche au moins qu'on la prenne pour une vieille pie. » — « Pourquoi êtes-vous si sévère pour Monsieur de Charlus ? Quand vous le connaîtrez mieux, je crois que vous le trouverez agréable de conversation. J'avoue pourtant que son charlisme a des proportions ignobles. Mais, le reste du temps, il est gentil et parfois éloquent... »

Une autre fois, il allait chercher Marie Scheikevitch : « Ce soir, lui disait-il, je vous enlève. Si vous le voulez bien, nous irons chez Ciro's... De grâce, ne prenez pas froid. Ne regardez pas surtout mon col ; si vous voyez du coton hydrophile en sortir, c'est la faute de Céleste, qui a voulu absolument m'en mettre, bien malgré moi... Non, vous n'avez pas besoin de faire appeler un taxi, le mien est en bas ; ne craignez pas non plus d'avoir froid aux pieds, j'ai fait mettre une boule pour vous. Que c'est gentil de mettre ce beau renard blanc !... Vraiment, vous n'avez pas honte de sortir avec quelqu'un de si mal habillé ? » Puis, au maître d'hôtel : « Avez-vous des filets de sole au vin blanc ? du bœuf mode ? une petite salade ? et — je vous le recommande bien crémeux — un soufflé au chocolat (les invités de Marcel mangeaient presque toujours le même menu, celui qu'il eût préféré pour lui-même, si l'état de sa santé le lui eût permis). Oh ! moi, je ne prends presque rien ; faites-moi apporter un verre d'eau ; j'ai des cachets qu'il ne faut pas que j'oublie... Et du café, du bon café ; si cela vous est égal, j'en boirai plusieurs tasses. »

Souvent aussi, traversant le Paris désert et sombre de la guerre, il rejoignait au Ritz la Princesse Soutzo et,

quand Paul Morand (son futur mari) était à Paris,
dînait avec eux. Edmond Jaloux a écrit un beau
portrait de Proust en 1917 :

« Il y avait dans son physique même, dans l'atmosphère
qui flottait autour de lui, quelque chose de si singulier que
l'on éprouvait à sa vue une sorte de stupeur. Il ne participait point à l'humanité courante ; il semblait toujours
sortir d'un cauchemar, et aussi d'une autre époque, et
peut-être d'un autre monde : mais lequel ? Jamais il ne
s'était décidé à renoncer aux modes de sa jeunesse : col
droit très haut, plastron empesé, ouverture du gilet largement échancrée, cravate régate. Il s'avançait avec une
sorte de lenteur gênée, de stupéfaction intimidée — ou
plutôt il ne se présentait pas à vous : il apparaissait. Il
était impossible de ne pas se retourner sur lui, de ne pas
être frappé par cette physionomie extraordinaire, qui
portait avec elle une sorte de démesure naturelle.

« Un peu fort, le visage plein, ce qu'on remarquait
d'abord en lui, c'étaient ses yeux : des yeux admirables,
féminins, des yeux d'Oriental, dont l'expression tendre,
ardente, caressante, mais passive, rappelait celle des biches,
des antilopes. Les paupières supérieures étaient légèrement
capotées (comme celles de Jean Lorrain), et l'œil tout
entier baignait dans une cernure bistrée, si largement
marquée qu'elle donnait à sa physionomie un caractère à
la fois passionné et maladif. Ses cheveux touffus, noirs,
toujours trop longs, formaient autour de sa tête une
épaisse calotte. On était surpris aussi du développement
exagéré de son buste, bombé en avant, et que Léon Daudet a comparé à un bréchet de poulet, en indiquant qu'il
avait également ce trait en commun avec Jean Lorrain.

« A vrai dire, cette description ne me satisfait guère ; il
y manque ce je ne sais quoi qui faisait sa singularité :
mélange de pesanteur physique et de grâce aérienne de la
parole et de la pensée ; de politesse cérémonieuse et
d'abandon ; de force apparente et de féminité. Il s'y
ajoutait quelque chose de réticent, de vague, de distrait ;
on eût dit qu'il ne vous prodiguait ses politesses que pour

avoir mieux le droit de se dérober, de regagner ses retraites secrètes, le mystère angoissé de son esprit. On était à la fois en face d'un enfant et d'un très vieux mandarin.

« Pendant tout ce dîner, il fut, comme il était toujours quand il avait fini de se plaindre, extrêmement gai, bavard et charmant. Il avait une façon de rire tout à fait séduisante quand, pouffant tout d'un coup, il cachait aussitôt sa bouche derrière sa main, comme un gamin qui s'amuse en classe et qui craint d'être surpris par son professeur. Avait-il l'impression que sa gaieté était un phénomène si extravagant qu'il voulait la voiler, ou ce geste avait-il une signification plus immédiate ?

« Après le dîner, Monsieur le Duc de Guiche partit assez vite, et je demeurai seul avec Marcel Proust dans le grand hall du Ritz. C'était au temps où les Gothas faisaient des excursions sur Paris... »

Pour son roman, Proust notait alors des « ciels de Paris, la nuit, pendant un raid », comme il avait jadis croqué des « jours de tempête à Balbec ». Il y peignait les avions, qu'il appelait *aréoplanes,* montant comme des fusées rejoindre les étoiles et les projecteurs qui promenaient lentement, dans le ciel sectionné, comme une pâle poussière d'astres, d'errantes voies lactées, jets d'eaux lumineux qui semblaient, dans les nuages, les reflets des fontaines de la Concorde ou des Tuileries.

Quand Marcel n'était pas assez bien pour sortir, Henri Bardac et quelques autres venaient dîner près de son lit, de poulet rôti et de marmelade de pommes. Un soir, Reynaldo, pendant une de ses rares permissions, apparut soudain vers minuit, comme autrefois, et joua du Schubert, du Mozart, un fragment des *Maîtres Chanteurs.* Vers quatre heures du matin, Proust réclama la « petite phrase ». Plus tard, Bardac demanda à Reynaldo d'où venait celle-ci. « Teintée, dans l'esprit de Marcel, de réminiscences franckiennes, fauréennes et même wagnériennes, c'est, dit Reynaldo, un passage de la Sonate en *ré* mineur de Saint-Saëns. »

Sur le roman, la guerre avait produit de profonds et surprenants effets. Quand le cours des événements est normal, un livre se détache du créateur au moment où il est publié ; le cordon ombilical est coupé ; les nouvelles nourritures vont à de nouveaux ouvrages. Mais, parce que la *Recherche du temps perdu* ne pouvait paraître, elle continua de se développer de manière pathologique. Toutes les cellules de ce corps superbe et monstrueux proliférèrent à l'envi. Comme dans une gravure de Piranesi, de puissantes croissances végétales firent éclater les murs de la construction primitive.

Le Professeur Feuillerat a étudié l'étendue et la nature de ces changements, en comparant les épreuves du second volume, telles qu'elles avaient été composées chez Grasset en 1914, avec la version définitive de la N. R. F. Voici ses conclusions : contrairement à ce que disent la plupart des critiques, Proust, esprit clair et logique, nourri des classiques français, avait construit son roman suivant un plan très simple : le *Côté de chez Swann* (ou la bourgeoisie) ; le *Côté de Guermantes* (ou l'aristocratie) ; le *Temps retrouvé* (ou la réconciliation des deux « côtés » par l'*Adoration perpétuelle,* c'est-à-dire par la contemplation esthétique).

Mais il avait commencé son livre à trente-quatre ans, et, tant à cause de la longueur du travail que de la guerre, il n'en publia le second volume qu'à quarante-huit ans. Pendant ce long espace de temps, il avait lui-même beaucoup changé. La guerre (et la vie) lui avaient révélé un monde insoupçonné d'instincts mauvais. « C'est un homme riche d'une expérience accélérée, infiniment plus vieux que son âge, qui relit les pages écrites dans la fraîcheur d'une âme presque enfantine [1]. » Tous les personnages, et en particulier

---

1. ALBERT FEUILLERAT : *Comment Marcel Proust a composé son roman* (Yale University Press, New Haven, U. S. A., 1934), *passim.*

ceux du côté de Guermantes, deviennent plus noirs. La Duchesse de Guermantes se gâte entièrement ; Madame de Marsantes révèle, sous la douceur hypocrite des manières, l'incurable orgueil de l'aristocrate ; Robert de Saint-Loup lui-même, si charmant au début, devient l'un des clients de Jupien. A un roman d'adolescence féerique succède un roman de maturité misanthropique.

Beaucoup des additions sont des dissertations psychologiques, philosophiques, où l'intelligence commente les actions des personnages. On en pourrait tirer une série d'essais à la Montaigne : du rôle de la musique, de la nouveauté dans les arts, de la beauté du style, du petit nombre des types humains, du flair en médecine, etc. Or le premier Proust avait (dit Feuillerat) pour dessein essentiel de se passer de l'intelligence dans la construction de l'œuvre d'art, et de recourir seulement à l'intuition, à l'instinct, à la mémoire involontaire. Le second Proust articule ses pensées avec des *donc,* des *par conséquent.* Il emploie des formules balzaciennes comme : *Disons pour finir..., Or cette réponse de mon père demande quelques mots d'explication...,* et même le fameux : *Voici pourquoi...* de Balzac, dont Pierre Abraham a étudié la réapparition dans Proust. En somme Proust, dit Monsieur Feuillerat, ne procède plus autrement que ces romanciers ordinaires, dont il blâmait la trop humble soumission aux lois de la pensée logique.

En même temps que la pensée, le style se transforme. Il a perdu « tout velouté, tout mystère, tout caractère musical. Le vocabulaire est devenu abstrait ». Proust lui-même a écrit : « Souvent des écrivains, au fond de qui n'apparaissent plus ces vérités mystérieuses, n'écrivent plus, à partir d'un certain âge, qu'avec leur intelligence, qui a pris de plus en plus de force ; les livres de leur âge mûr ont à cause de cela plus de force que ceux de leur jeunesse, mais ils n'ont plus le même velours... »

Comme un géologue mis en présence d'un terrain bouleversé s'efforce de déterminer, par l'étude des fossiles, par la nature des roches, quelles sont les couches primaires, secondaires, tertiaires, le Professeur Feuillerat, fort de ses observations et lois générales, tente de retrouver, sous l'immense masse de dix volumes qui a recouvert l'œuvre primitive, ce qu'aurait été le Tome III, tel que Proust l'avait conçu au moment où il avait fait imprimer, dans l'édition Grasset, la table des trois tomes primitifs :

Pour paraître en 1914 :

A LA RECHERCHE DU TEMPS PERDU :

LE CÔTÉ DE GUERMANTES

(Chez Mme Swann. — Noms de pays : le pays. — Premiers crayons du Baron de Charlus et de Robert de Saint-Loup. — Noms de personnes : la Duchesse de Guermantes. — Le salon de Mme de Villeparisis.)

Un vol. in-18 jésus .... 3 fr. 50

A LA RECHERCHE DU TEMPS PERDU :

LE TEMPS RETROUVÉ

(A l'ombre des jeunes filles en fleurs.— La Princesse de Guermantes. — Monsieur de Charlus et les Verdurin. — Mort de ma grand'mère. — Les intermittences du cœur. — Les « Vices et les Vertus » de Padoue et de Combray. — Madame de Cambremer. — Mariage de Robert de Saint-Loup. — L'Adoration perpétuelle.)

Un vol. in-18 jésus... 3 fr. 50

L'étude d'Albert Feuillerat est très ingénieuse. Il opère un peu comme un Sherlock Holmes de la critique littéraire. Ses moyens d'investigation sont : *a*) L'âge du Narrateur (quand celui-ci se montre homme d'expérience, laissant paraître une connaissance étendue des choses de l'amour, c'est un passage de la deuxième version) ; — *b*) l'état de santé du Narrateur qui, dans la première version, ne prenait pas de narcotiques, ne perdait pas la mémoire et ne pensait pas à la mort ; — *c*) le ton désenchanté, l'attitude hostile à l'égard des personnages ; — *d*) naturellement toute allusion à des événements postérieurs à 1912 ; — *e*) l'intérêt plus grand porté par l'auteur aux différences de classe et aux évolutions sociales ; — *f*) enfin le style et la *Table des Matières* elle-même. Grâce à tous ces indices, Monsieur Feuillerat tire, de deux mille cinq cents pages qu'il examine, les cinq cents pages qu'il dit être celles de la version primitive. C'est un immense travail, bien fait, mais, par définition, conjectural.

Il est certain que la *Somme* de Marcel Proust a vécu et vieilli avec l'auteur, comme fait toute œuvre de longue haleine. Cela enlève un peu de netteté aux lignes générales, mais donne au roman la particulière beauté des édifices qui ont été longs à construire et dans lesquels se sont mêlés plusieurs styles. Ainsi, dans tel château, les tours moyenâgeuses rehaussent la beauté originale du corps de logis Louis XIII. Il est certain que l'intelligence a fini par jouer, dans son livre, un rôle plus grand que ne l'avait d'abord voulu Proust. Cela, il le savait : « Je sentais pourtant que ces vérités que l'intelligence dégage directement de la réalité ne sont pas à dédaigner entièrement, car elles pourraient enchâsser d'une manière moins pure, mais encore pénétrer d'esprit, ces impressions que nous apportent, hors du temps, l'essence commune aux sensations du passé et du présent, mais qui, plus précieuses, sont aussi trop rares pour que l'œuvre d'art puisse être composée seulement avec elles. Capables d'être utilisées pour cela, je sentais se presser en moi une foule de vérités relatives aux passions, aux caractères, aux mœurs... »

Mais trois objections, lorsqu'on lit Feuillerat, s'imposent à l'esprit. La première, c'est que l'évolution des caractères et la misanthropie croissante du Narrateur faisaient partie du plan primitif, et que le temps ne pouvait être rendu perceptible, pensait Proust, que par de tels changements. « Je souffre comme vous », écrivait Proust à un ami, « de voir Swann devenu moins sympathique et même ridicule... mais l'art est un perpétuel sacrifice du sentiment à la vérité... »

La seconde, c'est que les *Cahiers* nous montrent un premier style de Proust, tout aussi sec et intelligent que certaines pages des derniers jours. L'esquisse, chez Proust, était souvent plate. C'est en récrivant plusieurs fois les mêmes passages qu'il ajoutait, par couches successives, la transparence et le velours.

La troisième, c'est que, toutes les fois que Proust a eu le loisir de reviser ses textes, la phrase a le même fini que dans le premier *Swann* ; le *Côté de Guermantes,* entièrement revu par lui, est d'aussi belle qualité que *Swann.* Mais dans les derniers volumes, que la Mort ne lui a pas permis de relire et de retoucher, seuls ont le caractère « des phrases au long col, sinueux et démesuré, de Chopin », les passages qui appartiennent à la première version, et par exemple toute la fin du *Temps retrouvé.* Ainsi, au-dessus de l'océan qui recouvre un continent englouti, brillent mollement au clair de lune les îles coiffées de palmiers qui sont les sommets de montagnes submergées.

Nous savons que Barrès dictait des versions de premier jet, qui contenaient les faits, mais manquaient de style. « Et maintenant », disait-il aux Tharaud, « faisons notre musique... » Alors, autour d'un thème assez banal, il enroulait de belles et graves harmonies qui en faisaient du Barrès. Tel fut aussi le cas de

Proust. Rien ne permet de penser qu'il ait, vers la fin de sa vie, oublié ses sortilèges, mais la Mort est venue trop tôt pour lui permettre de « faire de la musique » autour de ses dernières esquisses. Sans la guerre, son livre, publié tel qu'il était de premier jet, eût été plus court et plus proche de l'idéal classique, mais lui eussent alors manqué ce caractère monstrueux et cette surabondance qui font son unicité.

III

LA PAIX ET LE PRIX

Le 11 Novembre 1918, Marcel écrivit à Madame Straus : « Nous avons trop pensé ensemble à la guerre pour que nous ne disions pas, au soir de la Victoire, un tendre mot, joyeux à cause d'elle, mélancolique à cause de ceux que nous aimions et qui ne la verront pas. Quel merveilleux *allegro presto* dans ce finale, après les lenteurs infinies du début et de toute la suite. Quel dramaturge que le Destin, ou que l'homme qui a été son instrument !... » Les foules de ce jour l'avaient intéressé, en lui permettant d'imaginer mieux celles de la Révolution : « Mais, si grand que soit le bonheur de cette immense victoire inespérée, on pleure tant de morts qu'une certaine forme de gaieté n'est pas la forme de célébration qu'on préférerait. On pense malgré soi aux vers d'Hugo :

> *Le bonheur, douce amie, est une chose grave,*
> *Et la joie est moins près du rire que des pleurs...*

(Je ne suis pas certain que ce soit « douce amie », c'est dans la dernière scène d'*Hernani*... [1]) ».

---

1. La citation d'*Hernani* (Acte V, Scène III) devrait être :
    Tu dis vrai. Le bonheur, amie, est chose grave.
    Il veut des cœurs de bronze et lentement s'y grave.
    Le plaisir l'effarouche en lui jetant des fleurs.
    Son sourire est moins près du rire que des pleurs.

Il était beaucoup trop intelligent pour ne pas pressentir l'imprudence de cette joie : « Je préfère à toutes les paix celles qui ne laissent de rancune au cœur de personne. Mais, puisqu'il ne s'agit pas d'une de ces paix-là, du moment qu'elle lègue le désir de vengeance, il eût peut-être été bon de la rendre impossible à exercer. Peut-être est-ce le cas. Pourtant je trouve le Président Wilson bien doux et, puisqu'il ne s'agit pas, puisque par la faute de l'Allemagne même, il n'a pu s'agir d'une paix de conciliation, j'aurais aimé des conditions plus rigoureuses ; je suis un peu effrayé de l'Autriche allemande venant grossir l'Allemagne, comme une compensation possible de la perte de l'Alsace-Lorraine. Mais ce ne sont que des suppositions et peut-être je me rends mal compte, et c'est déjà bien beau ainsi. Le Général de Gallifet disait du Général Roget : « Il parle bien, mais il parle trop. » Le Président Wilson ne parle pas très bien, mais il parle beaucoup trop... »

Sa vie personnelle était alors, comme toujours, bouleversée : « Je suis embarqué dans des choses sentimentales sans issue, sans joie, et créatrices perpétuellement de fatigue, de souffrance, de dépenses absurdes... » Pour couvrir ces dépenses, il aurait voulu vendre le fouillis poudreux de tapis, de buffets, de sièges et de lustres entassés dans sa salle à manger : « La quantité, j'espère, compensera la qualité, qui est médiocre, et le renchérissement de certaines matières, comme le cuir et le cristal, permettrait peut-être d'atteindre à de bons prix. J'ignore absolument si les bronzes ont une valeur quelconque dans les ventes. Dans ce cas, je débarrasserais mon salon de ceux qui ne m'y plaisent pas. J'ai enfin une quantité énorme d'argenterie dont je ne fais rien, puisque, ou bien je prends mes repas au Ritz, ou bien je bois seulement du café au lait dans mon lit... » Puis (car, au masochiste, les malheurs ne manquent jamais, puisqu'il les fait) il reçut une fatale nouvelle : sa tante avait vendu la maison du Boulevard Haussmann, en Novembre 1918. Où irait-il, dans un Paris d'après guerre où les logis manquaient ? Sa santé était mauvaise. Il prenait, pour dormir, jusqu'à un gramme cinquante de véronal par jour, ce qui le laissait, au réveil, assommé, presque aphasique, de quoi la caféine le réveillait, mais en le rapprochant de la mort. Lui faudrait-il, dans cet état, affronter à nouveau les marteaux des tapissiers ?

Cependant il avait remis le second volume de son livre, *A l'ombre des jeunes filles en fleurs,* à Gaston Gallimard, et celui-ci s'apprêtait à le faire paraître en même temps que des *Pastiches et Mélanges,* textes déjà publiés dans des revues ou journaux. Le second tome (plus tard scindé en trois) était si long qu'il formait une masse serrée, inaccoutumée, à la fois attirante par son étrangeté et terrifiante par sa densité.

Marcel Proust à une dactylographe non identifiée : « J'ai demandé, il y a à peu près un mois, à Gaston Gallimard, s'il approuvait que j'introduisisse dans le cours du livre les têtes de chapitre, avec les indications de parties, qui figurent à la table. Il m'a dit que ce n'était pas son avis, et, toute réflexion faite, j'en jugeai de la même manière que lui. Nous pensâmes que les *** que j'ai placés à diverses reprises, quand un nouveau récit commence, seraient suffisants et que le lecteur, grâce à la Table des Matières et aux numéros de pages qui seront placés dans cette Table (et que nous n'avons pu mettre avant que la pagination soit définitive), donnerait à chaque fragment de l'ensemble le titre par moi choisi...

« *P.-S.* — Je m'aperçois que les *** n'ont en effet pas été conservés dans les dernières épreuves. Il est nécessaire d'en rétablir au moins deux : après la troisième ligne de la page 177 (c'est-à-dire après « un berceau de glycines »), il faudrait au-dessous : *** — et page 298, après la vingt-

neuvième ligne, c'est-à-dire après les mots : « je m'endor-
mais dans les larmes », il faudrait au-dessous : *** [1]. »

Sur la venue au monde de ce volume, Proust veilla
plus tendrement encore que sur celle du premier. Calmette était mort assassiné, mais Robert de Flers, ami
de toujours, maintenant directeur du *Figaro,* fut alerté.
Marcel obtiendrait-il un article de tête ? Robert de
Flers répondit qu'en un temps si chargé d'histoire il
était difficile de consacrer l'article de fond à un roman.
Proust dit amèrement qu' « il comprenait... que les
hommes de lettres, même ceux dont les livres, comme
les miens, sont soudés si étroitement à la guerre et à la
paix, doivent garder effacement et réserve. *Cedant
armis libelli !* » Lui accorderait-on au moins un « ins-
tantané » ? Robert Dreyfus en fut chargé, l'intitula :
Une rentrée littéraire, et le signa : *Bartholo.* Marcel
remercia, mais, comme le dit alors Robert de Flers :
« Lorsque le pauvre Marcel m'écrit par hasard une
lettre sans m'appeler son cher petit Robert et parler de
sa tendresse, je le sais fâché !... » Il *était* fâché.
Pourquoi Robert Dreyfus avait-il parlé de sa mauvaise
santé ? Pourquoi l'article avait-il été imprimé en
« caractères trop petits... plus fins que la journée polo-
naise à l'hôtel Doudeauville » ? Et pourquoi signer
Bartholo, ce qui fait « de ce magnifique compliment
un compliment de comédie » ? Tout cela au moment
où « le bruit de mes râles couvre celui de ma plume,
et d'un bain que l'on prend à l'étage au-dessous » !

Heureusement les articles chaleureux ne manquèrent
pas. Léon Daudet entra en campagne pour faire donner
à Proust le Prix Goncourt. Proust, tout en affectant un
certain détachement, s'en occupa lui-même, non sans
adresse. Il entreprit de mettre en mouvement Louis de

1. Lettre inédite. Collection Alfred Dupont.

Robert, Reynaldo Hahn, Robert de Flers et y réussit. Enfin, le 10 Novembre 1919, il obtint le prix par six voix contre quatre aux *Croix de bois* de Roland Dorgelès. Gallimard, Tronche et Rivière vinrent aussitôt lui annoncer cette victoire et le trouvèrent couché. Les académiciens Goncourt avaient longtemps hésité. Dorgelès était un combattant, justement aimé dans le monde des lettres. N'était-il pas imprudent de couronner, contre lui, le livre difficile de ce riche amateur ? Beaucoup de journalistes le pensèrent, et le choix fut mal accueilli.

Proust écrivit, de sa main, pour le justifier, un article qu'il fit envoyer par Léon Daudet à Georges Bonnamour, rédacteur en chef de l'*Eclair* :

« C'est, comme nous le laissions prévoir dès hier, à Monsieur Marcel Proust que l'Académie Goncourt a décerné son Prix, qui excitait à l'avance tant de curiosités et de convoitises, et pour lequel il n'y avait pas moins de trente candidats, tous écrivains de mérite. En leur préférant Monsieur Marcel Proust, l'Académie violait sciemment en quelque mesure le texte même du testament de Goncourt, qui demande qu'on encourage un jeune écrivain. Monsieur Marcel Proust a quarante-sept ans. Mais la supériorité du talent a paru assez éclatante à l'Académie pour qu'elle pût laisser de côté la question d'âge...

« ... Ajoutons que le puissant romancier de la *Recherche du Temps perdu* (œuvre qui n'est nullement une autobiographie, comme on l'a dit quelquefois par erreur, et que des écrivains tels que Henry James et Francis Jammes ont égalé à Balzac et à Cervantès) n'est pas un débutant. Il a publié, au sortir même du collège, un ouvrage, *Les Plaisirs et les Jours,* où Anatole France voyait, a-t-il écrit, l'œuvre d'un Bernardin de Saint-Pierre dépravé et d'un Pétrone ingénu. Mais c'est à une toute autre veine, autrement vigoureuse, qu'appartient la *Recherche du Temps perdu,* ainsi qu'un volume de *Pastiches,* récemment paru, et dans lequel figure, coïncidence amusante, un pastiche assez irrévérencieux des Goncourt... [1] »

Le critique le plus hostile (mais de manière toute privée) fut Montesquiou. Il n'avait pas vu sans inquiétude arriver, sur la plage de Balbec, Charlus. Dans le secret de ses *Mémoires,* destinés à paraître seulement après sa mort, il railla ce « coup de théâtre du Prix Goncourt » qui, disait-il, était « un coup monté ». Non qu'il niât tout mérite à l'auteur ; il avait pour cela trop de goût. Mais il se plaisait à dénoncer, sous l'apparente humilité de Marcel, un arrivisme appuyé sur l'amicale complaisance de Reynaldo, de Robert de Flers, « qui tenait le *Figaro,* lac d'eau bénite dont il était le nautonier », et de Léon Daudet, enlevant le vote par un article-matraque. Montesquiou s'indignait de voir porté aux nues un roman qu'il croyait frivole et constatait que, dans la lutte Proust-Dorgelès, « l'ombre des jeunes filles en fleurs l'emportait sur l'ombre des héros en sang ». Le « petit Marcel » allait-il, avant son maître, forcer les portes du temple ?

Bourget, qui avait encouragé l'adolescent ami de Laure Hayman, feignit de rire, en parlant de Proust avec Mauriac, « de ce maniaque acharné à disséquer les pattes de mouche », mais « il était trop fin pour ne pas entrevoir qu'*A la recherche du temps perdu* étendait, sur ses propres romans, une redoutable ténèbre ». Bernard Grasset, bien que navré d'avoir, de si peu, manqué le Prix Goncourt pour sa maison, félicita cordialement son ex-auteur. « La mélancolie dont vous me parlez gentiment », répondit Proust, « m'a touché d'autant plus qu'elle m'a envahi moi-même aussitôt que j'ai appris que j'avais le Prix Goncourt (j'ignorais même quand on le donnait, Léon Daudet est venu

---

1. Le manuscrit original de ce texte inédit appartient à Monsieur Théodore Tausky.

m'annoncer que je l'avais) ; nos pensées ont été les mêmes, encore plus que vous ne croyez... »

Ressuscité par la joie, Proust eut alors une légère poussée de mondanité et donna quelques dîners au Ritz, pour ses nouveaux amis et pour les critiques. Jacques Boulenger, Paul Souday furent même conviés à dîner près de son lit. *Marcel Proust à Paul Souday :* « Qu'un prix me rabaisse un peu, s'il me fait lire, et je le préfère aussitôt à tous les honneurs. La vérité est que, comme le devine P. S., je n'avais pas songé à ce prix. Mais, quand j'ai su que Léon Daudet, Monsieur Rosny aîné, etc., voteraient de toute façon pour moi, je me suis empressé d'envoyer mon livre aux autres académiciens. C'était, comme disait Monsieur de Goncourt, « au petit bonheur ». Je ne savais pas quand le prix devait être décerné. Et j'ai été bien étonné quand on est venu me réveiller pour me dire que j'en étais le titulaire. Comme l'état de ma santé ne m'a pas permis de recevoir les journalistes, ceux qui étaient venus « m'offrir la première page de leur journal » l'ont remplie, par un subit renversement, d'articles désagréables... »

Mais qu'importaient quelques détracteurs ? Proust avait voulu des lecteurs ; enfin il les avait, et dans le monde entier. Huit cents lettres de félicitations lui arrivaient. Il l'écrivait naïvement à son ancien concierge du Boulevard Haussmann : « Je n'ai répondu encore qu'à Madame Paul Deschanel et à Madame Lucie Félix-Faure... » En Angleterre, Arnold Bennett et John Galsworthy reconnaissaient en lui la lignée de Dickens et de George Eliot ; aucun éloge ne pouvait le toucher davantage. Middleton Murry, dans un article enthousiaste, montrait que la création artistique, était pour Proust, le seul moyen qui permît l'épanouissement complet d'une personnalité ; il parlait de la valeur *ascétique* et éducative du livre. En Allemagne, Curtius écrivait : « C'est une ère nouvelle dans l'histoire du grand roman français qui s'ouvre avec Proust... A notre intelligence comme à notre admiration, il s'impose comme un maître parmi les plus grands... » Les Américains goûtaient cet humour poétique et profond ; bientôt ils allaient faire de Proust un classique.

Qu'était-ce qui expliquait cette réussite universelle d'une œuvre difficile ? Etait-il possible qu'un public immense et divers s'intéressât aux gens de Combray, au salon de Madame Verdurin, à la plage de Balbec ? Des critiques français, malgré l'évidence, continuèrent longtemps d'en douter. « Comment, disaient-ils, tiendrions-nous pour représentatif de notre temps un auteur qui a tout ignoré de nos luttes sociales, qui peint un monde aboli et qui, entre le mondain et l'humain, a choisi le mondain ?... » Pourtant, plus le temps passait, plus aux yeux du lecteur étranger « le massif Proust dominait, en France, la première moitié du vingtième siècle, comme le massif Balzac avait dominé le dixneuxième ». Quelle était donc la portée du roman de Proust ?

IV

PROUST ROMANCIER SOCIAL

« Balzac peint un monde, Proust a peint le monde. » Voilà, en une phrase, l'accusation. « On trouve dans cette œuvre », disait l'Antiproustien, « la peinture de quelques salons aristocratiques ou de grande bourgeoisie, observés en des jours, très rares, de réunions mondaines, et une étude des passions qui se développent dans ce climat de loisirs trop bien nourris : l'amour-maladie, la jalousie, le snobisme. Ce n'est pas là, et ce sera de moins en moins, l'image d'une société. Les oisifs appartiennent à une espèce qui va disparaître ; avec eux s'évanouiront leurs artificielles passions et leurs maigres soucis. Des hommes d'affaires, des ouvriers, des paysans, des soldats, des savants, des conservateurs, des révolutionnaires : voilà de quoi est faite notre société. Balzac l'avait pressenti ; Proust l'a ignoré. »

Pierre Abraham fait observer que Saint-Simon, s'il a, comme Proust, peint un monde étroit, celui de la Cour, l'a au moins décrit en action, et en un temps où ce monde était celui des grandes affaires. Les courtisans de Saint-Simon sont des hommes de métier, lancés à la conquête du pouvoir, parmi lesquels se recrutent ministres et chefs militaires. Mais les héros de Proust gaspillent leurs jours à mener une vie mondaine « dont le dénuement égale la stérilité ». Il y a bien, çà et là, un médecin, un avocat, un diplomate, mais nous ne les voyons jamais dans l'exercice de leur métier. Point d'étude d'avoué ; point de bureau de ministre. C'est là une société vue d'une chambre de malade, dont les murs de liège filtrent les bruits de la vie ; c'est « la Foire sur la place, observée par les yeux de Lucien Lévy-Cœur [1] ». Et il est vrai que les travaux, hors ceux de l'artiste, manquent au monde proustien. Pourtant nous savons, par notre tenace attachement au livre et par l'emprise universelle de celui-ci, que ces brillants réquisitoires doivent être réfutables.

Et d'abord un romancier, si vaste que soit sa tâche, ne peut tout peindre. Un homme n'est qu'un homme ; une vie est brève ; un roman ne peut avoir qu'un nombre de personnages limité. Balzac lui-même est loin d'avoir décrit toute la société de son temps. Quelques rares ouvriers passent dans son œuvre, quelques paysans aussi, mais ils n'y jouent que des rôles

---

1. PIERRE ABRAHAM : *Proust. Recherches sur la création intellectuelle* (Rieder, Paris, 1930).

de troisième plan. Les ressorts de la vie politique ?
Balzac les a peut-être connus, non dévoilés. Son seul
ministre est plus dandy qu'homme d'Etat. Sur la vie
militaire, Jules Romains, dans *Verdun,* en a dit cent
fois plus. On ne signale pas ces carences pour diminuer
Balzac, mais pour montrer l'impossibilité, fût-ce pour
le génie, de faire entrer dans un livre une société tout
entière.

Il est d'ailleurs inexact de dire qu'on ne trouve, dans
Proust, que des mondains et leurs domestiques. Faisons
le recensement de son univers. La noblesse y joue un
rôle, et ce serait une erreur que de le reprocher à Proust.
Les vieilles familles continuent de participer à la vie
française. La République des Ducs n'a été triomphante
que jusqu'au Seize Mai, mais elle a continué d'être
militante. Elle a joué un rôle dans le Boulangisme et
dans l'Affaire. Aujourd'hui encore, elle a sa place dans
les services de l'Etat ; elle pousse des pointes d'avant-
garde jusque dans le parti communiste. Proust comprenait l'importance historique de cette classe. Il n'est pas
exact que son livre décrive la décadence de l'aristocratie
et le triomphe de la bourgeoisie. Quand Madame Verdurin ou Gilberte Swann s'allient aux Guermantes, ce
sont les Guermantes qui assimilent ces éléments étrangers.

Proust n'est nullement aveugle aux déficiences des
Guermantes. S'il goûte la politesse et l'amabilité de
surface du monde-monde, attributs qu'il possède lui-
même et dont sa sensibilité douloureuse a besoin, il voit
clairement les ressorts de cette exquise courtoisie des
gens du monde : l'orgueil, l'indifférence et la certitude
qu'ils ont de leur supériorité. Il comprend aussi
pourquoi la noblesse continue d'attacher une importance incroyable aux questions de préséance. Soutenue
par le seul cérémonial, elle se doit de le respecter. Les
Guermantes considèrent comme un devoir « plus impor-

tant que la chasteté, que la pitié, de parler à la Princesse de Parme à la troisième personne ». A l'intérieur de l'aristocratie, Proust a bien défini les couches de mépris superposées : Altesses Royales, grandes familles (Guermantes), branches mortes du même tronc (Gallardon), noblesse de province (Cambremer) et frange mobile de titres incertains (Forcheville) [1].

La grande bourgeoisie parisienne vit sur cette frange et subit l'attraction de la noblesse. D'où les blasons redorés par des alliances et la transformation de Madame Verdurin en Duchesse de Duras, puis en Princesse de Guermantes. Mais la « bonne bourgeoisie » et en particulier celle de province, n'a aucun désir de transfert de classe. Elle est choquée de voir un Swann, fils d'agent de change, faire « la pluie et le beau temps » dans le Faubourg Saint-Germain ou dîner à l'Elysée. Elle pense qu'un fils d'agent de change devrait voir des agents de change. « Se déclasser, c'est non seulement fréquenter une caste inférieure, mais aussi s'aventurer dans une caste supérieure : la règle est absolue [1]. » Cette bourgeoisie ne pense pas qu'elle puisse s'élever, parce qu'elle ignore qu'il y a au-dessus d'elle quelque chose. Les bourgeois de Combray professent, même s'ils ne la pratiquent pas, une morale sévère. Il y a un code de Combray qu'observent à la fois Françoise, la famille du Narrateur et le Docteur Percepied.

Le peuple est insuffisamment représenté. Le seul portrait en pied est celui de Françoise, paysanne qui transplante à Paris le langage de sa province et, en notre temps, les traditions « des Français de Saint-André des Champs ». Mais ces Français, sculptés au porche d'une église voisine de Combray, sont ceux de toujours : « Que cette église était française ! Au-dessus

1. Henri Bonnet : *Le progrès spirituel dans l'œuvre de Marcel Proust : Le monde, l'amour et l'amitié* (Librairie philosophique J. Vrin, Paris, 1946).

de la porte les saints, les roi-chevaliers, une fleur de lys à la main, des scènes de noces et de funérailles étaient représentés comme ils pouvaient l'être dans l'âme de Françoise. Le sculpteur avait aussi narré certaines anecdotes relatives à Aristote et à Virgile, de la même façon que Françoise, à la cuisine, parlait volontiers de Saint Louis comme si elle l'avait personnellement connu et généralement pour faire honte, par la comparaison, à mes grands-parents moins *justes*... » Dans le portail de Saint-André des Champs, Marcel retrouve Théodore, le garçon de chez Camus. Le caractère historique du peuple intéresse Proust autant que celui de la noblesse. La conception du deuil, chez Françoise, est celle de la *Chanson de Roland*. Albertine Simonet est une incarnation de la petite paysanne française, dont le modèle est en pierre à Saint-André des Champs. Saint-Loup, pendant la guerre, se révèle Français de Saint-André des Champs. Et Marcel lui-même...

Car il est faux que Proust ait été indifférent à la vie publique et nationale de son temps. Il s'est attaché à montrer les effets, sur la société française, de bouleversements comme l'Affaire Dreyfus et la guerre. Bien loin de n'avoir aucune idée sur la société politique, il développe sans fin ce thème, important, et générateur de paix civile, que cette société est essentiellement mobile, que les valeurs y sont relatives, changeantes, et que la vie sentimentale des peuples est aussi folle que celle des individus. Mais les hommes, aveuglés par leurs passions, se refusent à voir ce que celles-ci ont de transitoire et de vain. « Nous avons beau savoir que les révolutions finissent toujours en tyrannies, que les partis se dissolvent, que les querelles vieillissent et que les adversaires d'aujourd'hui seront, par l'effet de nécessités supérieures, les alliés de demain, nous n'en jouons pas moins avec fureur, ou avec enthousiasme, le rôle que les hasards de la naissance ou des amitiés nous ont distribué. » Proust, parce qu'il est homme, participe au passé collectif. Il vit la guerre en Français et l'Affaire Dreyfus en partisan, mais son intelligence garde le contrôle de sa sensibilité, assez du moins pour la préserver des folies de la haine. C'est là une attitude politique, et fort définie.

Que si l'Antiproustien objecte : « Mais, encore une fois, ces transformations politiques ne sont observées par lui que dans un monde limité », la réponse est facile. Proust s'intéresse moins à tel milieu donné qu'à découvrir et à formuler des lois générales de la nature humaine. La fondamentale identité des êtres humains fait qu'une analyse rigoureuse de l'un d'entre eux se trouve être, sur tous, le plus précieux document. *Un* squelette, *un* écorché permettent d'enseigner l'anatomie; *une* âme, *un* cœur suffisent pour connaître l'amour et la vanité, la grandeur et les misères de l'homme. L'expérience a prouvé que la jalousie telle que l'éprouve Swann, le snobisme des Verdurin ou de Legrandin, l'attachement douloureux du Narrateur à sa mère, se retrouvent, sous des formes non pas identiques, mais analogues, sous tous les cieux.

Proust a observé le snobisme dans le monde où il se trouvait vivre, et qui était celui des Guermantes et des Verdurin, mais les lois du snobisme sont à peu près les mêmes dans toutes les classes et dans tous les pays. Dès qu'un groupe humain est constitué, il y a ceux qui en font partie et ceux qui en sont exclus.

Les exclus souhaitent devenir des élus ; les élus défendent leurs privilèges et méprisent les exclus. Vraies dans le monde-monde, où le *Sésame* serait la naissance ou la gloire, ces règles jouent de la même manière dans un collège américain, où faire partie d'une certaine Fraternité sera l'ambition du snob, ou dans un syndicat ouvrier, dont les décisions sont prises par un cercle étroit d'initiés auquel les autres membres voudraient appartenir. Dès lors, peu importe le groupe social sur lequel Proust a fait ses recherches ; ses conclusions, en leur appliquant les cœfficients et indices convenables, prennent une valeur universelle. Fernandez a montré que, chez Proust, les rapports d'un individu supérieur avec un groupe obéissent aux mêmes lois, quel que soit le groupe. La petite « bande » déprécie le Narrateur, comme le monde se « désengoue » de Monsieur de Charlus parce que *tous* les groupes ont horreur de la supériorité.

L'erreur est de croire que, seule, l'importance des événements décrits peut faire la grandeur d'une œuvre. « Un écrivain médiocre, vivant à une époque épique, restera un médiocre écrivain. » Il y a, pour l'observateur scientifique, des différences d'échelle mais non d'importance. L'étude d'un ordre de phénomènes éclaire celle d'un autre. « Toute condition sociale a son intérêt, et il peut être aussi curieux pour l'artiste de montrer les façons d'une reine que les habitudes d'une couturière. » Pendant la guerre, Marcel découvre que ses querelles avec Françoise, avec Albertine, en l'habituant à soupçonner chez elles des pensées non exprimées, l'ont rendu habile à prévoir les machinations de Guillaume II ou de Ferdinand de Bulgarie. La vie des nations « ne fait que répéter, en les amplifiant, la vie des cellules composantes ; et qui n'est pas capable de comprendre le mystère, les réactions, les lois de celle-ci, ne prononcera que des mots vides quand il parlera des luttes entre nations... »

Tout cela fait que Proust, qui ne se pique pas d'être un écrivain social, l'est infiniment plus, et mieux, que tant de penseurs abstraits, solennels et futiles. « Je sentais que je n'aurais pas à m'embarrasser des diverses théories littéraires qui m'avaient un moment troublé — notamment celles que la critique avait développées au moment de l'Affaire Dreyfus et avait reprises pendant la guerre, et qui tendaient à « faire sortir l'artiste de sa tour d'ivoire », à traiter des sujets non frivoles ni sentimentaux, à peindre de grands mouvements ouvriers et, à défaut de foules, à tout le moins non plus d'insignifiants oisifs (« J'avoue que la peinture de ces inutiles m'indiffère assez », disait Bloch), mais de nobles intellectuels ou des héros. L'art véritable n'a que faire de tant de proclamations et s'accomplit dans le silence... »

Le lecteur curieux de la société française la trouvait, dans cette grande œuvre, telle qu'elle avait été de 1880 à 1919, mais toute chargée d'un passé qui lui donnait sa signification et sa beauté. Celui qui cherchait des vérités générales sur les mœurs ne pouvait manquer de les trouver chez le moraliste le plus profond qui eût paru en France depuis le dix-septième siècle. Ceux qui souhaitaient, comme la plupart des lecteurs de romans, rencontrer une âme fraternelle qui eût partagé leurs angoisses la reconnaissaient en Proust et lui étaient reconnaissants de les aider à entrer en contact avec ces pieux intercesseurs que sont les grands artistes. Sans doute la réalité qu'il peignait, et qui avait été la sienne, était bien spéciale, mais, si tous les hommes ne luttent pas contre les mêmes maux, et si les remèdes qui leur conviennent ne sont pas toujours les mêmes, pourtant ils sont hommes, et aucun d'entre eux ne peut être indifférent au témoignage d'un homme de bonne foi « qui poursuit anxieusement la route de sa propre découverte et qui, sur cette route, se heurte à toutes les bornes, glisse dans toutes les ornières, se perd à tous les carrefours [1] ». Autant que *Wilhelm Meister* et plus complètement que les romans de Stendhal, la *Recherche du temps perdu* apparaissait comme un roman d'apprentissage, en même temps qu'elle était, comme les *Essais* de Montaigne ou les *Confessions* de Rousseau,

---

1. Pierre Abraham : *opus cit.*

une somme de la condition humaine, une métaphysique et une esthétique, de sorte que ces Anglais, ces Américains, ces Allemands qui plaçaient cette immense auto-biographie romanesque au-dessus d'Anatole France, de Paul Bourget, de Maurice Barrès et de tous les écrivains français de leur temps, ne se trompaient pas.

CHAPITRE X

LE TEMPS RETROUVÉ

Et de nos noces avec la Mort, qui sait si
pourra naître notre consciente immortalité ?
MARCEL PROUST.

I

LES DERNIÈRES AMARRES

PROUST avait, pour Madame Catusse, un attachement « filial », mais intermittent. Il restait parfois
une année entière sans lui écrire, mais toute
difficulté mobilière ranimait cette affection dormante. Il
suffisait qu'un tel problème se posât pour que Madame
Catusse vît s'abattre sur elle un déluge de lettres.
Chaque fois que Proust souhaitait vendre des sièges
d'époque Malesherbes-Courcelles, ou quelque tapis de
famille, il mettait « en concurrence » Madame Straus
et Madame Catusse, qui rivalisaient alors d'empressement.

Proust à Madame Catusse : « Je reçois une lettre de
Madame Straus me disant que le frère du marchand
anglais offre dix mille francs du canapé et des fauteuils...
qu'il n'a pas l'air de vouloir des tapisseries et qu'il ne veut
pas du canapé vert. Elle va faire mettre les tapisseries à
l'Hôtel des Ventes, par quelqu'un de compétent, qui con-
seille de ne pas soutenir les enchères au delà de quatre à

cinq mille francs... car la plus belle est faite de deux
morceaux différents, qui lui enlèvent de sa valeur. Je vais
lui dire d'y joindre le canapé vert... »

Proust à Madame Catusse : (22 décembre 1917)... Les
résultats actuels sont, à mon avis, détestables au point de
vue des tapisseries... et très brillants au point de vue des
meubles, de *vos* meubles (car, au fond, la plus-value devrait vous revenir). Ils (les Straus) ont vendu à un même
acquéreur deux tapisseries quatre mille francs en tout ! Or
les dames antiquaires avaient, il me semble, fait une plus
haute évaluation, inférieure encore... à celle de Berry et à
la vôtre. Ils ont vendu le canapé et les quatre fauteuils
dix mille francs (en tout, avec les deux tapisseries, quatorze
mille francs). Ils « espèrent » vendre le petit canapé vert
cinq ou six cents francs... »

Proust à Madame Catusse (mai 1919) : « J'ai eu un
véritable et immense chagrin quand on m'a dit que le bel
et immense canapé de Papa, Rue de Courcelles, s'était
vendu, quasi neuf, à la Salle des Ventes, quarante francs !
Le lustre de la salle à manger (mais qui me tenait moins
à cœur, car je ne crois pas qu'il soit lié à un souvenir de
vous comme ce canapé) a fait trente-huit francs !... Mais
comme on a tellement augmenté les droits à payer à
l'Hôtel des Ventes, des marchands ne vaudraient-ils pas
mieux ? Les verdures, les appliques, la bergère, le vieux
canapé retrouvé par vous sous les décombres, et même le
petit canapé vert (sans doute inférieur à la bergère, mais
charmant tout de même) sont des choses qui doivent avoir
une valeur à peu près fixe... »

Il avait perdu, en 1919, son appartement du Boulevard Haussmann, lien ultime et fragile avec le passé
familial. Sa tante, « sans le prévenir », avait vendu la
maison, et le nouveau propriétaire, un banquier, avait
décidé d'expulser les locataires. Tout dépaysement était,
pour Marcel, un affreux drame. Pendant quelques
semaines, il craignit en outre d'avoir à payer plusieurs

années de loyers arriérés que n'avait pas exigés sa tante,
« au moins une vingtaine de mille francs d'un seul
coup ». Or il continuait à se dire, et peut-être à se
croire, ruiné. Mais l'avantage de ceux qui ne savent
pas s'aider eux-mêmes, c'est que leurs amis les prennent
en pitié. *Proust à Madame de Noailles* : « Guiche, qui
a été sublime pour moi dans cette affreuse histoire de
déménagement, est allé voir les gérants, a tiré d'eux de
l'argent pour moi (alors que je croyais leur en devoir),
a chargé son ingénieur de rechercher les maisons susceptibles de convertir ma subérine en bouchons... »

La maison du Boulevard Haussmann, transformée
était devenue la Banque Varin-Bernier, et Marcel avait
dû la quitter : « Hélas ! je ne saurais en ce moment
vous donner d'adresse, car je n'ai pas de gîte. J'en suis
réduit à me répéter les versets : "Les renards auront-ils
des tanières et les oiseaux du ciel des nids, et faudra-t-il
que le Fils de l'Homme soit seul à ne pas trouver une
pierre où reposer sa tête ?"... » Réjane, ayant par
hasard entendu ses lamentations, lui avait offert, dans
un immeuble qu'elle possédait, Rue Laurent Pichat,
« un misérable garni » qu'il n'avait gardé que quelques
mois ; enfin il s'était installé dans « un hideux meublé »,
44, Rue Hamelin, au cinquième étage.

Cet appartement « aussi modeste et inconfortable
qu'exorbitant de prix », et où le voisinage du Bois
réveillait son asthme des foins, ne devait être, pensait-il,
qu'un pied-à-terre provisoire. Il y resta jusqu'à sa mort,
laissant « toutes ses affaires », ce qui lui restait de ses
tapisseries, de ses lustres, de ses crédences, et même de
ses livres, au garde-meuble. « Rien de plus nu, de plus
pauvre », dit Edmond Jaloux, « que cette chambre dont
l'unique ornement était la masse des cahiers qui formaient le manuscrit de son œuvre et qui s'étageaient
sur la cheminée... » Aux murs pendaient de grands
lambeaux de papier de tenture déchiré. Ascétique cel-

lule d'un mystique de l'art. « Quand tu te sens un peu
seul », écrit-il à Robert Dreyfus, « dis-toi que loin, un
bénédictin (j'allais dire un carmélite) de l'amitié pense
à toi, prie pour toi. »

Depuis 1913, Céleste Albaret gouvernait l'intérieur
de Proust. C'était une jeune femme belle et bien faite,
qui parlait un français agréable et reposait par une
sorte de calme autorité. Elle était entrée dans la vie de
Proust en épousant le chauffeur Odilon Albaret, dont
le taxi était entièrement au service de Proust, qui s'en
servait tantôt pour sortir lui-même, tantôt pour faire
porter à la main ses lettres, tantôt pour chercher et
ramener, à toute heure de la nuit, ceux qu'une soudaine
fantaisie lui inspirait le désir de voir. On pouvait se
demander si Marcel supporterait, dans sa chambre, la
présence d'une jeune femme, mais, peu à peu, il prit
l'habitude de se faire servir par elle et même de lui
dicter certains passages de son livre.

Marcel Proust à Madame Gaston de Caillavet : « La
charmante et parfaite femme de chambre qui, depuis quelques mois, est à la fois valet de chambre, garde-malade —
je ne dis pas cuisinière, sauf pour elle, car je ne mange
rien — est entrée dans ma chambre en hurlant de douleur ! La pauvre jeune femme venait de recevoir la
nouvelle de la mort de sa mère. Elle est partie immédiatement pour la Lozère et est remplacée par sa belle-sœur,
que je ne connais pas et, ce qui est plus grave, ne connaît
pas l'appartement, ne sait guère trouver ma chambre si je
sonne, ne pourrait faire mon lit si je me levais. J'espère
pouvoir réussir à venir. Quant au contraire (votre venue
ici), cela est beaucoup plus difficile. Ma chambre est
presque toujours remplie d'une épaisse fumée, qui serait
aussi intolérable à votre respiration qu'elle est nécessaire
à la mienne. Si ma femme de chambre était là et si, un
jour, l'atmosphère avait été respirable chez moi, je vous
l'aurais envoyée (car je n'ai plus le téléphone et ne puis
donc vous prévenir ainsi). Avec celle-ci, c'est plus difficile.

Pourtant peut-être, si d'ici un jour ou deux j'ai la possibilité de ne pas faire de fumigations... Mais quelle heure vous plairait ? Six heures serait-il bien ? Mais alors à quelle heure faudrait-il que je vous fasse prévenir (soit en vous envoyant mon taxi, soit en vous faisant téléphoner — peut-être plus difficile — de chez un marchand de vins ayant le téléphone) ? Vous me promettrez de ne regarder ni le désordre de ma chambre ni celui de ma personne ? J'avoue que j'aimerais beaucoup mieux aller chez vous. Mais tant que ma femme de chambre ne sera pas revenue, cela sera bien difficile... [1]»

Céleste avait ordre de ne jamais entrer chez lui avant qu'il eût sonné, ce qui arrivait le plus souvent vers deux ou trois heures de l'après-midi. A ce moment, il voulait trouver prête son essence de café, aussi forte que celle de Balzac ; s'il tardait à s'éveiller, Céleste devait en préparer plusieurs fois de suite « parce que », disait-il, « l'arome s'éventait ». Marcel se nourrissait presque exclusivement de café au lait. Quelquefois (assez rarement) il avait envie d'une sole frite ou d'un poulet rôti, qu'il envoyait chercher chez Larue ou chez Lucas-Carton (vers la fin de sa vie, à l'Hôtel Ritz). Faire la cuisine dans l'appartement était interdit, parce que la plus légère odeur eût déclenché une crise d'asthme. Les repas des serviteurs étaient apportés du Restaurant Edouard VII, Rue d'Anjou, d'où des frais presque incroyables et la relative pauvreté de cet homme riche. Proust ne voulait pas non plus qu'on se servît chez lui du gaz, pour l'éclairage ou le chauffage, et il l'avait fait supprimer, à cause de l'odeur. Dans toutes ses lettres, il se plaint d'un calorifère qui chauffe trop, ce qui lui donnait des étouffements.

Près de son lit, il avait une petite table de bambou, sa vieille « chaloupe », sur laquelle était toujours un

---

1. Lettre inédite.

plateau d'argent avec une bouteille d'eau d'Evian, du tilleul, et une bougie qui devait brûler jour et nuit pour qu'il pût allumer les poudres à fumigations. Les allumettes étaient prohibées, à cause de leur odeur de soufre. Céleste achetait les bougies par caisses de cinq kilos. De l'autre côté du lit, sur une deuxième table, étaient les Cahiers, quelques livres, une bouteille d'encre et de nombreux porte-plume. « C'était, dit Céleste, un homme qui ne faisait rien par lui-même. Si son porte-plume tombait par terre, il ne le ramassait pas. Quand *tous* les porte-plume étaient par terre, alors il me sonnait... Il fallait tous les jours faire son lit à fond et changer les draps, parce qu'il disait que la moiteur du corps les rendait humides. Pour faire sa toilette, il usait quelquefois de vingt à vingt-deux serviettes parce que, dès qu'une serviette était mouillée, ou même humectée, il ne voulait plus y toucher. »

Il était interdit, si Proust travaillait ou dormait, de le déranger pour qui que ce fût. Chaque jour, il lisait son courrier à haute voix à Céleste, avec des commentaires d'après lesquels elle devait deviner, par intuition, s'il accepterait ou non de recevoir telle ou telle personne ; s'il fixait un rendez-vous ; s'il dînerait en ville ou souperait au restaurant. C'était elle qui communiquait avec le monde extérieur, en allant téléphoner dans un café voisin, chez « des gens du Puy-de-Dôme ». Céleste avait pris beaucoup des habitudes de Marcel, la forme de ses phrases et jusqu'à sa voix. Elle faisait comme lui des imitations de ses amis. « Céleste, lorsqu'elle m'avait ouvert la porte l'autre soir », dit Gide, « après avoir exprimé les regrets qu'avait Proust de ne pouvoir me recevoir, ajoutait : « Monsieur prie Monsieur Gide de se convaincre qu'il pense incessamment à lui. » (J'ai noté la phrase aussitôt) [1]... »

1. ANDRÉ GIDE : *Journal 1889-1939*, page 693 (Bibliothèque de la Pléiade, Gallimard, Paris, 1939).

Après quelque temps, elle avait fait venir sa sœur et sa nièce (cette dernière dactylographe), pour l'aider dans son travail. Souvent, le soir, Proust convoquait, dans sa chambre, ces jeunes femmes, qu'accompagnait le chauffeur Odilon, et leur faisait un cours d'histoire de France. Que l'on eût aimé à entendre une leçon sur Saint-André des Champs, faite par le créateur de cette église imaginaire aux figures même du portail ! Le vocabulaire de Céleste et de ses parentes enchantait Marcel :

« Avec une familiarité que je ne retouche pas, malgré les éloges (qui ne sont pas ici pour me louer, mais pour louer le génie étrange de Céleste) et les critiques, également faux mais très sincères, que ces propos semblent comporter à mon égard, tandis que je trempais des croissants dans mon lait, Céleste me disait : « Oh ! petit diable « aux cheveux de geai, ô profonde malice ! Je ne sais pas à « quoi pensait votre mère quand elle vous a fait, car vous « avez tout d'un oiseau. Regarde, Marie, est-ce qu'on ne « dirait pas qu'il se lisse ses plumes et tourne son cou avec « une souplesse, il a l'air tout léger, on dirait qu'il est en « train d'apprendre à voler. Ah ! vous avez de la chance « que ceux qui vous ont créé vous aient fait naître dans le « rang des riches ! Qu'est-ce que vous seriez devenu, gas- « pilleur comme vous êtes ? Voilà qu'il jette son croissant « parce qu'il a touché le lit. Allons bon ! voilà qu'il répand « son lait ! Attendez que je vous mette une serviette, car « vous ne sauriez pas vous y prendre ; je n'ai jamais vu « quelqu'un de si bête et de si maladroit que vous. » On entendait alors le bruit plus régulier de torrent de Marie Gineste qui furieuse, faisait des réprimandes à sa sœur : « Allons, Céleste, veux-tu te taire ! Es-tu pas folle de « parler à Monsieur comme cela ? » Céleste n'en faisait que sourire et, comme je détestais qu'on m'attachât une serviette : « Mais non, Marie, regarde-le ; *bing !* voilà « qu'il s'est dressé tout droit comme un serpent. Un vrai « serpent, je te dis... »

Ce qui est remarquable, c'est qu'il trouvait alors un authentique bonheur à vivre avec la famille Abaret. Comme au temps d'Illiers, de Félicie et du jardin de Madame Amiot, il se contentait, Rue Hamelin, pour champ d'observation, du petit groupe humain qui l'entourait. Il semble que l'on touche là « le *moi* ultime de Proust »[1] : une bonté qui n'avait rien de moral, mais qui était simplicité foncière, intégrité intellectuelle et don d'enrichir les gens, les choses et les affaires de tous les jours, afin de leur communiquer un intérêt vital et durable. Céleste Albaret et Marie Gineste lui paraissaient « aussi douées qu'un poète, avec plus de modestie qu'ils n'en ont généralement ».

Céleste ne se couchait jamais avant sept heures du matin, car Proust, qui travaillait toute la nuit, exigeait qu'on répondît immédiatement à son coup de sonnette. A l'aube, il prenait son véronal, puis dormait de sept heures du matin à trois heures de l'après-midi. Parfois, il forçait la dose et dormait deux, trois jours de suite. Au réveil, il mettait quelque temps à retrouver, à force d'essence de café, sa lucidité. Vers le soir, il était de nouveau brillant. Parfois, Vaudoyer, Morand, Cocteau venaient à lui. Ayant écrit un bel article sur Proust, Mauriac fut invité à dîner Rue Hamelin. La veille, il reçut un coup de téléphone : « Monsieur Marcel Proust désirerait savoir si, durant le repas, Monsieur François Mauriac serait heureux d'entendre le Quatuor Capet ou s'il préfère dîner avec le Comte et la Comtesse de X... ? » L'humilité survivait à l'obscurité et, même illustre, Proust ne pouvait croire que sa seule personne suffît pour exercer un attrait incomparable.

Mauriac a décrit cette chambre sinistre, « cet être noir, ce lit où le pardessus servait de couverture, ce masque cireux à travers lequel on eût dit que notre

1. STEPHEN HUDSON.

hôte nous regardait manger, et dont les cheveux seuls paraissaient vivants. Pour lui, il ne participait plus aux nourritures de ce monde... [1] » Peu à peu, « il coupait les dernières amarres » Il savait maintenant qu'un écrivain, avant tout autre devoir, a celui de vivre pour son œuvre ; que l'amitié, par le temps qu'elle fait perdre, devient une dispense de ce devoir, une abdication de soi ; que la conversation est « une divagation superficielle qui ne nous donne rien à acquérir ». L'inspiration, la pensée profonde, le « choc spirituel » ne sont possibles que dans la solitude. L'amour même est moins dangereux que l'amitié, parce qu'étant subjectif il ne nous détourne pas de nous-mêmes.

Lors de ce repas nocturne, Mauriac aperçut le dernier « Prisonnier », celui que Proust appelait « mon unique H... », et qui était, dit-on, un jeune Suisse. Mais déjà H... lui-même était condamné, et Proust s'occupait de lui trouver un poste aux Etats-Unis. Etait-ce lassitude, ascèse suprême ou, au moment de publier *Sodome et Gomorrhe,* désir de limpidité dans sa vie, « comme les défroqués qui suivent la règle du célibat le plus chaste, pour qu'on ne puisse pas attribuer à autre chose qu'à la perte d'une croyance le fait d'avoir quitté la soutane » ? C'était surtout le dépouillement, total et naturel, d'un homme qui ne vivait plus en ce monde, mais dans celui qu'il avait créé. Tout proche de sa fin, « il demeurait seul dans ce meublé, soucieux des épreuves de son livre, des becquets qu'il ajoutait en marge, entre deux suffocations ». La brièveté des jours qui lui restaient à vivre ne l'effrayait pas pour sa personne (les intermittences du cœur lui avaient appris que l'on meurt plus d'une fois), mais elle l'inquiétait pour son œuvre, car, avec lui, le gisement et le mineur disparaîtraient du même coup.

1. François Mauriac : *Du côté de chez Proust,* pages 41-43 (La Table Ronde, Paris, 1947).

II

MAGNUM OPUS FACIO

De 1920 à 1922, ce grand malade fournit un travail prodigieux. Il avait cessé depuis longtemps d'être un amateur, c'est-à-dire un homme pour qui « la recherche du beau n'est pas de métier », état dangereux, et il était devenu ce que doit être l'écrivain : un artisan. Il avait publié en 1920 le *Côté de Guermantes* (I) ; il publia en 1921 le *Côté de Guermantes* (II) et *Sodome et Gomorrhe* (I) ; en 1922, *Sodome et Gomorrhe* (II), ou au moins les premières parties de ce livre, car celui-ci, par les ajoutés, s'enflait tellement que Proust cherchait, pour la suite, des titres nouveaux : *La Prisonnière, La Fugitive* (qui devint *Albertine disparue*). En même temps qu'il enrichissait les tomes à venir, il corrigeait les épreuves des volumes déjà imprimés, et, pour lui, corriger, c'était doubler, tripler, si bien que son éditeur, effrayé finissait par donner lui-même le bon à tirer, car il fallait endiguer ce torrent qui menaçait de détruire ses berges. Mais Proust, lui, était certain que ce foisonnement faisait le style de son œuvre :

Marcel Proust à Gaston Gallimard : « Puisque vous avez la bonté de trouver dans mes livres quelque chose d'un peu riche qui vous plaît, dites-vous que cela est dû précisément à cette surnourriture que je leur réinfuse en vivant, ce qui matériellement se traduit par ces ajoutages... » *Et, en Septembre 1921 :* « En résumé, pour *Sodome II*, j'avais dit à l'un de vous (je crois vous, mais je ne le jure pas) que, vu les énormes remaniements à faire, et qui ont infiniment augmenté la valeur littéraire (et surtout vivante) du livre, je comptais être prêt pour mai. En réalité, je crois que je le serai beaucoup plus tôt, mais c'était déjà excessivement

long à faire et j'ai ajouté de nouvelles parties. Tout ce que
je peux vous dire, c'est que je travaille à cela tout le
temps, et rien qu'à cela... »

Rien qu'à cela... Il disait la vérité. Son travail était,
à ses yeux, une course contre la mort : « Vous verrez
que vous me donnerez mes épreuves quand je ne
pourrai plus les corriger... » Il aurait voulu que Gallimard confiât ses livres à quatre imprimeurs différents,
pour qu'il pût au moins relire le tout avant de mourir.
Etait-il donc plus malade ? Les autres en doutaient ;
ses amis avaient pris l'habitude de ses plaintes, de ses
souffrances, et pensaient qu'il serait l'un de ces valétu-
dinaires qui finissent par mourir centenaires, mais lui,
fils de médecin, observait en lui-même des changements
inquiétants. Il avait parfois, comme sa mère mourante,
de l'aphasie ; les mots lui échappaient ; des vertiges
l'empêchaient de se lever.

Un jour de 1921, il écrivit à Jean-Louis Vaudoyer :
« Je ne me suis pas couché pour aller voir ce matin
Vermeer et Ingres. Voulez-vous y conduire le mort que
je suis et qui s'appuiera à votre bras ?... » Pendant cette
visite de l'exposition des maîtres hollandais, au Jeu de
Paume, il eut un malaise qu'il attribua à des pommes
de terre mal digérées et qui lui inspira l'épisode, si beau,
de la mort de Bergotte. Ainsi, entre l'œuvre et la vie,
le cordon ombilical n'était pas coupé. Un mot, une
expression, un geste, cueillis sur le bord de la route, par
l'homme qui achevait avec tant de peine, en se traînant,
en suffoquant, son pèlerinage terrestre, servaient encore
à nourrir le monstre. *Proust à Gaston Gallimard :* « Je
voudrais bien, si vous les avez sous la main, ajouter
une demi-phrase aux pages de papier écolier écrites par
moi où deux « courrières » me parlent un peu à la
façon des jeunes Indiennes de Chateaubriand (vers
245, je crois)... » Sans doute Céleste avait-elle dit, ce
soir-là, une phrase qu'il avait aimée.

Parfois, il suscitait les impressions dont il avait besoin. Un soir, il fit venir Rue Hamelin, pour y jouer pendant la nuit, pour lui seul, le Quatuor Capet. Il voulait entendre un quatuor de Debussy qui l'aiderait, de manière indirecte, à compléter le Septuor de Vinteuil. Il avait hésité à inviter des gens, puis avait dit à Céleste : « Au fait, non ! s'il y avait d'autres auditeurs, je serais obligé d'être poli et je n'écouterais pas bien... J'ai besoin d'impressions toutes pures pour mon livre... » Pendant que les musiciens jouaient, il resta étendu sur un canapé, les yeux fermés, cherchant, avec la musique, quelque mystique communion, comme jadis avec les roses de Reynaldo.

Longtemps il avait eu peur du jour où il publierait *Sodome*. Ce livre terrible amènerait, pensait-il, une rupture avec d'anciens amis, soit fureur d'invertis qui se croiraient dénoncés, soit dégoût de non-invertis, qui blâmeraient. Peu à peu, sa gloire mondiale, grandissante, l'avait rassuré. Il se sentait désormais invulnérable. Sans doute Montesquiou allait se reconnaître en Charlus. Mais que lui importait Montesquiou ? Il ne le voyait jamais et, s'il l'avait vu, l'aurait plaint plus que craint. Autour du vieux gentilhomme-poète se faisait un vide tragique. Anatole France quittait la pièce où il entrait en murmurant : « Je ne puis supporter cet homme qui me parle toujours de ses ancêtres. » Peut-être Proust pensa-t-il avec pitié à cette déchéance, soutenue d'ailleurs avec un orgueil adamantin, lorsqu'il décrivit l'affront fait à Monsieur de Charlus par Madame Verdurin.

Les succès de Proust continuaient à offusquer Montesquiou. A Madame de Clermont-Tonnerre, celui-ci dit : « Je voudrais bien un peu de gloire, moi aussi. Je ne devrais plus m'appeler que Montesproust ! » Quand parut, en 1921, *Guermantes II*, avec le terrible début de *Sodome et Gomorrhe*, Proust n'envoya pas tout de suite le volume à Montesquiou, donnant pour prétexte la difficulté d'obtenir une édition originale.

Proust à Montesquiou : « Mon idée fixe, comme celle d'une fleur de la tenture qui obsède, ç'a été cette volonté d'avoir, si je ne pouvais davantage, deux premières éditions : la première... pour une vieille amie de Maman qui a été pour moi maternelle ; la seconde, pour vous... »

Montesquiou à Proust : « J'approuve, dans votre stratégie d'art (à la fois, probablement, naturelle et concertée, car, malgré tout, on ne fait pas toujours ce qu'on veut) ces coups redoublés de vos livres, lesquels ne laissent pas respirer ceux qui les lisent par mode et n'ont pas le temps de s'apercevoir qu'ils aiment mieux autre chose qui soit moins bien... »

Proust à Montesquiou : « Si vous vous rappelez vaguement *A l'ombre des jeunes filles en fleurs* (excusez-moi de parler ainsi de mes livres oubliés, mais c'est vous qui m'y conviez), au moment où Monsieur de Charlus me regarde fixement et distraitement, près du Casino, j'ai pensé un instant à feu le Baron Doasan, habitué du salon Aubernon et assez de ce genre. Mais je l'ai laissé ensuite et j'ai construit un Charlus beaucoup plus vaste, entièrement inventé... Mon Charlus est assez raté dans le prochain volume, mais il prend ensuite (je me figure !) une certaine ampleur. Beaucoup de gens croient que Saint-Loup est d'Albuféra ; je n'y ai jamais songé. Je suppose qu'il le croit lui-même ; c'est la seule explication que je trouve à sa brouille avec moi, laquelle me fait beaucoup de chagrin... »

Montesquiou à Proust : « Pour en revenir aux clefs, vraies ou fausses, qu'elles viennent de Louis XVI ou de Gamain, cela ne regarde que l'auteur ; elles n'ont pour nous qu'un intérêt secondaire... Qu'est-ce que ça nous fait ? Qu'importe que le cuisinier ait mis dans la sauce de l'estragon ou de la sarriette ?... Moi qui me suis retiré du monde, mais qui connais assez bien les générations que vous mettez en scène, je ne connais pas d'Albuféra. Sa mère était la belle-fille de ma sœur, mais nous n'avons pas prolongé les relations après la mort d'Elise. Lui paraît sympathique tel que vous le décrivez, surtout *cavalier seul sur la banquette* et réglé par Fokine. Un peu obséquieux dans son amitié pour vous, assez élégant dans son lancement de jambes à la hauteur de ses innombrables képis. Mais tout cela peut très bien s'appliquer à Guiche, que j'ai pris, depuis le commencement, pour le modèle de Saint-Loup... Pour la première fois, on ose, vous osez prendre pour sujet direct, comme ferait de l'amour une idylle de Longus ou de Benjamin Constant, le vice de Tibère ou celui du Pasteur Corydon. Vous l'avez voulu ; nous en verrons les conséquences ; et je ne doute pas que, déjà, vous en éprouviez les effets... Vous vous êtes créé un nom et une autorité selon le monde des prix et des croix (quand vous valez mieux que ces bagatelles) pour satisfaire à votre volonté de réagir contre l'hypocrisie ou, si vous voulez, contre la décence affectée. Réussirez-vous ? C'est possible ; ce n'est pas certain. L'adversaire est fort.. »

Puis la correspondance devint aigre et les deux écrivains se jetèrent à la tête leurs maladies, puis leurs agonies :

Proust à Montesquiou : « Pendant ces longues semaines où je n'ai cessé d'être un mourant, non d'un *cancer,* comme vous semblez obligeamment le supposer... mourant de fatigue permettez-moi, après tant de saluts et d'inclinaisons, de vous tirer respectueusement ma dernière révérence... C'est par un billet d'un homme de vingt-cinq ans que vous annoncez cette triste nouvelle à votre respectueux ami qui, lui, est plus que centenaire... Alors vous croyez vraiment qu'il y a refroidissement dans mes sentiments admiratifs et reconnaissants pour vous ?... Contrairement à ce que vous m'avez fait dire, le dernier qui a écrit est moi, et c'est vous qui n'avez pas répondu... »

Ce fut Montesquiou qui mourut le premier, à

Menton, le 11 Décembre 1921, n'ayant auprès de lui qu'un secrétaire. *Proust à la Duchesse de Clermont-Tonnerre :* « Madame, — On m'a dit que, presque seule de ses amies, vous étiez à l'enterrement du pauvre Montesquiou. Je dis « pauvre Montesquiou » bien que tout me persuade qu'il n'est pas mort et que, dans ces funérailles à Charles-Quint, le cercueil, heureusement, était vide. C'est ce qui me fait attendre pour écrire l'étude que je compte lui consacrer... J'étais trop souffrant pour lui écrire combien je l'aimais, et si, contre toute attente, il était vraiment mort, je ne me consolerais pas de ne pas le lui avoir exprimé à temps... »

Avec Madame Straus, elle-même opérée, atteinte de « mort chronique », les rapports de Proust ressemblaient à ceux de Chateaubriand vieux avec Madame Récamier :

Madame Straus à Marcel Proust (1920) : « Je voudrais vous parler de beaucoup de choses contradictoires. D'abord de ma tristesse de vous savoir malade, et puis de mon ennui d'être morte, ce qui me gêne beaucoup pour vivre, et aussi du bonheur que je vais avoir à retrouver mes amis de chez Swann. Cette joie sera ardente comme celle d'une vivante et ma tendre amitié pour vous n'est pas non plus celle d'une disparue... Je me sens très « Tante Léonie ». Vous pouvez donc me comprendre et me pardonner mes ratures... »

Madame Straus à Proust (1921) : « Je suis désolée d'avoir fini mon beau volume et je voudrais bien connaître la suite. Vous m'avez laissée seule, aux Champs-Elysées, auprès de votre grand-mère malade... et je ne sais plus rien. Comme nous continuons à être « séparés de corps », puisque vous ne sortez pas le jour, envoyez-moi la belle Céleste. Elle me dira comment vous allez, et vous n'aurez pas à faire l'effort d'écrire... »

Bien que morte, Madame Straus jure, quand elle reçoit *Sodome et Gomorrhe,* qu'elle n'est pas scandalisée par le sujet. Et voici la dernière lettre : « *13 mai 1922...* Marcel, mon petit Marcel, comme j'aimerais vous voir ! Il me semble que nous aurions tant de choses à nous dire ! Mais ce serait à la fois trop amusant et trop triste, et je crois que ça n'arrivera plus jamais. *Jamais,* quel mot cruel ! je ne peux m'habituer à l'idée de ne plus vous revoir... »

Parmi ses anciens et ses plus tendres amis, beaucoup, sans cesser de lui être attachés, s'effaçaient peu à peu, silencieusement. Tel était le cas de Reynaldo Hahn, de Lucien Daudet, de Robert Dreyfus. Ils étaient froissés de voir que de nouveaux venus, amenés par la gloire et par les liens professionnels, semblaient avoir le pas sur les compagnons de toute une vie. C'était, dit Lucien Daudet, la parabole du Vigneron : « Quoi ! les derniers n'ont travaillé qu'une heure et vous les traitez comme nous ? » Ils auraient voulu que *leur* Marcel restât un amateur de génie, indifférent à ce qu'on disait de lui, aux honneurs, aux tirages, à la publicité.

Or il s'intéressait curieusement à « ces misères » et s'en occupait avec l'intelligence exhaustive et méfiante qu'il apportait à toutes choses. La nièce et la sœur de Céleste allaient, par son ordre, chez les libraires pour voir si le *Côté de Guermantes* était bien dans toutes les vitrines. Il écrivait à Gallimard des lettres quotidiennes, pour se plaindre du trop petit nombre des éditions. Pour *Swann,* on avait négligé d'ajouter aux chiffres de la N. R. F. celui de Grasset.

Proust à Gaston Gallimard : « Pour les *Jeunes filles en fleurs,* j'aurais l'air de copier mon propre pastiche des Goncourt en vous disant qu'elles sont sur toutes les tables en Chine et au Japon. Et c'est pourtant en partie vrai. Pour la France et les pays voisins, ce n'est pas en partie vrai, cela l'est tout à fait. Je n'ai pas un banquier qui ne

les ait trouvées sur la table de son caissier, aussi bien que
je n'ai pas d'amie voyageant qui ne les ait vues chez ses
amies, dans les Pyrénées ou dans le Nord, en Normandie
ou en Auvergne. Le contact direct avec le lecteur, que je
n'avais pas eu avec *Swann,* est quotidien ; les demandes
d'articles dans les journaux aussi fréquentes. Je n'en tire
aucune vanité, sachant que la vogue va souvent aux plus
mauvais livres. Je n'en tire aucune vanité, mais j'espérais
en tirer quelque argent... Le nombre des éditions n'est pas
le seul signe de la vogue, mais il en est un, comme sont des
signes les cours de la Bourse, ou le degré de fièvre d'un
malade. Eh bien ! au fur et à mesure que les *Jeunes filles*
se vendent, le nombre des éditions diminue... »

Il compare et se plaint :

« En ouvrant, aujourd'hui, la *Nouvelle Revue Française,*
je vois sur la couverture : PÉROCHON : *Nène,* soixante-
quinzième mille. Or *Nène* a paru plus d'un an après les
Jeunes filles en fleurs. De plus, quelques sentiments cor-
diaux que je nourrisse à l'égard de Monsieur Pérochon,
Nène est le type rare du Prix Goncourt qu'à tort ou à
raison on juge un livre « honnête », sans grand éclat. La
disproportion du nombre d'éditions avec les *Jeunes filles*
me semble donc énorme... »

Il s'occupait avec passion de faire écrire des articles
sur son œuvre, au besoin les écrivait lui-même, citant
avec orgueil un mot de Lemaître : « Ce Proust, quand
c'est mal, c'est aussi bien que Dickens, et quand c'est
bien, c'est beaucoup mieux », et se disant prêt à payer
des échos qui reproduiraient, dans d'autres journaux,
les plus dithyrambiques des éloges. Il souhaitait même
une publicité plus tapageuse et regrettait que son livre
n'eût pas été annoncé, comme celui de Paul Morand,
par un placard : *A ne pas laisser lire aux jeunes filles.*
Non content du Prix Goncourt, il « sondait » l'Aca-

démie Française pour le Grand Prix de Littérature.
Il aimait ce courrier quotidien d'éloges qu'Alphonse
Daudet avait jadis appelé « le bouquet de coquelicots »,
à cause de la couleur trop vive des pétales et de leur
fragilité. Il lui plaisait que les cahiers entassés sur la
« chaloupe » fussent, par leur valeur de manuscrits,
devenus des lingots.

Tout cela était-il bien coupable ? Il semble naturel,
lorsqu'un écrivain a trop longtemps attendu le public
qu'il méritait, qu'après tant d'années de doute et de
désespérance il soit heureux de voir son œuvre aimée,
louée. « Après tout, écrivait Proust, il n'est pas plus
absurde de regretter qu'une morte ignore qu'elle n'a
pas réussi à nous tromper, que de désirer que dans
deux cents ans notre nom soit connu... » Lucien Daudet,
qui d'abord avait regretté l'ami trop modeste, « l'indéfinissable et charmant Marcel Proust », finit par reconnaître qu'il avait eu tort, « car, pendant cette courte
période, Marcel Proust, sachant qu'il allait mourir,
consentant à mourir (je crois qu'il ne souhaitait pas
autre chose), voulait que son œuvre vécût ; et, pour
cela, il lui fallait prendre part au jeu qui fait gagner
ou perdre les œuvres, et jouer jusqu'à la fin... » En
somme, Marcel évoluait comme un de ses propres
personnages et, dans une sorte d'épilogue au *Temps
retrouvé,* passant dans le faisceau des projecteurs de la
gloire, il en prenait les vives couleurs.

Il sortait de moins en moins, mais jamais sa réclusion,
sauf en période de crise, ne fut totale. On le voyait
encore au Ritz, seul, soupant dans un salon éteint,
entouré de serviteurs auxquels il apprenait à manœu-
vrer les commutateurs dont il connaissait tous les
emplacements. Boylesve, qui le rencontra à la réunion
du jury des bourses Blumenthal, crut voir un fantôme,
une interprétation humaine du *Corbeau* d'Edgar Poe :

« Un être assez grand, presque gros, les épaules hautes, engoncé dans un long pardessus. Il garde son pardessus, en malade qui craint une température fâcheuse. Mais surtout une face extraordinaire : une chair de gibier faisandé, bleue, de larges yeux d'almée, creux, soutenus par deux épais croissants d'ombre ; des cheveux abondants, droits, noirs, mal coupés et non coupés depuis deux mois ; une moustache négligée, noire. Il a l'aspect d'une chiromancienne et son sourire. Quand je lui serre la main, je suis absorbé par son faux col, évasé, élimé, et qui, sans exagérer, n'a pas été changé depuis huit jours. Tenue de pauvre, avec de petits souliers fins chaussant un pied de femme. Une cravate râpée, un pantalon large, d'il y a dix ans. Je pense à tout ce qui, en sa littérature nouvellement sortie, date. Il est assis à côté de moi ; je le regarde. Il a, malgré la moustache, l'air d'une dame juive de soixante ans, qui aurait été belle. Ses yeux, de profil, sont orientaux. Je cherche à voir ses mains, mais elles sont emprisonnées dans des gants blancs, remarquablement sales ; en revanche, je remarque un poignet fin, blanc et gras. La figure semble avoir été fondue, puis regonflée incomplètement et dérisoirement ; les épaisseurs se portent au hasard et non où on les attendait. Jeune, vieux, malade et femme, — étrange personnage [1]... »

Vers la fin du printemps 1922, il assista encore à une soirée chez la Comtesse Marguerite de Mun, dont il aimait l'esprit et la naturelle gentillesse. Là il rencontra, pour la dernière fois, l'amie de son enfance et de son adolescence : Jeanne Pouquet (veuve de Gaston de Caillavet, celle-ci avait épousé en secondes noces son propre cousin). Après avoir salué quelques personnes, répandu par-ci par-là quelques protestations de tendresse ou d'admiration (« Il était une merveilleuse source de compliments et de moqueries », disait Barrès),

---

1. René Boylesve : *Feuilles tombées,* pages 266-267 (Editions Dumas, Paris, 1947).

il vint s'asseoir à côté d'elle et, n'ayant plus alors aucune raison de feindre ou d'encenser, il se laissa aller, sur toute l'assistance, à des jugements comiques, à des observations aiguës, à de profondes remarques, à des considérations de la plus hautaine philosophie.

« Ce soir-là, il était très gai et semblait en meilleure santé. Cependant, quand tous les invités s'en allèrent, il pria Madame Pouquet de rester encore un peu avec lui, de ne pas le quitter si tôt. Mais il était tard et elle refusa, étant fatiguée. Alors le visage de Marcel prit une expression indéfinissable de douceur, d'ironie et de tristesse.

« C'est bien, Madame, adieu.

« — Mais non, mon petit Marcel, au revoir.

« — Non, Madame, adieu ! Je ne vous verrai plus...
« Vous me trouvez bonne mine ? Mais je suis mourant,
« Madame, mourant. Bonne mine ? Ah ! ah ! ah ! c'est
« trop drôle !... (Son rire sonnait faux et faisait mal.) Je
« n'irai plus jamais dans le monde. Cette soirée m'a
« harassé. Adieu, Madame.

« — Mais, mon cher Marcel, je peux très bien aller
« chez vous un jour prochain, ou même un soir.

« — Non, non, Madame, ne venez pas ! Ne soyez pas
« froissée de mon refus. Vous êtes gentille. Je suis touché,
« mais je ne veux plus recevoir mes amis. J'ai un travail
« pressé à finir. Oh ! oui, *très pressé...* »

Si pressé qu'il se sentait, de toutes ses minutes, comptable à son œuvre. Lorsque Jacques Rivière lui demanda, pour la *Nouvelle Revue Française,* un article sur Dostoïevski, il refusa : « J'admire passionnément le grand Russe, mais je le connais imparfaitement. Il faudrait le lire, le relire, et mon ouvrage serait interrompu pour des mois. Je ne puis que répondre comme le prophète Néhémie (je crois), monté sur son échelle et qu'on appelait, pour je ne sais plus quoi : *Non possum descendere, magnum opus facio...* »

« Je ne puis descendre... Je fais une grande œuvre... »
Il éprouvait alors une constante angoisse. Depuis près
de vingt ans, il luttait avec les images et les mots, pour
exprimer certaines pensées qui devaient le délivrer et,
en même temps, libérer des âmes fraternelles. Il touchait
presque au but, mais il fallait que tout fût dit avant
la mort. « J'étais décidé à y consacrer mes forces, qui
s'en allaient comme à regret, et comme pour me laisser
le temps d'avoir, tout le pourtour terminé, fermé la
porte funéraire... »

III

DERNIÈRE LUTTE AVEC LE TEMPS

En Juin 1922, Lucien Daudet, qui, avant de quitter
Paris, alla lui dire au revoir, le trouva plus pâle encore
que d'habitude ; un profond cerne noir entourait ses
yeux. Lucien Daudet était gêné par le sentiment qu'il
se trouvait en présence d'un très grand homme et
n'osait pas le lui dire. Marcel essayait de garder le
tendre accent et l'humilité de jadis. Puis ils parlèrent
d'un de ses nouveaux amis et de l'antipathie profonde
qu'il y avait entre celui-là et les anciens. « Les sympathies et les antipathies ne sont pas transmissibles, dit
mélancoliquement Proust, c'est la grande tristesse des
amitiés et des relations... » Il y avait longtemps qu'il
avait écrit que l'amitié est plus décevante encore que
l'amour. « En le quittant, écrit Daudet, le passé me
serra la gorge... Je voulus l'embrasser ; il se recula un
peu dans son lit et me dit : « Non, ne m'embrasse pas,
je ne suis pas rasé... » Alors je lui pris vivement la
main gauche et la baisai. Je vois, dans le cadre de la
porte, son regard fixé sur moi... »

Au cours de l'été, son état de santé empira. *Proust à Gaston Gallimard :* « Je ne sais si je vous ai écrit depuis que j'ai recommencé à tomber par terre à chaque pas que je fais et à ne pouvoir prononcer les mots. Chose affreuse... » Martyr du métier, il se tuait, à la lettre, en corrigeant toutes les nuits les épreuves de *La Prisonnière* et en dictant à la nièce de Céleste d'autres « ajoutages ». *A Gaston Gallimard :* « Dès que je mets les pieds hors du lit, je tourne sur moi-même et je tombe. L'explication finale que j'ai trouvée, mais qui est peut-être fausse, est que, depuis mon dernier feu de cheminée, il y a beaucoup de fissures dans la cheminée, et, comme je fais du feu, peut-être est-ce un peu d'asphyxie. Il faudrait sortir, mais pour sortir il faudrait aller jusqu'à l'ascenseur. Vivre n'est pas toujours commode... »

Il continuait de presser son éditeur et de défendre sauvagement son livre :

« D'autres que moi, et je m'en réjouis, ont la jouissance de l'univers. Je n'ai plus ni le mouvement, ni la parole, ni la pensée, ni le simple bien-être de ne pas souffrir. Ainsi, expulsé pour ainsi dire de moi-même, je me réfugie dans les tomes que je palpe à défaut de les lire et j'ai, à leur égard, les précautions de la guêpe fouisseuse, sur laquelle Fabre a écrit les admirables pages citées par Metchnikoff et que vous connaissez certainement. Recroquevillé comme elle et privé de tout, je ne m'occupe plus que de leur fournir, à travers le monde des esprits, l'expansion qui m'est refusée... »

Quelqu'un ayant eu la folie de lui dire que l'esprit fonctionne mieux à jeun, il refusait de manger pour que la *Prisonnière* fût digne des tomes précédents. Il y a du sublime dans ce sacrifice d'un corps mortel à une œuvre immortelle, dans cette transfusion où le donneur choisit délibérément d'abréger ses jours pour que vivent les personnages qui tiennent de lui tout leur sang.

A des amis, il écrivait qu'il allait partir définitivement. « Et ce sera alors, réellement, le *Temps retrouvé* », ajoutait-il.

« Ses pensées s'élançaient déjà au-delà des jours qui lui restaient à vivre. Il se préoccupait des *Mémoires* annoncés de Montesquiou. On lui avait vaguement rapporté que le gentilhomme y avait raconté des choses extrêmement déplaisantes sur beaucoup de gens et sur lui. « Je vais mourir », disait-il, « il vaudrait mieux que mon nom ne parût pas, car je ne pourrai pas répondre [1]... »

En octobre 1922, étant sorti la nuit par temps de brouillard, pour aller chez les Etienne de Beaumont, il prit froid, et une bronchite se déclara. Au début, cette maladie ne semblait pas grave, mais il refusait de se laisser soigner. Il ne permit même pas que l'on chauffât sa chambre, parce que le calorifère lui donnait des suffocations. Céleste, impuissante, à laquelle il interdisait d'appeler le médecin, le jugea bientôt beaucoup plus malade que d'habitude, mais il s'obstinait stoïquement à remanier, toutes les nuits, *Albertine disparue*. Enfin, vers le 15 octobre, comme la fièvre le gênait pour son travail, il consentit à voir son médecin habituel, le Docteur Bize. Celui-ci dit que ce n'était pas alarmant, mais que Proust devrait se reposer et surtout s'alimenter. Marcel se souvint de sa mère, qui l'avait toujours soigné mieux que les médecins et qui, elle, croyait à la diète. Il soutint que toute nourriture ferait encore monter sa température et l'empêcherait de continuer son travail. « Céleste, la Mort me poursuit,

---

1. Léon Pierre-Quint : *Marcel Proust, sa vie, son œuvre* (Editions du Sagittaire, 1935).

disait-il. Je n'aurai pas le temps de renvoyer mes épreuves, et Gallimard les attend... »

« Il était très faible, raconte Céleste, et continuait à refuser de manger. La seule chose qu'il supportait, c'était de la bière glacée, qu'Odilon devait aller chercher au Ritz. Comme il étouffait, il m'appelait tout le temps : « Céleste », me disait-il, « cette fois je vais mourir. Pourvu que j'aie le temps de finir mon travail !... Céleste, promettez-moi que si les médecins, quand je n'aurai plus la force de m'y opposer, veulent me faire de ces piqûres qui prolongent les souffrances, vous les en empêcherez... » Il me le fit jurer. Avec moi, il restait gentil et doux, mais, avec les médecins, si obstiné que le Docteur Bize alla prévenir Monsieur Robert. Le Professeur vint chez nous et supplia son frère de se laisser soigner, au besoin dans une maison de santé. Monsieur Marcel se mit dans une grande colère ; il ne voulait pas sortir de sa chambre, ni avoir d'autre infirmière que moi. Quand les deux médecins furent partis, il me sonna : « Céleste, je ne veux plus « voir le Docteur Bize, ni mon frère, ni mes amis, ni « personne. Je défends que l'on m'empêche de travail- « ler. Restez seule à côté de ma chambre, veillez, et « n'oubliez jamais ce que je vous ai dit pour les piqû- « res ! » En disant cela, il me regardait d'un air terrible. Il ajouta même que, si je lui désobéissais, il reviendrait pour me tourmenter. Mais il m'ordonna d'envoyer une corbeille de fleurs au Docteur Bize. Cela avait toujours été sa manière de demander pardon, quand il était obligé de faire de la peine à quelqu'un. « Eh bien ! « Céleste, voilà encore un point de réglé si je meurs », dit-il quand je lui annonçai que la corbeille était partie. »

Cette suprême offrande, florale et funèbre, au dieu de la médecine, fait penser au dernier mot de Socrate agonisant : « N'oubliez pas que nous devons un coq à

Esculape. » Et comme Socrate, dans sa prison, faisait venir une joueuse de lyre afin de s'instruire encore avant de mourir, Marcel Proust, se sachant condamné par un juge aussi impitoyable que les Onze, s'entourait sur son lit de mort de livres, de « paperoles », d'épreuves, et faisait les ultimes retouches au texte qui lui survivrait.

« Le 17 novembre, il se crut beaucoup mieux. Il reçut son frère un long moment et dit à Céleste : « Il reste à savoir si je pourrai passer ces cinq jours... » Il était souriant et continua : « Si, comme les docteurs, vous désirez que je mange, faites-moi une sole frite ; je suis sûr que cela ne me fera pas de bien, mais je veux vous faire plaisir. » Le Professeur Proust estima sage d'interdire le plaisir de cette sole, et Marcel reconnut que cette décision était fondée. Après une nouvelle conversation avec son frère, il lui dit qu'il allait passer la nuit à bien travailler et garderait Céleste auprès de lui, pour le seconder. Le courage du malade était sublime ; il se remit à la correction de ses épreuves et joignit quelques notes à son texte. Vers trois heures du matin, épuisé, suffoquant, il fit approcher Céleste et dicta longuement... »

On a dit que, cette dictée, c'étaient des notes sur la mort de Bergotte pour lesquelles il se servait de ses propres sensations de moribond, mais de cela nul n'a, jusqu'à ce jour, trouvé la preuve. « Céleste, dit-il, je crois que c'est très bien, ce que je viens de vous faire écrire... Je m'arrête. Je n'en puis plus... » Plus tard, il murmura : « Cette nuit dira si les médecins ont eu raison contre moi, ou si j'avais eu raison contre les médecins. »

« Vers dix heures, le lendemain, Marcel réclama un peu de cette bière fraîche qu'il envoyait chercher au Ritz. Albaret partit aussitôt, et Marcel murmura à Céleste qu'il

en serait de la bière comme du reste, que tout arriverait
trop tard. Il avait grand'peine à respirer. Céleste ne pouvait détacher les yeux du visage exsangue où la barbe
avait poussé et accentuait la pâleur des traits. Il était
d'une maigreur extrême ; ses yeux avaient une intensité
telle que son regard semblait pénétrer l'invisible. Debout
à côté de son lit, Céleste, se tenant à peine (elle ne s'était
pas couchée depuis sept semaines)... suivait chacun de ses
mouvements, essayant de deviner et de prévenir le moindre de ses désirs. Brusquement, Marcel étendit un bras
hors du lit ; il lui semblait voir dans sa chambre une
hideuse grosse femme : « Céleste ! Céleste ! Elle est très
grosse et très noire ; elle est tout en noir ! J'en ai peur... »
Le Professeur Proust, prévenu à son hôpital, accourut en
toute hâte [1]. Le Docteur Bize arriva également. Céleste,
désespérée d'enfreindre les ordres de Marcel, assistait à
l'arrivée du cortège des médicaments, des ballons d'oxygè-
ne, des seringues pour les piqûres... Les yeux du malade
eurent une expression d'irritation lorsque le Docteur Bize
pénétra dans la chambre. Marcel, qui se montrait habituellement d'une si exquise politesse, ne lui dit pas bonjour
et, pour bien marquer son mécontentement, se tourna vers
Albaret, qui arrivait avec la bière commandée : « Merci,
« mon cher Odilon, dit-il, d'être allé me chercher cette
bière. » Le Docteur se pencha vers le malade pour lui faire
une piqûre ; Céleste l'aidait à écarter les draps ; elle
entendit : « Ah ! Céleste, pourquoi ? » et sentit la main de
Marcel s'appuyer sur son bras, le pincer, pour protester
encore.

Maintenant on s'empressait autour de lui. Tout fut
tenté ; il était trop tard, hélas ! les ventouses ne prenaient
plus. Avec des précautions infinies, le Professeur Proust
souleva Marcel sur ses oreillers : « Je te remue beaucoup,
mon cher petit, je te fais souffrir ? » Et, dans un souffle,
Marcel prononça ses dernières paroles : « Oh ! oui, mon

1. En fait le Docteur Robert Proust, pendant les trois derniers
jours, ne quitta pas la chambre de son frère et le soigna avec une
tendresse et un dévouement infinis.

cher Robert ! » Il s'éteignit vers quatre heures, doucement, sans un mouvement, les yeux grands ouverts [1]... »

Ses amis, ce soir-là, s'appelèrent les uns les autres au téléphone, pour parler avec tristesse, et presque avec incrédulité, de cette bouleversante nouvelle : « Marcel est mort. » Quelques-uns allèrent le voir, sur son lit funèbre. A cette chambre garnie, banale, l'admirable visage immobile, exsangue, émacié comme un personnage du Greco, communiquait une indicible grandeur. « Son masque creux et maigri, noirci par une barbe de malade, baignait dans les ombres verdâtres que quelques peintres espagnols ont répandues autour de la face de leurs cadavres [2] ». Un gros bouquet de violettes de Parme était sur sa poitrine. « Nous avons vu », dit Mauriac, « sur une enveloppe souillée de tisane, les derniers mots illisibles qu'il ait tracés et où, seul, était déchiffrable le nom de *Forcheville* : ainsi, jusqu'à la fin, ses créatures se sont nourries de sa substance, auront épuisé ce qui lui restait de vie... » On comprenait soudain, devant la pauvreté du décor où venait de mourir cet homme comblé de tous les dons, le sens et le sérieux de l'ascétisme qu'il avait fini par s'imposer. « On avait tout d'un coup l'impression, écrit Jaloux, qu'il était très loin de nous, non seulement parce qu'il était mort, mais parce qu'il avait vécu d'une vie profondément différente ; parce que le monde de recherches, d'imagination et de sensibilité où il avait vécu n'était pas le nôtre ; parce qu'il avait souffert de maux étranges et que son esprit avait eu besoin, pour s'alimenter, de douleurs exceptionnelles et de méditations peu familières à l'homme... »

« Sur son lit de mort, on ne lui eût pas donné cin-

---

1. MARIE SCHEIKEVITCH : *Souvenirs d'un temps disparu* (Plon, Paris, 1935).
2. EDMOND JALOUX.

quante ans, mais à peine trente, comme si le Temps n'eût pas osé toucher celui qui l'avait dompté et conquis... » Il avait l'air d'un adolescent éternel. A l'enterrement, en sortant de Saint-Pierre de Chaillot, Barrès, coiffé de son melon, le parapluie accroché à l'avant-bras, rencontra Mauriac : « Enfin, ouais..., dit-il, c'était notre jeune homme ». C'était surtout, et c'est encore, notre grand homme. Barrès, un peu plus tard, sut le reconnaître : « Ah ! Proust ! gentil compagnon, quel phénomène vous étiez ! Et moi, quelle désinvolture à vous juger ! »

Il est impossible, lorsqu'on en arrive à ce moment où s'achève la vie terrestre et tourmentée de Marcel Proust, et où commence sa vie glorieuse, de ne pas citer la dernière phrase du récit que lui-même a fait de la mort de Bergotte :

« On l'enterra, mais, toute la nuit funèbre, aux vitrines éclairées, ses livres disposés trois par trois veillaient comme des anges aux ailes éployées et semblaient, pour celui qui n'était plus, le symbole de sa résurrection... »

Je me souviens d'avoir lu cette page, publiquement, il y a quelques mois, et d'avoir été frappé par le silence, lourd d'émotion, qui se fait autour des œuvres du génie. C'était comme ce que Proust lui-même décrit, lorsque Swann écoute la Sonate de Vinteuil et que la petite phrase vient d'expirer :

« Swann n'osait pas bouger et aurait voulu faire tenir tranquilles aussi les autres personnes, comme si le moindre mouvement avait pu compromettre aussi le prestige surnaturel, délicieux et fragile, qui était si près de s'évanouir. Personne, à dire vrai, ne songeait à parler. La parole ineffable d'un absent, peut-être d'un mort (Swann ne savait pas si Vinteuil vivait encore), s'exhalant au-dessus du rite de ces officiants, suffisait à tenir en échec l'attention de trois cents personnes et faisait de cette estrade où une âme était ainsi évoquée un des plus nobles autels où pût s'accomplir une cérémonie surnaturelle... »

Ici se termine notre recherche. Nous avons tenté de retrouver l'histoire d'un homme qui, avec un courage héroïque, a cherché la vérité à travers l'extase ; qui s'est heurté à l'indifférence des hommes, au mystère des choses et surtout à ses propres faiblesses ; mais qui, ayant choisi de renoncer à tout pour délivrer les images captives, a vu, entre quatre murs nus, dans la solitude et le jeûne, dans la douleur et le travail, s'ouvrir enfin la seule porte à laquelle avant lui nul écrivain n'avait frappé, et nous a révélé, dans notre propre cœur, et dans les objets les plus humbles, un monde si beau que l'on peut dire de lui ce que lui-même disait de Ruskin : « Mort, il continue à nous éclairer comme ces étoiles éteintes dont la lumière nous arrive encore », et c'est « par ces yeux fermés à jamais au fond du tombeau que des générations qui ne sont pas encore nées verront la nature ».

Au commencement avait été Illiers, une petite ville aux confins de la Beauce et du Perche, où quelques Français se serraient autour d'une vieille église enca-puchonnée sous son clocher ; où un enfant nerveux et sensible lisait, les beaux après-midi du dimanche, sous les marronniers du jardin, *François le Champi* ou le *Moulin sur la Floss* ; où il entrevoyait, à travers une haie d'aubépines roses, des allées bordées de jasmins, de pensées et de verveines, et restait là, immobile, à regarder, à respirer, à tâcher d'aller avec sa pensée au-delà de l'image ou de l'odeur. « Certes, quand ils étaient longuement contemplés par cet humble passant, par cet enfant qui rêvait, ce coin de nature, ce bout de jardin n'eussent pu penser que ce serait grâce à lui qu'ils seraient appelés à survivre en leurs particularités les plus éphémères », et pourtant c'est son exaltation qui a porté jusqu'à nous le parfum de ces aubépines mortes depuis tant d'années, et qui a permis à tant d'hommes et de femmes, qui n'ont jamais vu et ne verront jamais la France, de respirer en extase, à travers le bruit de la pluie qui tombe, l'odeur d'invisibles et persistants lilas. Au commencement était Illiers, un bourg de deux mille habitants, mais à la fin était Combray, patrie spirituelle de millions de lecteurs, dispersés aujourd'hui sur tous les continents et qui demain s'aligneront au long des siècles — dans le Temps.

BIBLIOGRAPHIE

CORRESPONDANCE GÉNÉRALE DE MARCEL PROUST, 6 volumes (Plon, Paris, 1930-1936). Les cinq premiers volumes ont été publiés par Robert Proust et Paul Brach (1930-1935) ; le tome VI par Suzy-Proust-Mante et Paul Brach (1936).

MARCEL PROUST : *Lettres à la N. R. F.* (Gallimard, Paris, 1932) ; tome VI des *Cahiers Marcel Proust*.

MARCEL PROUST : *Lettres à une Amie* (Calame, Manchester, 1942), quarante et une lettres inédites adressées à Marie Nordlinger (1899-1908).

MARCEL PROUST : *Lettres à Maurice Duplay* (*Revue Nouvelle*, XLVIII, 1929), pages 1-13.

MARCEL PROUST : *Lettres à Madame Catusse* (J.-B. Janin, Paris, 1946).

Quatre lettres de Marcel Proust à ses concierges (Albert Skira, Genève, 1945).

BARNEY (Natalie Clifford) : *Aventures de l'Esprit* (Emile-Paul, Paris, 1929), pages 59-74.

DAUDET (Lucien) : *Autour de soixante lettres de Marcel Proust* (Gallimard, Paris, 1929) ; tome V des *Cahiers Marcel Proust*.

Hommage à Marcel Proust (Gallimard, Paris, 1927) ; tome I des *Cahiers Marcel Proust*. Réédition du numéro spécial de la *Nouvelle Revue Française,* consacré à Proust (1er janvier 1923), auquel un inédit a été ajouté.

LAURIS (Georges de) : *A un Ami. Correspondance inédite de Marcel Proust, 1903-1922* (Amiot-Dumont, Paris, 1948).

PIERRE-QUINT (Léon) : *Comment parut « Du côté de chez Swann », Lettres de Marcel Proust à René Blum, Bernard Grasset et Louis Brun* (Kra, Paris, 1930).

PIERRE-QUINT (Léon) : *Lettres inédites de Marcel Proust à Paul Brach* (*Revue Universelle*, XXXIII, 1er avril 1928).

POUQUET (Jeanne-Maurice) : *Quelques lettres de Marcel Proust à Jeanne, Simone et Gaston de Caillavet, Robert de Flers et Bertrand de Fénelon* (Hachette, Paris, 1928).

ROBERT (Louis de) : *Comment débuta Proust* (*Revue de France,* 1er et 15 janvier 1925).

ROBERT (Louis de) : *De Loti à Proust* (Flammarion, Paris, 1928).

Lettres et textes inédits appartenant à Madame Gérard Mante-Proust, au Professeur Henri Mondor, à la Marquise Robert de Flers, à Madame Laurent du Buit, à Monsieur Alfred Dupont, au Comte Jean de Gaigneronl, à Madame Maurice Fouquet, à Madame Jacques Brissaud, à Mr. Edward Waterman, et à Monsieur Théodore Tausky.

*
* *

ABATANGEL (Louis) : *Marcel Proust et la musique* (Imprimerie des Orphelins Apprentis d'Auteuil, Paris, 1939).

ABRAHAM (Pierre) : *Proust. Recherches sur la création intellectuelle* (Rieder, Paris, 1930).

AMES (Van Meter) : *Proust and Santayana. The Æsthetic way of life* (Willet, Clark & Co, Chicago, 1937).

BÉDÉ (Jean-Albert) : *Marcel Proust, problèmes récents* (*Le Flambeau*, XIX, 1936), pages 311-324 et 439-452.

BÉGUIN (Albert) : *L'Ame romantique et le rêve* (Librairie José Corti, Paris, 1939).

BIBESCO (Princesse) : *Au Bal avec Marcel Proust* (Gallimard, Paris, 1928), tome V des *Cahiers Marcel Proust.*

BIBESCO (Princesse) : *Le Voyageur voilé* (La Palatine, Genève, 1947).

BILLY (Robert de) : *Marcel Proust. Lettres et conversations* (Editions des Portiques, Paris, 1930).

BLANCHE (Jacques-Emile) : *Du Côté de chez Swann* (*L'Echo de Paris*, 16 décembre 1913).

BLANCHE (Jacques-Emile) : *Souvenirs sur Marcel Proust* (*Revue Hebdomadaire*, 21 juillet 1928).

BLANCHE (Jacques-Emile) : *Mes Modèles* (Stock, Paris, 1928).

BLANCHE (Jacques-Emile) : *Propos de peintre*, 3 volumes (Emile-Paul, Paris, 1919-1928). Tome I : *De David à Degas* (1919) ; Tome II : *Dates* (1921) ; tome III : *De Gauguin à la Revue Nègre* (1928).

BLONDEL (Charles-A.) : *La Psychographie de Marcel Proust* (Vrin, Paris, 1932).

BONNET (Henri) : *Le Progrès spirituel dans l'œuvre de Marcel Proust : le monde, l'amour et l'amitié* (Librairie philosophique J. Vrin, Paris, 1946).

BOYLESVE (René) : *Feuilles tombées* (Editions Dumas, Paris, 1947).

BRASILLACH (Robert) : *Portraits* (Plon, Paris, 1935).

BURNET (Etienne) : *Essences* (Editions Seheur, Paris, 1929).

CATTAUI (Georges) : *L'Amitié de Proust* (Gallimard, Paris, 1935).

CELLY (Raoul) : *Répertoire des Thèmes de Marcel Proust* (Gallimard, Paris, 1935), tome VII des *Cahiers Marcel Proust.*

CHERNOWITZ (Maurice-E.) : *Bergson's influence on Marcel Proust* (*Romantic Review*, XXVII, 1936), pages 45-50.

CHERNOWITZ (Maurice-E.) : *Proust and painting* (International University Press, New-York, 1945).

CLERMONT - TONNERRE (Elisabeth de Gramont, duchesse de) : *Robert de Montesquiou et Marcel Proust* (Flammarion, Paris, 1925).

COCHET (Marie-Anne) : *L'Ame proustienne* (Imprimerie des Etablissements Collignon, Bruxelles, 1929).

CŒUROY (André) : *Musique et Littérature, études comparées* (Bloud et Gay, Paris, 1923).

CRÉMIEUX (Benjamin) : *XXᵉ Siècle* (Gallimard, Paris, 1924).

CRÉMIEUX (Benjamin) : *Du côté Marcel Proust* (Lemarget, Paris, 1929).

CURTIUS (Ernst-Robert) : *Marcel Proust*, traduit de l'allemand par Armand Pierhal (Editions de *La Revue Nouvelle*, Paris, 1928).

DANDIEU (Arnaud) : *Marcel Proust, sa révélation psychologique* (Firmin-Didot, Paris, 1930).

DAUDET (Charles) : *Répertoire des personnages de « A la Recherche du temps perdu »* (Gallimard, Paris, 1928), tome II des *Cahiers Marcel Proust*.

DAUDET (Léon) : *Salons et journaux* (Grasset, Paris, 1932).

DAUDET (Lucien) : *Autour de soixante lettres de Marcel Proust* (Gallimard, Paris, 1929), tome V des *Cahiers Marcel Proust*.

DELATTRE (Floris) : *Bergson et Proust* (Albin Michel, 1948), tome I de la collection : *Les Etudes bergsoniennes*.

DREYFUS (Robert) : *Souvenirs sur Marcel Proust* (Bernard Grasset, Paris, 1926).

DREYFUS (Robert) : *De Monsieur Thiers à Marcel Proust* (Plon, Paris, 1939).

DU BOS (Charles) : *Approximations* (Plon, Paris, 1922), tome I, pages 58-116.

FERNANDEZ (Ramon) : *Messages* (Gallimard, Paris, 1926).

FERNANDEZ (Ramon) : *Notes sur l'esthétique de Proust* (*Nouvelle Revue Française*, XXXI, 1928), pages 272-280.

FERNANDEZ (Ramon) : *Proust* (Editions de la *Nouvelle Revue critique*, Paris, 1949).

FERRÉ (André) : *Géographie de Marcel Proust* (Editions du Sagittaire, Paris, 1939).

FEUILLERAT (Albert) : *Comment Marcel Proust a composé son roman* (Yale University Press, New Haven, U. S. A., 1934).

FISER (Emeric) : *L'Esthétique de Marcel Proust* (Rieder, Paris, 1933) ; préface de Valéry Larbaud.

GABORY (Georges) : *Essai sur Marcel Proust* (Emile Chamontin, Le Livre, Paris, 1926).

GERMAIN (André) : *De Proust à Dada* (Kra, Paris, 1924).

GRAMONT (Elisabeth de) : *Marcel Proust* (Flammarion, Paris, 1948).

GREGH (Fernand) : *L'Age d'or* (Bernard Grasset, Paris, 1948).

HAHN (Reynaldo) : *Notes* (Plon, Paris, 1933).

HIER (Florence) : *La musique dans l'œuvre de Marcel Proust* (Publications of the Institute of French Studies, New-York, 1932).

Hommage à Marcel Proust (Gallimard, Paris, 1927), tome I des *Cahiers Marcel Proust.*

HUDSON (Stephen) : *Celeste and other sketches* (The Blackmore Press, Londres, 1930).

HUYGHE (René) : *Affinités électives : Vermeer et Proust* (*Amour de l'Art*, XVII, 1936), pages 7-15.

IRONSIDE (R.) : *The Artistic vision of Proust* (*Horizon*, IV, nᵒ 19, 1941), pages 28-42.

JACKEL (Kurt) : *Bergson und Proust* (Priebatsch, Breslau, 1934).

JACKEL (Kurt) : *Richard Wagner in der franzosischen Literatur* (Prietbatsch, Breslau, 1932).

KINDS (Edmond) : *Marcel Proust* (Collection Triptyque ; Richard Masse, éditeur, Paris, 1947).

KOLB (Philip) : *Inadvertent Repetitions of material in « A la recherche du temps perdu »* (P. M. L. A., LI, 1936), pages 249-262.

KRUTCH (Joseph Wood) : *Five Masters, a study in the mutations of the novel* (Cape et Smith, New-York, 1930).

LARCHER (P.-L.) : *Le Parfum de Combray* (Mercure de France, Paris, 1945).

LAURIS (Georges de) : *Marcel Proust d'après une correspondance et des souvenirs* (*Revue de Paris*, XLV, 1938, pages 734-776).

LAURIS (Georges de) : *A un Ami, Correspondance inédite de Marcel Proust, 1903-1922* (Amiot-Dumont, Paris, 1948).

LAURIS (Georges de) : *Souvenirs d'une belle époque* (Amiot-Dumont, Paris, 1948).

LAURENT (Henri) : *Marcel Proust et la musique* (*Le Flambeau*, I, 1927, pages 241-256, et *Le Flambeau*, II, 1927, pages 49-64).

LE BIDOIS (Robert) : *Le langage parlé des personnages de Proust* (*Le Français moderne*, Paris, 1939, pages 197-218).

LE GOFF (Marcel) : *Anatole France à La Béchellerie* (Albin Michel, Paris, 1947).

LEMAITRE (Georges) : *Four French novelists* (Oxford University Press, Londres, 1938).

LINDNER (Gladys Dudley) : *Marcel Proust, reviews and estimates in English* (Stanford University Press, Stanford, Californie, 1942).

MARTIN-DESLIAS (Noel) : *Idéalisme de Marcel Proust* (F. Janny, Montpellier, sans date).

MASSIS (Henri) : *Le Drame de Marcel Proust* (Bernard Grasset, Paris, 1937).

MAURIAC (François) : *Proust* (Marcelle Lesage, Paris, 1926).

MAURIAC (François) : *Du Côté de chez Proust* (La Table Ronde, Paris, 1947).

MONTESQUIOU (Robert de) : *Les Pas effacés, Mémoires,* publiés par Paul-Louis Couchoud, 3 volumes (Emile-Paul, Paris, 1923).

MOUREY (Gabriel) : *Proust, Ruskin et Walter Pater* (*Le Monde nouveau,* août-septembre 1926, pages 702-714 et *Le Monde nouveau,* octobre 1926, pages 896-909).

MOUTON (Jean) : *Le Style de Marcel Proust* (Editions Corrêa, Paris, 1948).

MURRAY (J.) : *Marcel Proust et John Ruskin* (*Mercure de France* CLXXXIX, 1926, pages 100-112).

MURRY (John Middleton) : *Marcel Proust : a new sensibility* (*Quarterly Review*, New-York, 1922), pages 86-100.

O'BRIEN (Justin-M.) : *La Mémoire involontaire avant Proust* (*Revue de Littérature comparée*, XIX, 1939), pages 19-36.

PIERHAL (Armand) : **Sur la Composition wagnérienne de l'œuvre de Proust** (Bibliothèque Universelle et *Revue de Genève*, juin 1929, pages 710-719).

PIERRE-QUINT (Léon) : *Comment travaillait Proust* (Editions des Cahiers Libres, Paris, 1928).

PIERRE-QUINT (Léon) : *Comment parut « Du Côté de chez Swann »* (Kra, Paris, 1930).

PIERRE-QUINT (Léon) : *Marcel Proust, sa vie, son œuvre* (Kra, Paris, 1925). Une édition nouvelle de cet ouvrage, augmenté de plusieurs études, a paru aux Editions du Sagittaire, Paris, en 1935.

PIERRE-QUINT (Léon) : *Une Nouvelle Lecture dix ans plus tard* (*Europe*, numéro du 15 octobre 1935, pages 185-198, et numéro du 15 novembre 1935, pages 382-399).

POMMIER (Jean) : *La mystique de Proust* (Librairie E. Droz, Paris, 1939).

POUQUET (Jeanne-Maurice) : *Le Salon de Madame Arman de Caillavet* (Hachette, Paris, 1926).

RAPHAEL (Pierre) : *Introduction à la Correspondance de Marcel Proust. Répertoire de la Correspondance de Proust* (Editions du Sagittaire, Paris, 1938).

ROBERT (Louis de) : *De Loti à Proust* (Flammarion, Paris, 1938).

SACHS (Maurice) : *L'Air du mois* (*Nouvelle Revue Française,* numéro du 1er juillet 1938, page 863).

SACHS (Maurice) : *Le Sabbat* (Editions Corrêa, Paris, 1946).

SAURAT (Denis) : *Tendances* (Editions du Monde Moderne, Paris, 1928).

SCHEIKÉVITCH (Marie) : *Souvenirs d'un temps disparu* (Plon, Paris, 1935).

SCOTT - MONCRIEFF (Charles Kenneth) : *An English Tribute* (T. Seltzer, New-York, 1923).

SEILLIERE (Baron Ernest) : *Marcel Proust* (Editions de la Nouvelle Revue critique, Paris, 1931).

SOUDAY (Paul) : *Marcel Proust* (Kra, Paris, 1927).

SOUZA (Sybil de) : *L'Influence de Ruskin sur Proust* (Montpellier, 1932).

SOUZA (Sybil de) : *La Philosophie de Marcel Proust* (Rieder, Paris, 1939).

SPIRE (André) : *Quelques Juifs et demi-Juifs,* tome II, pages 47-61 (Bernard Grasset, 1928).

SPITZER (Léo) : *Zum Stil Marcel Prousts, Stilstudien,* II, pages 365-497 **(M. Hueber, Munich, 1928).**

TIEDKE (Irma) : *Symbole und Bilder im Werke Marcel Prousts* (Evert, Hambourg, **1936).**

VETTARD (Camille) : *Proust et Einstein (Nouvelle Revue Française,* numéro du 1er août 1922).

VIGNERON (Robert) : *Genèse de Swann (Revue d'Histoire de la Philosophie et d'Histoire générale de la Civilisation,* numéro du 15 janvier 1937, pages 67-115).

VIGNERON (Robert) : *Marcel Proust and Robert de Montesquiou (Modern Philology,* XXXIX, pages 159-195, 1941).

WEGENER (Alfons) : *Impressionismus und Klassizismus im Werke Marcel Prousts* (Carolus Druckerei, Francfort, 1930) .

ZAESKE (Käthe) : *Der Stil Marcel Prousts* (Emsdetten, Lechte, 1937).